CYFROLAU CE

Golygydd y gyfres: Dafy

TWM O'R NANT : DW̶ ̶ ̶ ̶A̶N̶ ̶ ̶ ̶ ̶
Cyfoeth a Thlodi a Tri Chydymaith Dyn

Ganed THOMAS EDWARDS (TWM O'R NANT) ym Mhenparchell Isaf, Llannefydd, Sir Ddinbych ym 1739, a'i fagu, yr hynaf o ddeg plentyn i deulu tlawd, yn y Nant, Nantglyn. Rhydd ei hunangofiant, a gyhoeddwyd gyntaf yng nghylchgrawn *Y Greal*, 1805, ddarlun byw o amgylchiadau cyfyng ei fywyd cynnar a'i ymdrechion yntau i ddysgu darllen, ysgrifennu a barddoni. Ymddangosai am gyfnod fod Twm, yn ddyn ifanc yn ei ugeiniau ac yn byw yn Ninbych, wedi cael y llaw uchaf ar Widdanes Tlodi, canys yr oedd yn berchen busnes llewyrchus fel cariwr. Ond daeth colledion, a marw rhai o'i geffylau o haint. Ar ben hynny aeth i ddyled ac i helyntion cyfreithiol difrifol trwy fynd yn feichiau tros ewythr iddo. Ffodd o flaen y gyfraith i ardal Dolobran, Sir Drefaldwyn, ac oddi yno i Sir Gaerfyrddin. Bu'n dilyn amryw alwedigaethau: cariwr, tafarnwr, adeiladwr, ceidwad tollborth, a dychwelyd eto i Ddinbych heb ddim wrth gefn. Yr oedd yn ymhel â'r anterliwt oddi ar ei blentyndod, ac ati hi y trôi eto pan fethai popeth arall. Gellir dweud ei fod yn awdur, cynhyrchydd ac actor yn yr unig theatr broffesiynol a welodd Cymru am genedlaethau lawer. Cadwyd saith o'i anterliwtiau (wyth os cyfrifir *Bannau y Byd*, nid mor actadwy), a hefyd doreth o gerddi, caeth a rhydd, sy'n cyfleu mewn modd lliwgar ei fywyd ei hun a bywyd ei oes, ei argyhoeddiadau a'i ragfarnau. Meddylir amdano'n arbennig fel beirniad a dychanwr a oedd yn lleisio cŵyn ei bobl ei hun, gwerin gwlad Hiraethog a Dyffryn Clwyd. Eto, o dan hyn oll yr oedd sylfaen eithaf ceidwadol i'w feddwl, peth sy'n wir am y rhan fwyaf o ddychanwyr mawr y ddeunawfed ganrif. Coleddai grefydd nad oedd yn wahanol iawn, yn athrawiaethol, i eiddo diwygwyr efengylaidd ei genhedlaeth, a rhywsut nid yw'n syndod mai yng nghanol sêt fawr o bregethwyr Methodist y gwelwyd ef yn gyhoeddus am y tro olaf. Yn Nhremadog y bu hynny, ac yntau, yn ddeg a thrigain oed, yn gweithio ar adeiladu'r 'Cob' ar draws afon Glaslyn. Bu farw fis Ebrill 1810, a'i gladdu ym mynwent yr Eglwys Wen, Dinbych. Mae pob sylwedydd o'r bron ar waith Twm o'r Nant wedi defnyddio'r gair 'athrylith'. Credai yntau'n sicr fod honno ganddo, a gellir dal mai ei brif thema fel llenor yw'r gwrthdaro rhwng ei 'athrylithr', yr 'anian burwyllt yn berwi', a'r amgylchiadau a oedd yn ei rhwystro'n ddigon aml, ond heb erioed lwyddo i'w threchu.

Brodor o Fangor yw ADRIAN C. ROBERTS. Graddiodd, fel myfyriwr hŷn, o Brifysgol Cymru, Bangor, ac yna cwblhau ar gyfer gradd uwch y golygiadau sy'n sail y gyfrol hon.

Y DDAU BEN

YMDRECHGAR:

CYFOETH a THLODI.

WEDI GOSOD ALLAN

Ychydig o'u Dull a'u Heffaith wrthryfelgar
yn y Byd.

GIDA'G

Eglurhâd byrr a chyfflybiaethol, o'u Pwys
a'u SYLWEDD,

Yn ôl Rheol ŷ PEDWAR DEFNYDD,

DWR, TAN, DAEAR, AWYR

A'r Gyfanfoddiad rhagdrefniadawl

INTERLUTE.

Gan _THOMAS EDWARDS,_

PRYDYDD, o Drêf DDINBYCH.

Argraphwyd yn GHAERLLEON, gan T. HUXLEY.
[Prîs Chwecheiniog.]

Tudalen deitl *Y Ddau Ben Ymdrechgar, sef Cyfoeth a Thlodi* (1767), drwy
ganiatâd Llyfrgell Prifysgol Bangor.

Cyfrolau Cenedl 2

Twm o'r Nant:
Dwy Anterliwt

Cyfoeth a Thlodi
a
Tri Chydymaith Dyn

Golygwyd gyda Rhagymadrodd a Nodiadau

gan

ADRIAN C. ROBERTS

DALEN NEWYDD

2011

Argraffiad cyntaf – 2011

Rhif llyfr cydwladol (ISBN) 978-0-9566516-2-4

Cydnabyddir yn ddiolchgar gymorth Cyngor Llyfrau Cymru
tuag at gyhoeddi'r gyfrol hon.

Cynllunio gan nereus,
Tanyfron, 105 Stryd Fawr, Y Bala, Gwynedd, LL23 7AE.
e-bost: dylannereus@aol.com

Cyhoeddwyd gan Dalen Newydd,
3 Trem y Fenai, Bangor, Gwynedd, LL57 2HF.
e-bost: dalennewydd@yahoo.com

Argraffwyd gan MWL Print Group Cyf., Unedau 10/13,
Stad Ddiwydiannol Pontyfelin, New Inn, Pont-y-pŵl, Torfaen,
NP4 4DQ.

Rhagair

Cyflwynir yma olygiadau newydd o ddwy anterliwt gan Thomas Edwards (Twm o'r Nant). Nid pawb a all werthfawrogi anterliwt. Mae mwy o swyn i lawer mewn llenyddiaeth o oesau mwy rhamantus na'r ddeunawfed ganrif. Nid oes iddi yr un bri ac apêl ag sydd i'r Mabinogi, dyweder, neu waith y cywyddwyr mawr gyda'u cysylltiadau gwych a chain. Agwedd tuag at yr anterliwtiau yw hon a etifeddwyd gan ysgolheigion cynnar y Brifysgol. Yr oeddent yn rhy agos at y ffurf neu'r *genre* i allu ei gwerthfawrogi. Ceisiwyd yn yr ymdriniaeth hon drin y ddwy anterliwt fel organau byw asbrïol, gan mai dyna ydynt byth ond codi'r llwch, yn y golygiadau a'r nodiadau fel ei gilydd. Iaith fel y'i siaredid hi yn y cyfnod yw'r cyfrwng ac mae'n iaith sydd yn werth ei hailddysgu. Ceisiwyd mynd i'r afael â'r agwedd dra diddorol hon ar yr anterliwt mewn modd teilwng. Ni ddilynwyd yn orfanwl bob cyfeiriad Ysgrythurol gan nad traethawd diwinyddol ydyw. Yn y mannau lle ceir y cyfryw gyfeiriadau, barnwyd yn ddigonol roi un ffynhonnell Feiblaidd yn unig yn hytrach na gorlwytho'r nodiadau â gwybodaeth hawdd ei chael yn y Beibl ei hun neu mewn geirlyfrau Beiblaidd. Traethwyd eisoes gan eraill ar amodau perfformio'r anterliwt yn ogystal ag ar awdur y ddwy anterliwt a olygir yma. Serch hynny, cyffyrddwyd â'r ddau bwnc hyn yma ac acw yn y Rhagymadrodd a'r Nodiadau.

Heb gymorth ariannol Ymddiriedolaeth James, Pantyfedwen tuag at fy nghostau, byddai'r gwaith hwn wedi bod yn amhosibl. Yr wyf yn ddyledus i'r Ymddiriedolwyr o'r herwydd, a mynegaf trwy'r geiriau hyn fy niolchgarwch iddynt hwy ac i Mr. Richard Morgan, eu Hysgrifennydd Gweithredol, am y gymwynas.

Hoffwn ddiolch o galon i'm cyfarwyddwr, Mr. Dafydd Glyn Jones, Adran y Gymraeg, Bangor, gynt, nid yn unig am ei gyfarwyddyd sicr, ond hefyd am gymwynas annisgwyl ganddo fwy nag unwaith. Nid amhriodol fuasai imi ddiolch hefyd i Gwawr, ei wraig garedig, am fy nerbyn i'w chartref mor groesawgar ar fy ymweliadau ynglŷn â'r gwaith hwn.

Dymunwn hefyd ddiolch i'r Athro Branwen Jarvis, Pennaeth yr Adran ar pryd, ac i'r Athro Peredur Lynch, o'r un Adran, am eu cefnogaeth. Ni fyddai diolchiadau neb mewn gwaith fel hwn i staff Adran y Gymraeg ym Mangor, yn gyflawn heb gynnwys enw Mrs Gwyneth Williams, yr Ysgrifenyddes tan ei hymddeoliad diweddar.

Mae gennyf ddiolch yn olaf i Mr. Andrew Hawke o Eiriadur Prifysgol Cymru yn Aberystwyth am ei barodrwydd mwyn i e-lythyra â mi ynghylch ystyron rhai geiriau, ac i Elen Simpson a Diana Clarke o staff Archifdy Prifysgol Cymru, Bangor, am estyn imi yr un mor fwyn bob cymorth ar bob cais bob tro.

Medi 2011   A.C.R.

Cynnwys

Rhagymadrodd

Golygiadau a golygyddion

> *Un o effeithiau Diwygiad crefyddol y 18fed ganrif oedd ysgubo yr interliwd o Gymru. Ac nid heb angen. Yr oedd y chwareu yn raddol wedi syrthio i ddwylaw dosbarth anfoesol – y dosbarth isaf mewn cymdeithas. Felly cliriwyd hi o'r wlad heb adael olion o'r amrywiol hen chwareuon a ffynnent y pryd hwnnw ond 'Mari Lwyd', yr hon a gadwyd yn fyw ym mro Gwent a Morganwg hyd ganol y ganrif ddiwethaf. –* T.J. Williams, *Hanes y Ddrama Gymreig,* Bangor [1915].

Felly y syniwyd o hyd am yr anterliwt mor ddiweddar â'r flwyddyn 1915 – dan ddylanwad adnewyddol, y mae'n sicr, Diwygiad 1904-05, y diwygiad crefyddol olaf posibl ymhlith ac o blith y Cymry trwy'r Gymraeg. Heblaw'r cibddellni llenyddol a amlygir mewn geiriau mor ddibrisiol â'r rhain, mae'n anodd dirnad sut y gellid sôn yn gydwybodol am 'ddosbarth anfoesol' oes arall, mewn llyfr a gyhoeddwyd ym 1915 (neu'r flwyddyn ganlynol efallai), a marchnatwyr rhyfel y Rhyfel Byd Cyntaf – gan gynnwys rhai o 'genhadon hedd' Cymru – yn pregethu rhyfel o'u pulpudau, yn eu syched am waed ac elw yn achosi difa a difetha bywydau ieuenctid y gwledydd.

Ddeugain mlynedd ynghynt, yn y flwyddyn 1875 yn *Y Traethodydd* (XXIX, tt. 212-41) cyhoeddwyd erthygl ddefnyddiol iawn gan Ioan Pedr, y llengarwr mawr, yn adolygu cyfrol Isaac Foulkes, *Gwaith Thomas Edwards*, a oedd wedi ei chyhoeddi'r flwyddyn cynt. Yn 'Y Bardd o'r Nant a'i Waith' mae ailgyhoeddi barddoniaeth ac anterliwtiau Twm o'r Nant yn cael croeso mawr gan John Peter: mae'n dda cael y gyfrol, meddai, '... wedi gadael allan rai ymadroddion anweddus ac wedi newid eraill yn yr Interliwtiau'. At hynny: 'Gwnaeth [Foulkes] yn dda ollwng un gân hefyd heibio, a gobeithio mai i dir ebargofiant yr â, er ei holl dalent [sef talent Twm o'r Nant]'. At drydydd pennill y

gerdd ar *Consêt Lord Wheelberry* – ll. 401-412, fel y gwelir tynnu
sylw ato yn nodiadau'r gwaith hwn, y cyfeiria'r adolygydd; mae
hefyd yn hepgor pennill llafar (ll. 205-8). Ni ellir beio dim ar Ioan
Pedr wrth gwrs am gredu iddo ragweld gwawr ddifrycheulyd ar
dorri, neu eisoes wedi dechrau torri efallai, ar gymeriad y Cymry,
ond breuddwyd gwrach oedd ei obaith y gallai hynny a geid o
serthedd yn yr anterliwtiau golli ei rym bywiol, o fewn cyn lleied
o genedlaethau o leiaf, mewn oes heb fod ynddi ddim ysgolion
gorfodol gwladwriaethol Saesneg na chyfryngau torfol Saesneg
eraill i wyrdroi mor chwyrn gwrs iaith naturiol y bobl.

Parhaodd yr agwedd honno tuag at iaith yr anterliwtiau
ymhell i'r ugeinfed ganrif, hyd yn oed ymysg cymwynaswyr
yr anterliwtiau, gyda golygydd hunangofiant Twm o'r Nant,
G.M.Ashton, yn crybwyll yn ddigon difater beidio â chynnwys
yn ei olygiad o hwnnw elfennau 'rhy blaen' o iaith yr awdur. Yr
oedd yr 'angen' yn dal yn ddigon clir iddo yntau ynghylch rhai
elfennau o iaith a chwaeth yr oes, genhedlaeth dda wedi i T.J.
Williams fynegi ei farn (gan gadarnhau safbwynt Ioan Pedr o'i
flaen).

Y golygiad diwethaf cyn yr un presennol o *Cyfoeth a
Thlodi* oedd un Isaac Foulkes dros ganrif a chwarter yn ôl.
Erys ar glawr gopïau ohoni o argraffiadau John Jones, Llanrwst
(1841) a David Jones, Merthyr (1849). Gan J. Ambrose, Bangor
(1850), cyhoeddwyd y gyfrol fach *Y Llwyn Celyn: neu, Bigion
o Bigog Bethau Twm o'r Nant ac eraill*, y gyntaf o bedair cyfrol
arfaethedig, ond yr unig un a ddaeth allan, hyd y gwyddom. Yn
ogystal â 'Hanes Bywyd Thomas Edwards' ac ychydig gerddi,
mae'n cynnwys testun *Cyfoeth a Thlodi* yn gyfan. I'r Llyfrbryf
(Isaac Foulkes) y bu raid i'r llengarwr cyffredin a ymddiddorai
yn anterliwtiau Twm o'r Nant ddiolch yn ystod chwarter olaf y
bedwaredd ganrif ar bymtheg ac ar hyd yr ugeinfed am gasgliad
o'i waith mewn cyfrol hwylus, *Gwaith Thomas Edwards (Twm o'r
Nant)* (Lerpwl, 1874, 1889).

Daeth yn hen bryd cael golygiadau o'r newydd ar sail yr

argraffiadau gwreiddiol. Ni chafwyd golygiad o *Tri Chydymaith Dyn* oddi ar argraffiad gwreiddiol Huxley ym 1769. Dengys tystiolaeth yr Hunangofiant mai ym 1768 yr ysgrifennwyd hi a'i hactio gyntaf. Pan welir cyfeiriad at 'yr arg. gwr.' yn nodiadau'r ddau olygiad yma, cyfeiriad ydyw at argraffiadau gwreiddiol Huxley. Un copi, hyd y gwyddys, a erys ar glawr o *Tri Chydymaith Dyn* Huxley, ac mae hwnnw ym meddiant y Llyfrgell Genedlaethol yn Aberystwyth. Copi amherffaith yw, heb iddo dudalen deitl. Mantais fawr y Llyfrbryf fel golygydd anterliwtiau oedd ei agosrwydd o ran blynyddoedd ei oes i'r byd Cymreig a Chymraeg a gofnodir yn yr anterliwtiau ac – fel un o feibion Dyffryn Clwyd – i'r darn tir a fu'n gynefin iddynt. Gresyn na chafwyd golygiadau bach glân a hwylus o'r anterliwtiau gan un neu ddau o ysgolheigion cynnar y Brifysgol, gan eu bod hwythau hefyd dipyn yn nes at y byd hwnnw a'i iaith gyhyrog sicr nag yr ydym ni ar ddechrau'r unfed ganrif ar hugain, a ninnau'n ffrwyth sawl cenhedlaeth bellach o gyflyriad seisnigeiddiol. Mae inni ddiolch i O.M. Edwards am destunau o *Tri Chryfion Byd a Pedair Colofn Gwladwriaeth* yng Nghyfres y Fil, 1909, 1910.

Hanes cyfansoddi'r ddwy anterliwt

Cyfoeth a Thlodi a ddaeth yn gyntaf o'r ddwy hyn, a hon oedd yr ail a wnaeth yr awdur (sôn am *wneud* neu *wneuthur* anterliwt yn hytrach na'i hysgrifennu a geir gan Twm yn yr *Hunangofiant*) wedi iddo ailgydio yn yr anterliwt ar ôl taflu'r 'cap cybydd tros ochr yr ysgraff i afon Gonwy' yn un ar hugain oed ym 1760. *Y Farddonaeg Fabilonaidd* (fel y'i sillefir yn yr argraffiad gwreiddiol), neu 'Weledigaeth Cwrs y Byd', fel y'i geilw yn yr *Hunangofiant*, oedd y gyntaf wedi'r ailgydiad – chwe blynedd wedyn yn ôl ei flynyddoedd yn yr *Hunangofiant*. Hon hefyd oedd y gyntaf o'i anterliwtiau argraffedig. 'Yn ôl ei flynyddoedd yn yr *Hunangofiant*', a ddywedir uchod, gan ei fod yn sôn am symud i'r Ala Fowlia yn Ninbych (ar ôl arhosiad byr mewn tyddyn yn y

Bylchau) i ddechrau byw ar ôl priodi yn bedair ar hugain oed ym mis Chwefror, 1763, ac aros yno hyd Galanmai ymhen y ddwy flynedd wedyn (1765), pryd y symudodd y teulu bach i Ben Isa'r Dref i fyw. Â yn ei flaen wedyn i ddweud ei fod yn dechrau cario coed Bachymbyd yr haf canlynol (1766); ac ar ddiwedd y flwyddyn honno, wedi cael yr ergydion o golli ceffylau i'r gysb a dyledwr iddo o fasnachwr yn 'mynd i'r môr', ac at hynny rhyw 'walch o ŵr bonheddig' o'r enw Mostyn yn mynnu dyledion rhent porfa ganddo trwy rym cyfraith, fe'i ceir yn dweud fod mwyngloddwyr o Sir y Fflint wedi ei berswadio i wneud anterliwt – a honno oedd y *Farddonaeg*. Un o bedwar ydoedd, meddai, yn actio honno. Fe dalodd yn dda iddo, mae'n rhaid, gan ei fod yn tystio iddo gael ei ddal am y dyledion ar ganol ei chwarae a'i fod wedi gallu talu meichiafon a roes tan y sesiwn nesaf a 'llawer o gostau' i'w canlyn cyd-rhwng yr enillion o'r wedd a'r chwarae. Ar ddiwedd y flwyddyn, meddai, rhoes y gorau i chwarae gyda'r 'rhai hynny', sef ei dri chyd-actor, a gwneud anterliwt newydd rhwng dau, a honno oedd *Cyfoeth a Thlodi* (1767). Fel hyn y dywed ei thudalen deitl:

> Y DDAU BEN / YMDRECHGAR: / SEF, /
> CYFOETH a THLODI. / WEDI GOSOD ALLAN /
> Ychydig o'u Dull a'u Heffaith wrthryfelgar / yn y Bŷd. /
> GIDAG / Eglurhâd byrr a chyfflybiaethol, o'u PWYS a'u
> SYLWEDD, / Yn ôl Rheol y PEDWAR DEFNYDD,
> / DWR, TAN, / DAEAR, AWYR / A'r Gyfansoddiad
> rhagdrefniadawl / INTERLUTE. / Gan THOMAS
> EDWARDS, / PRYDYDD, o DREF DDINBYCH. /
> Argraphwyd yn GHAERLLEON, gan T. HUXLEY. /
> [Pris Chwecheiniog.]

Actiwyd hon 'ymhell ac yn agos' dros flwyddyn, ac fe'i dilynwyd y flwyddyn ganlynol (1768) gan *Tri Chydymaith Dyn*, a 'mor ddyfal â'r llall' fu'r dilyn arni.

Rhediad 'Cyfoeth a Thlodi'

Yn *Cyfoeth a Thlodi* daw'r Ffŵl ymlaen yn gyntaf, yn ôl y disgwyl, i gyfarch y cwmni a ymgasglodd ac a dalodd eu ceiniog, a pheri iddynt dewi gyda deuddeg o benillion chwareus parod. Ceir tipyn o ganu gan y Cerddor wedyn ar dôn nas enwir, a dawnsio cyn ymddangosiad y Traethydd i 'ddondio' 'r Ffŵl. Ceir wedyn dipyn o gecru rhwng y ddau nes i hwnnw 'fynd i lawr' ar drydydd cais y Traethydd iddo ef gael ei dro i 'ruo'. Tro'r Traethydd ydyw yn awr i alw am osteg a llonydd i 'draethu'r testun hwn ar frys mewn pwyllus wllys allan'. Rhagflas bach o'r wledd a gaiff ei chynnig gerbron y gynulleidfa yw'r Mynegiad, ac fe rydd yn gryno yr hyn sydd i ddod yn y perfformiad. Yn y bôn,

> Rhyw draws feddylfryd ydi,
> Neu wir hoff iawnserch ffansi,
> Am Gyfoeth byd a'i fawredd da,
> Maith lydan, a Thylodi.

Ond nid rhywbeth i'w weld a'i wrando ac wedyn ei fwrw dros gof yw'r wledd berfformiadol:

> Ac felly, pawb sy'n gwrando,
> Gwnewch brofi pob peth drwyddo,
> Gan ddal yn ddoeth ar 'r hyn sy dda,
> 'N wahanol yma heno.

Yn awr mae'r anterliwt yn dechrau o ddifrif gydag ymadawiad y Traethydd a dychweliad y Ffŵl i draethu penillion bras, deuddeg ohonynt i gyd, yn sôn am y gal, neu'r 'ffalws', nas daethai gerbron, gan gyhuddo'r merched o fod yn siomedig ac yn flin o'r herwydd. Gedy'r llwyfan wedyn i Capten Cyfoeth gael dod gerbron i ymffrostio mai ef yw'r 'grymuster'

Sydd yn y byd gan bob rhyw bleser;
Chwant y cnawd a chwant y llygad,
A balchder y bywyd yw fy neiliad.

Cyfetyb Capten Cyfoeth i Pleser yn *Pleser a Gofid* yn y pethau hyn. Mae'n canu ar *Heppy's March* i 'ddatgan mwy o'm braint a'm cryfder'. Mae'r gerdd yn llawn o'r Fi Fawr, gyda 'I mi mae ...' a 'Myfi sydd/yw ...' yn gymeriadau dechreuol i'r rhan fwyaf o ddigon o'r llinellau. 'Llawn gymeriad sydd i mi', meddai. Mae hyn yn nodwedd gyffredin iawn ar gerddi anterliwtiau. Nid 'character' yw ystyr y gair 'cymeriad', a ddigwydd yn bur aml, ond *derbyniad, croeso, mynwesiad*. Ymuna'r Ffŵl â Cyfoeth ar y llwyfan ac fe ddilyn dadl rhwng y ddau ynghylch Cyfoeth a Thlodi fel dyfais i'r Ffŵl gael traethu ar drueni'r tlodion, a'r casgliad y daw iddo yw mai,

Anlladrwydd merch wrth garu,
A chwantau dyn yn denu,
Sy'n dechre drwg mewn dychryn draws
Wrth borthi'r naws yn ysu.

Mae'n canu ar *Gonsêt Lord Wheelberry* i yrru'r neges adref. Ni cheir y trydydd pennill gan Foulkes (gw. uchod). Wedi iddo lefaru pedwar pennill, y cyntaf ohonynt yn mynegi amheuaeth na chaiff ei rybudd ar gân fawr effaith ar y merched, a'r olaf yn pwyso arnynt mai i dlodi yr ânt os na hidiant, gedy'r Ffŵl y llwyfan yn wag i'r Cybydd gael ymddangos am y tro cyntaf. Yn ddiymdroi, mae'r Cybydd yn dannod i'r cynulliad ei sŵn mawr. Cŵyn hwn fel ffarmwr yw prisiau isel ei gynnyrch yn y farchnad (yn ôl ei dyb gybyddlyd ef ei hun), ac yn y man fe gyflwyna ei wraig (gw. nodyn 501-4) gerbron. Dilyn wedyn benillion rhannol gydfoliannus rhwng y ddau. Fel y canodd y Ffŵl rybudd i'r merched rhag dilyn 'anlladrwydd wrth garu' a mynd yn ysbail i dlodi, y mae'r Cybydd yntau yn awr yn canu ar yr un trywydd i'r meibion ar *Grisial Ground*:

> Ymgroeswch yn gry wrth garu mewn gwŷn,
> Mae natur merch wisgi'n llwyr doddi'n llaw dyn.

Ymuna'r Ffŵl â'r Cybydd ar y llwyfan gyda'r newydd bod Tlodi 'yn rhwyfo i godi rhyfel', a Chapten Diogi yn gynghreiriad iddo, ond nid yw hynny'n dychryn dim ar y Cybydd – mae'n *gefnog*:

> Ac mae gen i hefyd, os daw hi'n rhyfel,
> Wŷr bonddigion wneiff y tro'n ddiogel
> I yrru'r tlodion am gadw sŵn,
> Fel pet'en nhw cŵn, i'w cenel.

Mae am iddynt 'setlo'u plwyfydd eu hunain' (gw. nodiadau 622 ac 1375-6). Gedy'r Cybydd y llwyfan â geiriau'r Ffŵl yn ei glustiau:

> Wel, ni hidiwn i mo'r llawer, er maint eich llwydd,
> Pedfae'n digwydd ichwi dagu.

(Sef, ar ei ginio, wedi iddo gael gwrthod tamaid ganddo.) Ymedy'r Ffŵl yntau ar ôl llefaru pum pennill yn annog y gynulleidfa i ymorol nad ânt yn 'dlawd ddigyfri', gan gynnwys yn hynny o rybudd y Cerddor, neu ei gymhwyso ato ef hefyd:

> Tyrd tithe'r Cerddor, paid â bod yn smala,
> Cais ynnill dy fywyd oddi wrth dy fwa;
> Gwell iti ganu i borthi'r cnawd
> Na mynd yn dlawd o lyrfdra.

Daw Cyfoeth yn ôl ar y llwyfan gwag i lefaru pedwar pennill cyn canu ar *Merionethshire March*. Yn yr ail y mae'n hysbysu:

Duw a'm trefnodd i'r tro cynta,
Wrth greu'r byd, rhoed finne i Adda;
Pan ddarfu Adda goelio Satan,
Mi eis wedi hynny'n dduw fy hunan.

Ymuna Capten Tlodi â Chapten Cyfoeth ar y llwyfan ac fe geir
Cyfoeth yn hyfforddi Tlodi, fel disgybl iddo megis, ynghylch
eu diben yn rhagluniaeth Duw anffaeledig, gan ddefnyddio
cyffelybiaethau dysgeidiaeth hynafol pedair elfen yr hen fyd
Clasurol. Daw Tlodi i ddeall ac mae'n canu ar *Lord of Kildare*.
Ceir pedwar pennill llafar ganddo cyn gadael y llwyfan, a'r olaf
ohonynt yn mynegi ffyrdd anchwiliadwy Duw:

Mae Cyfoeth a Thlodi yn dywad,
Weithie o gerydd, weithie o gariad;
Gostwng y balch a chodi'r isel,
Amcanion Duw sy ddoeth a dirgel.

Ar ymadawiad Tlodi, cyflwyna Diogyn Trwstan ei hun i'r
gynulleidfa. Mae'n syrthio ar ei fai rhag blaen:

Diog ydw i er pan y'm ganed,
Mae diogi braidd â'm rhwystro i gerdded.

Mae ei gyffes yn un y gellir ei gweld fel *genre* a'i chynsail, mae'n
debyg, i'w chael yn *Hanes y Trwstan*, Siôn Tudur. Mae cyffes ar
gân Gwenhwyfar Ddiog hithau (*Pedair Colofn Gwladwriaeth*) yn
perthyn i'r un traddodiad er ei byrred (ni cheir cyfaddefiad o fai
gan Lowri Dlawd yn nes ymlaen yn yr anterliwt hon). Mae'n
canu rhybudd i yrru'r neges adref i eraill o'r un tueddfryd ag ef
ei hun ar *Dyb y Tywysog Rubert* cyn diweddu â phennill llafar i
ffarwelio. Dychwel y Ffŵl i'r llwyfan i roi'r adroddiad diweddaraf
i'r gynulleidfa ar y rhyfel rhwng Cyfoeth a Thlodi, fel gohebydd
rhyfel megis – collodd Cyfoeth y dydd – gan gyfenwi ei filwyr

yn ôl eu ffaeleddau. Nid oeddent wedi rhagbaratoi ar gyfer y gwaith:

> Roeddent hwy'n dechre'n ormod eu dychryn,
> Heb edrych oedd digon o brofisiwns i'w canlyn;
> Doedd wiw iddynt geisio mynd o'u co
> I wneud cuchiau 'rôl misio'r cychwyn.

Mae'r syniad o Dlodi yn ennill y dydd yn un cymhlethach nag y gellir ei werthfawrogi ar yr olwg gyntaf, heb ei ystyried yn llawn. Mae Tlodi, oherwydd ei achosion lu, yn drech na Chyfoeth – try ei ffaeleddau yn rhagoriaethau. Wedi ei fuddugoliaeth:

> Nid oes yrŵan yn eu herlid [sef, y tlodion]
> Ond Mr. Angen a'i was, Gofid.

Gedy'r Ffŵl y llwyfan ar ôl galw mewn pennill ar i'r Cerddor ganu, a pheri'n swta wedyn iddo dewi yn y pennill nesaf, ac olaf. Daw'r Cybydd yn ôl ar y llwyfan a dweud ei gŵyn wrth y gynulleidfa ynghylch y degwm; haid o wael bethau cas ('ryw egr gaclwm'), sef Senedd Lloegr, a'i digiodd. Eu drygwaith hwy ydyw'r degwm. Ymuna Lowri Dlawd ag ef ar y llwyfan ac fe geir rhes sylweddol o benillion ymgom tyn rhyngddynt – y hi yn erfyn arno am gardod ac yntau'n gwrthod. Mae'n hel esgusion i ddechrau – nid ydyw'r wraig gartref, meddai, ac mae'r 'egoriad ganddi hi yn ei gario', ac na all rannu'r enwyn gan fod yno 'foch o gwmpas tŷ' – ac wedyn yn dannod iddi ei diogi a'i moesau llac a'i chyhuddo o fod arni iddo am fwyd a gawsai o'r blaen, ac yn olaf yn troi tu min ati a'i churo'n ddidostur, cyn ceisio, yn aflwyddiannus, droi'r cŵn arni. Gedy'r Cybydd y llwyfan yn wag a daw Mr. Ystyriol yn ei flaen, gan ei gyflwyno'i hun:

> Mi ddois o'ch blaenau'r cwmni gweddol,
> I ddweud fy stori dan enw Ystyriol.

Pedwar pennill yn unig o gyfarchiad a rydd ef i'r gynulleidfa nes i Mr. Gwirionedd ymuno ag ef (sef, cyd-actor Twm, a adawodd y llwyfan gynnau bach yng nghymeriad y Cybydd). 'Un dyniad' – maent yn gyd-anian – yw'r ddau ac fe geir cyd-resynu rhyngddynt ynghylch cyflwr bydol ac ysbrydol dyn o achos Cyfoeth a Thlodi. Gedy Gwirionedd y llwyfan o flaen Ystyriol, sydd yn canu ar *Sweet Passion* ar ddoethineb rhagluniaeth Duw:

> Yn gostwng yn isel yr uchel ei ran,
> Gan roddi derchafiad, wir godiad, i'r gwan.

Wedyn yr â yntau i ganlyn Gwirionedd oddi ar y llwyfan. Mae'r anterliwt yn awr yn tynnu at ei diwedd gydag ymddangosiad olaf y Cybydd. Daw gan holi'r gynulleidfa, 'er cariad ar Huw'r Cwriwr', a welsai hi Siôn Dafarnwr, sydd mewn dyled iddo, ac ymhen chwe phennill ymddengys y gŵr anffodus hwnnw. Fe erfyn am amser i dalu, ond ebychiad a gaiff yn ateb gan y Cybydd:

> Haro! cawn gen ti ryw esgus gwan,
> By lwfiwn i dan Ŵyl Ifan.

Fe'i sennir fel y sennwyd Lowri Dlawd o'i flaen, a'r diwedd yw ei ddychryn i roi *band* a *judgment* ar ei eiddo i'r Cybydd a mynd at ŵr o gyfraith i wneud y fand yn ddiogel. Daw'r Ffŵl i'r llwyfan at y Cybydd yn droetboeth, megis, a chyflwyno'r fand ynghyd ag infentori iddo. Yng nghanol ei lawenydd, ni all lai na pheidio â chanu pennill o glod i Gyfoeth ar *New Rising Sun*. Ond byrhoedlog yw ei ddedwyddyd wrth i Mr. Angau dorri ar draws ei gân heb gymaint â 'trwy'ch cennad'. Mae'n cwyno bellach:

> A glywch chwi, bobl? Mae yndda i ryw iase
> Llawer amgenach nag oedd arna i gynne;
> Fo'i gaf odd yn fy nghefn rhyw bricied blin,
> Mae troued yn yr hin rwy'n ame.

Gedy Angau'r llwyfan gyda'r geiriau:

> Arnat ti rwy'n gadel clefyd,
> A hwn yn fuan a ddwg dy fywyd.

Gresyna'r Cybydd fod yn rhaid iddo adael ei dda byd ar ei ôl, ond yn waeth na'r cwbl:

> A gadel, gwae fi gwedi!
> Fy enaid mewn trueni;
> Cydwybod sy yntha i'n flin ei bloedd,
> Am hynny ar goedd rwy'n gweiddi.

A rhybuddia'r gynulleidfa cyn 'marw':

> Ow! gwelwch y byd bob adeg
> A'i Anrhydedd heibio'n rhedeg;
> Cymerwch fi'n siampl, y cwmni da,
> Nid yw'r helynt yma ond dameg.

Rhediad 'Tri Chydymaith Dyn'

Yn *Tri Chydymaith Dyn*, fel ym mhob anterliwt, y Ffŵl a ddaw gerbron ac a lefara gyntaf. Gellir meddwl amdano yn rhannol yn hyn o swydd fel un sy'n rhoi'r gynulleidfa yn ei hwyliau gorau (fel '*warm-up man*' sioeau comedïol Saesneg cyfoes) gyda'i benillion chwareus parod, pymtheg ohonynt yma, cyn, yn yr anterliwt hon, ymddangosiad y Traethydd i roi'r Mynegiad allan â'i bymtheg pennill yntau, gan gofio wrth gwrs mai'r awdur sy'n chwarae'r Ffŵl (yn llythrennol) ac yr adwaenai'r gynulleidfa hwnnw fel Twm o'r Nant. Dychwel y Ffŵl ymhen y pymtheg heb ddim ymgecru (fel y ceir yn *Cyfoeth a Thlodi*) rhyngddo ef a'r Traethydd. Y Ffŵl yn yr anterliwt hon yw Rhyfyg Natur, un o'r *Tri Chydymaith* yn y teitl, ac mae'n bwrw iddi yn ddiymdroi ar ei ymddangosiad, heb ddim sôn am gal na thynnu dim ar y merched fel y ceir gan y Ffŵl yn *Cyfoeth a Thlodi* ar ei ymddangosiad cyntaf ef, i roi ei 'hanes': hynny yw fe gyhoedda ei achau, a hynny mewn deg pennill, gan gyfenwi ei geraint yn haniaethol fel teipiau y gellid ac y gellir hyd heddiw eu hadnabod.

Aeth yn ffasiwn dilorni'r syniad o 'deip' gan gymdeithasegwyr tua phumdegau'r ugeinfed ganrif a chasglu nerth a ddarfu'r syniad newydd mai o unigolion ac nid o deipiau y mae cyfansoddiad gwneuthurol cymdeithas. Eithr, fe ddychwelwyd yn y blynyddoedd diwethaf hyn, yn ddi-sylw braidd, at y syniad fod cymdeithas yn gyfansoddedig o deipiau (ar hynny o sail yr ymgymerir wrth gwrs â phob 'cynllunio cymdeithasol gwyddonol' gan y wladwriaeth) – ac nid yw hynny'n amharu dim ar y ffaith ddiymwad fod pawb hefyd yn unigolion. Fel y dywedwyd, gall y dyn modern adnabod ymysg perthnasau Rhyfyg Natur rai o'i gyfeillion a'i gydnabod ei hun, neu o leiaf rai y gŵyr amdanynt (heb fwriadu awgrymu yma fod llofruddion ymysg cyfeillion neu gydnabod pawb):

> Mr. Terfysg a Mr. Dicllon,
> Mr. Lleiddiad a Mr. Camddibenion,
> Mr. Hunan-dyb-da, Mr. Tafod-brau,
> A Mr. Heresïau-ymryson.

Swydd Rhyfyg Natur, a swydd Anrhydedd y Byd hithau, yw difetha Lord Anima a Blys y Cwbl y Cybydd. Swydd Cydwybod yw eu hachub. Wedi i Rhyfyg Natur, y Ffŵl, gyhoeddi ei achau, fe ddaw Anima gerbron, gan ei holi pwy yw – clywsai eisoes sôn amdano. Mae'n deall fod iddo 'fawr gymeriad'; hynny yw, fe'i *hanrhydeddir*, fe'i *mynwesir*, fe'i *mawr dderbynnir*. O warth gwaith Adda yn anufuddhau i Dduw ac yn bradychu dynolryw y ganwyd Rhyfyg Natur; fe ymffrostia:

> Ac dyna lle ces i 'nganedigeth,
> Rhwng Chwant y Cnawd ac Anystyrieth;

> Ni ddaeth yr un i'r byd yn ffri,
> Hyd yma, hebof i'n gydymeth.

Gwarth ydyw, er yr holl dynnu ar ei ôl neu ddilyn arno sydd:

> Y fi yw'r cydymaith nad ellir henwi,
> Byth yn ddiame'r braint sy imi;
> Nid oes i'r un mewn tref a gwlad
> Fwy rhediad a mawrhydi.

Mae Cydwybod i'w osgoi – Rhyfyg Natur, ac Anrhydedd y Byd 'hithau', yw'r 'cymdeithion doetha'. Mae hyn yn neges wrth fodd calon Anima, a geilw Rhyfyg Natur ar i'r Cerddor ganu ar *Gonsêt Gruffydd ap Cynan*, fel y caiff ef ac Anima ganu 'bob yn ail odl'. Mae Anima yn bwrw i'r gwaith yn galonnog:

> Mi luniaf gân, lawena gwaith,
> O! annwyl iaith, mwyniant maith;
> Dyma'r daith, yn lanwaith lonwych,
> Sy'n ogoneddwych iawn gen i.

Wedi gorffen canu, mae Anima am iddynt ill dau droi ynghyd am ei gartref ef, gan mor hapus ydyw gyda'i gydymaith newydd, fel y cânt 'well cyfeilliach felly', ond mae gan Rhyfyg y Ffŵl beth 'cyfeilliach' rhyngddo a 'Nani, a Siani, a Sioned' ac mae'n hel Anima adref gan aros ei hun ar y llwyfan. Yma, mae'r Ffŵl yn ei amlygu ei hun mewn ychydig o benillion llai bras nag a geir yn *Cyfoeth a Thlodi* ac wedyn yn gadael y llwyfan yn wag.

Ymddengys Mr. Blys y Cwbl y Cybydd yn awr am y tro cyntaf gan ddannod i'r gynulleidfa ei hoferedd yn ymgynnull i'r fan:

> Wale'n wir, mi wela'
> Fod yma gwmni lled ysmala;
> Ai tybed y byddwch yn ymhel
> Yn amal fel hyn yma?

Pe bai ef cyn segured, meddai, fe âi yn dlawd ac yn druenus fel hwythau, ac yna â i frolio ei ddiwydrwydd a'i gyfrwystra ef ei hun yn pentyrru cyfoeth, gan resynu na chawsai ddigon ohono eto – fe gofir ei enw. Ymuna Rhyfyg Natur ag ef yn swydd y Ffŵl, yn ddigroeso gan y Cybydd i ddechrau, nes y caiff hwnnw ar ddeall ei fod yn ŵr o ddylanwad a allai foddio ei flys am y 'cwbl':

> Wel, bendith dy fam iti er hynny siarad,
> Yrŵan y daethost wrth fy mwriad;
> A ddygi di dyddyn rhyw ddyn o'r plwy,
> I minne, trwy 'nymuniad?

Mae 'rhyw ddyn o'r plwy' yn ddyledus iddo – fel y mae Siôn Dafarnwr mewn dyled i Hywel Dordyn yn *Cyfoeth a Thlodi* – a rhwng addo 'sbul go weddol' i'w gydymaith newydd ac ymrwymo i weithio o'i wirfodd i'r meistr tir a chadw ceiliog at ymladd neu gi at hela iddo wrth gefn heb dâl, fe gaiff y Cybydd y cyngor i 'roi cost' ar y dyn am y ddyled fel 'y tyr e yn ddarne' – fe gaiff ei dyddyn wedyn. I selio'r fargen mae Rhyfyg y Ffŵl yn gwahodd y Cybydd i dalu am chwart o gwrw iddo, a'r Cybydd yn cydsynied yn galonnog. Â'r Cybydd yn llithrig i fagl Rhyfyg Natur fel yr aeth Lord Anima yntau o'i flaen. Yn hyfdra ei gwrw â'r Cybydd rhagddo i sôn am feddiannu tyddynnod heblaw eiddo 'rhyw ddyn o'r plwy' ac ymffrostio yn ei fargeinion da, gan hyd yn oed gynnig benthyg arian i'r Ffŵl neu'i feistr:

> Ond os bydd ar eich meistar neu chwi ryw helynt
> Am fenthyg trigien punt neu ganpunt,
> Neu chwaneg na hynny'r Cymro mwyn,
> Dowch adre ar dwyn amdanynt.

Yn ogystal â bod yn stiward (ac addysgwr stiwardiaid eraill yn y grefft) mae Rhyfyg Natur y Ffŵl hefyd yn ŵr o gyfraith, ac yn y swydd honno, wrth gynllwynio i dwyllo 'rhyw ddyn o'r plwy' (y

Cariwr), gan adael y llwyfan, mae'n addo i'r Cybydd hapus (mae'r cynllwyn yn un llythrennol):

> Mi yrraf i ato fo ddau o wŷr
> I'w waetio fo'n bur y bore.

Cyn i'r Cybydd yntau fynd oddi ar y llwyfan mae'n canu hunanfoliant ar *Lucy Hoe neu Falltod Dolgellau*, ac yna'n llefaru pennill ymadawol. Fe geir yn awr ymddangosiad cyntaf Anrhydedd y Byd. Fe gofir bod Rhyfyg Natur eisoes wedi cael cychwyniad da yn ei gyfran ef o'r gwaith o ddifetha Lord Anima a Blys y Cwbl ill dau. Mae'n ei chyflwyno ei hun i'r gynulleidfa 'tan enw anianol' a dweud 'beth ydyw' mewn chwe phennill, cyn ymhelaethu ar gân ar *Thro' the Wood Laddie*. Ymuna Lord Anima â hi, yn ôl y disgwyl, ac mae ei fryd arni o'r cyfarfod cyntaf:

> Fy nglân angyles, dduwies dda,
> Awch cynnes, gyda'ch cennad.

Mae'n ddiymadferth o flaen ei swynion:

> Rwy'n ail i Herod, aeth trwy serch
> I rwydau merch Herodias.

Mae o yn canu ei fawl ar *New Rising Sun* a hithau'n dawnsio fel Salome gynt. Wedi i Anrhydedd y Byd gymryd ei chennad am y tro (i ymadael) mae Anima yn canu cân, gan hapused yw, ar *Cousin Tommy's Fancy*, gan ddymuno iddo'i hun yn y cwpled olaf,

> Nerth ei gwynt, helynt hoyw alwad,
> I ddal 'y mwriad a ddelo i mi.

Ymddengys Cydwybod am y tro cyntaf, gan geryddu Anima:

Wel, difyr iawn yr wyt ti'n canu
Hyd lwybrau pechod, hynod hynny.

Amddiffynna yntau ei hun:

Wel pam nad alla' i ganu'n rhydd,
Os f' wllys a fydd felly?

Ond mae dadleuon Cydwybod yn mennu arno ac mae'n dechrau
'troi':

Och! beth yw hyn o syn air serth,
Rwy'n teimlo'n ofid mawr i'm nerth,
Ac yn ofni cledi clir,
Os wyt ti ar goedd yn dweud y gwir.

Mac'n ymgywilyddio:

Mae gennyt eiriau tost anhyfryd.
Ow! gad imi ymlithro oddi wrthyd;
Ni thrinia' i byth mo'r byd mewn trefn,
Gan hynny, am gwrs – O! tro dy gefn.

Bellach, llwyr newidiodd ei dôn, yn llythrennol, ac mae'n canu ar
Drymder. Ar ddiben y gân ymddengys Rhyfyg Natur unwaith eto.
Mae'n 'poeni' am ei ysglyfaeth:

Ow! f' Arglwydd mwyn, mae ynoch
Ryw surni, pa sut sy arnoch?

Mae'n wfftio Cydwybod ac yn gofyn i'r gynulleidfa (gan gyfeirio
at Anima),

Pwy adawe i benbwl, drwsgwl druth,
Rhag cwilydd, fyth mo'i galyn?

Mae Anima o blaid crefydd, ond iddi fod yn un ddidrafferth

i'w chanlyn ar y ddaear a'i bod yn mynd ag ef i'r nefoedd yn ddidramgwydd wedi iddo farw:

> Chwenychu rwyf i grefydd barod,
> Fel caffwy lonydd gan Gydwybod,
> A mynd i'r Nefoedd, rwyddfodd rôl,
> Heb derfysg ar ôl darfod.

Cyngor Rhyfyg yw iddo fynd at Eglwys Loegr – gadawodd honno Gydwybod rhyngddi a hi ei hun ers talwm:

> Maen nhw rŵan, ynte, bawb, yn dilyn crefydd,
> 'Run fath â'u cymdogion, oni fydd anlwc yn digwydd;
> Os leiciant ddarllain weithie yn tŷ,
> A mynd i'r llanne, gallant gysgu'n llonydd.

Rhaid cael cwrw i lithrigo'r drafodaeth, a chynnig Rhyfyg lwncdestun:

> Dyma atoch yn ddibrin gymysgwin moesgar
> Babilon Fawr, Mam Butain y Ddaear!

Ond nid ydyw Anima yn deall yr ergyd. Mae'n para hefyd yn ei ansicrwydd ynghylch pa grefydd i'w dewis:

> Anhawdd gwybod yn ddi-gudd
> Pa un yw'r grefydd ore.

Ond mae cyngor Rhyfyg yn ystwyth:

> Wel, mae iti groeso gwresog
> I fynd yn Rowndiad neu Gariadog,
> Yn Babist neu Gwacer, neu ryw sect ffri,
> 'Ran rydw i â'r rheini yn rhannog.

Ond Eglwys Loegr fuasai orau. Nid yw honno'n gofyn llawer (aeth y Saeson i'w galw mewn oes ddiweddarach 'the Tory Party at prayer'):

> Nid yw'r Deg Gorchymyn ond chydig fater,
> Os peidir â lladd, neu ladrata llawer;
> Ac ni cheir dim drwg am hynny o dro,
> Os bydd gafel ac eiddo ar gyfer.

Cafodd Rhyfyg ei ysglyfaeth yn ôl dan ei grafangau ac ymadawodd yn fodlon. Codwyd calon Anima, ac mae'n canu o ysbryd dyrchafedig ar *The Bird*, wedi cael 'diwinyddiaeth' wrth fodd ei galon, ac wedyn yn gadael y llwyfan. Dychwel Rhyfyg i'r llwyfan i frolio mewn chwe phennill ei 'awdurdod' yn adennill Anima i'r achos. Efo ac Anrhydedd y Byd hithau a'i piau bellach. Trechasant Gydwybod. Mae Rhyfyg yn canu ei ddysgeidiaeth i'r 'rhai Ynfyd' ar *Young Watkin's March* ac yn gadael y llwyfan ar ôl llefaru wyth o benillion i ategu, neu yrru'r neges adref. Daw'r Cybydd yn ei ôl gan gwyno mewn chwe phennill na chafodd eto air ynghylch tyddyn Cariwr, ac fe ymddengys y Cariwr, yn ôl y disgwyl. Fe gafodd ddychryn – bu'r 'ddau o wŷr' yn ei 'waetio' y noson cynt:

> Beth, chwi yrasoch imi o'r dre,
> Gwmpeini annethe neithiwr.

Fel y cafodd Siôn Dafarnwr yn *Cyfoeth a Thlodi* gan Hywel Dordyn, clust fyddar i'w anawsterau a gaiff Cariwr gan Blys y Cwbl yntau a'i sennu i'r fargen fel aelod o frawdoliaeth 'y cariwrs gwylltion'. Y diwedd yw i'r Cybydd wrthod gwneud 'mwyniant' ag ef a rhoi amser iddo dalu ac i Cariwr orfod rhoi *band* a *judgment* ar ei eiddo iddo. Â'r Cariwr i ffwrdd ar frys i drefnu infentori ac fe ddatgela'r Cybydd i'r gynulleidfa ei gyfrwystra dauwynebog – defnyddio teg a chas yn ôl a lwyddo orau yw ei ddull – wrth dwyllo pobl o'u heiddo, fel y ceir Cybydd *Cyfoeth a Thlodi* yntau yn ei wneud yn yr un adran o'r anterliwt honno. Daw Rhyfyg Natur yn ei ôl at y Cybydd – fel y ceir Iemwnt Wamal y Ffŵl yn *Cyfoeth a Thlodi* yn dychwelyd at y Cybydd gydag 'awdurdod' iddo ar eiddo Siôn Dafarnwr – yn fawr ei ffwdan wedi bod yn llunio'r infentori (collwyd golwg yma mai Cariwr ei hun a oedd i wneud hyn), ac fe geir rhes o benillion rhwng y ddau ynglŷn â hi a sôn am 'wneud ffair' ar y cwbl. Wedi chwythu'r plwc ar ddiddordeb y gynulleidfa yn yr infentori, lleddir ar Cariwr yn ei gefn mewn chwe phennill am ei ddiafaeledd cyn yfed iechyd da i'w gilydd a thrafod y porthmyn a'r milisia, a chrechwenu uwchben ffoledd Cariwr gan y Cybydd yn rhoi *band* a *judgment* ar ei eiddo iddo:

> Mi wranta' bydd o eto'n cwyno'n gaeth
> O ran peth a wnaeth o neithiwr.

Fe ganant ill dau ynghyd oddi ar eu heistedd ar lawr yn eu diod nes i'r Ffŵl berswadio'r Cybydd i godi ar ei draed a dawnsio'n feddw nes chwythu ei blwc. Gwneud hwyl am ben y Cybydd sydd yma, a hynny wrth fodd calon y gynulleidfa. Gan fod yr hwyl wedi bod mor dda, gelwir ar y Cerddor i ganu *Well Met, neu Gyfarfod Da*, a chanant bob yn ail odl. Wedi'r canu, ymedy'r Cybydd gan felltithio'r cwrw a'i meddwodd a'i glafychu:

> Ow! na fedrwn gerdded adre –
> Poeth y bo'r cwrw, pwy byth a'i care!

Erys Rhyfyg Natur i lefaru deg o benillion cyn ymadael, yn lladd ar ragrith hen bobl weithiau'n brolio eu hen gampau eu hunain gynt ac ar yr un pryd yn dannod i'r ifainc eu blas a'u blys at fywyd a'u balchder gwyllt. Ymddengys Lord Anima; mae meddyliau am ei ddiwedd a Dydd y Farn wedi bod yn ei boenydio, ac mae'n galw ar Rhyfyg i ymddangos a'i gysuro. Daw ar y gair, ond mae'n 'chwarae'r Ffŵl' ar y dechrau:

> Gwaed y cwd pwdin! ni wn i ddo' i ai peidio,
> Ni fûm erioed cyn saled, rwy agos â 'swylio;
> Fo'm trawodd y cramp fi yn nhrybydd 'y nhin,
> Rhaid imi tros dipyn stopio.

Mae Lord yn ei geryddu megis i'w atgoffa mai yn swydd Rhyfyg Natur y galwyd ef i'r llwyfan:

> Tyrd ymlaen a thaw â'th ffoledd.

Wedi i Rhyfyg ddod at ei goed dywed Lord wrtho ei fod wedi cael ar ddeall fod yn rhaid iddo ymddangos gerbron Duw ar Ddydd y Farn ac y mae am i Rhyfyg fynd gydag ef yno yn Gydymaith. Dychryn mae Rhyfyg Natur wrth y syniad – âi ef i unrhyw le gydag ef ond yno! Gedy'r llwyfan am 'Wylmabsant Llanrhydd'. Caiff 'yno bob dydd le diddan'. Cydymaith tywydd teg oedd Rhyfyg, ac mae Anima yn ei iselder yn llefaru dau bennill yn mynegi hynny o gyflwr sydd arno o'r herwydd, cyn canu ar 'Gwêl yr Adeilad' i rybuddio eraill rhag dilyn Rhyfyg Natur, fel y gwnaeth ef:

> Wel dyna chwedel mawr i mi,
> Rwy'n ymyl torri 'nghalon;
> Ni cha' i ond hyn o ffarwel ffrom
> Gan y doetha o'm cymdeithion.
>
> Chi'm gwelsoch gynne, O! mor ffôl,
> Yn rhyfaith ganmol Rhyfyg;
> Rhaid imi rŵan droi fy nghân
> Yn gwynfan anian unig.

Wedi'r canu, ymddengys Anrhydedd y Byd ac â geiriau ffuggariadus fe'i cysura:

Ow! fy hen anwylyd cu,
Ai chwi sy'n canu cwynion?
Pa beth yrŵan, freulan friw,
Awch isel, yw'r achosion?

Yn awr, a Rhyfyg Natur wedi troi ei gefn arno, try Anima at yr llall o'r 'cymdeithion doetha' i'w achub o'i gyfyngdra:

Trwy wiwlwys ddawn mi weles ddydd
Y cawn ar gynnydd gennych,
Ymhob cyfyngdra, caetha cŵyn,
Ryw siarad mwyn cysurwych.

Ond ni chaiff ganddi hithau, ar ei gair ei hun, ddim mwy nag a gynigiwyd iddo gan Rhyfyg Natur o help ar Ddydd y Farn; meddai, heb flewyn ar dafod:

Cewch gen i'ch cyfraid, hyd eich bedd,
O bob Anrhydedd rheidus.

Ond ceidw hi'n garedig gyfrif o'i bechodau iddo a'i gludo hyd at y Prawflys Mawr (nid yr ystyr amlwg lythrennol sydd i 'dwyn cost' yma):

Ni fedra' i fy hun mewn difri,
Na mynd na chychwyn efo chwychwi;
Ond dwyn eich cost, hyd at y Porth,
Cewch hynny o gynnorth gen-i.

Pob peth, fel byddo'ch rhaid chwi'n rhedeg,
A gewch chwi gennyf yn ddiatreg;
Nid alla' i roddi un dull o rym,
Na chynnig dim ychwaneg.

Mae ei gyflwr trist a diymgeledd bellach yn amlwg i'r gynulleidfa:

A chan fod pawb sy'n edrych arna
I'm gweld fel drych o'r cyflwr yma,
I roi ichwi siampal deg ar dwyn,
Mewn dirfawr gŵyn mi gana'.

Yn ei edifeirwch am ganlyn Rhyfyg ac Anrhydedd a'i drueni o'r
herwydd, mae'n canu gwae ar *King's Farewell* i'r rhai o'r un drych
neu deip ag ef os nad ymddiwygiant. Ymddengys Cydwybod,
a fu'n gwylio'r Cybydd yn sobri o'i fedd-dod ar Rhyfyg ac
Anrhydedd. Ond nid yw edifarhau yn unig yn ddigon i achub
Mr. Blys y Cwbl; ni chaiff gysur a maddeuant diamodol:

Wel, mi allaf inne fentro ymlaen,
Mi welaf dy raen di'n waelach;
Os ces fy nhaflu draw am dro,
Daw 'nhafod eto'n hyfach.

Rhaid iddo sefyll yn y farn am ei hyfdra yn eu dilyn mor hir:

Dy holl gyfrifon duon di
Sydd gennyf i'n sgrifenedig,
A'r modd y buost, hyd yn hyn,
Yn rhyfaith ganlyn Rhyfyg.

Eithr cafodd yng Nghydwybod un na all ddianc rhagddo, ond na
wna gefnu arno chwaith yn ei angen:

Y fi, ni adawa' i monot byth,
'Ran fy nyth a wneuthum;
Yn dy galon, anrasol wres,
Y cefes achles awchlym.

Ac wedi ei geryddu am ei hunandosturi rhagrithiol yn ymesgusodi
bod 'llaweroedd trwy'r byd hwn cyn gynddrwg', mae Cydwybod
yn rhoi gobaith iddo:

> Er blined ydwyf i, Cydwybod,
> Mae Gŵr eill ddiffodd fy holl drallod,
> Ond iti geisio hwn yn ffri,
> Cyn iti golli'r diwrnod.

Wedi llefaru pedwar pennill o rybudd mae Cydwybod yn mynd oddi ar y llwyfan am y tro olaf, gan ei adael yn wag. Ymddengys Mr. Blys y Cwbl a llefaru chwe phennill o fawl i arian, gan fynegi, ar ôl hysbysu'r gynulleidfa ei fod wedi meddiannu tyddyn Cariwr, amheuaeth na wêl ef hwnnw'n troi'n gas o'r herwydd; ond ni waeth ganddo, gan ei fod:

> O wir glydwch, gwedi gwynebgledu.

Ar y gair, yn ôl y disgwyl, ymuna Cariwr ag ef ar y llwyfan. Mae dan ei gŵyn:

> Ow! pam y gwnaethoch â m'fi 'r fath droue?

Ond cymryd arno na chlywodd yn iawn y mae'r Cybydd, yn ôl ei arfer pan wynebir ef gan gyhuddiad o dwyll:

> Rydw i'n abal iach weithan, pa sut rydych chithe?

Yn gywir i'w air, nid ydyw ymbiliadau Cariwr yn mennu dim arno, crefed a grefo, ac o'r diwedd y mae'n rhoi'r gorau iddi ac yn ymadael:

> Rwy'n deuall yn y diwedd, ni waeth imi dewi,
> Fo alle daw Duw â digon imi;
> Ond ni fedra' i byth wrth gofio'ch bai,
> Ŵr hagar, lai na rhegi.

Llefara'r Cybydd bedwar pennill yn rhagddyfalu neu'n edrych ymlaen at yr hyn y caiff ei wneud â'r tir nes i Cydwybod ymddangos. Fe'i rhybuddia i wneud lle iddo ef, ond ymateb y Cybydd yw gwrthod dim lle iddo a bygwth ei guro'n greulon onid â'n sydyn o'i olwg. Fe â, gan addo:

> Mi fydda' yn d'erbyn di eto'n dost
> Pan fych d' ar farw, yn wael dy fost.

A bostio y mae ar bedwar pennill, nes i Mr. Clefyd Marwol ymddangos o'i flaen, gan ei hysbysu,

> Myfi, Clefyd Marwol, sy yn dy gymeryd.

Mae'n ymglafychu a daw Doctor, Sais o ddoctor, gerbron, ond nid ydyw 'pleasant water' hwnnw yn tycio dim. Mae'r Cybydd yn cyfaddef ei ddrygau mawr ac yn edifarhau, a gŵyr ei fod yn haeddu ei gollfarnu:

> Ac felly rwy'n cyfadde ar ôl pob cyfeddach,
> Os oes uffern, nid oes dim saffach,
> Oni ddaw drugaredd rhyfedd i'm rhan,
> Nid oes i mi fan gyfiownach.

Mae ei dynged, am na afaelodd rhybuddion Cydwybod ynddo mewn pryd, yn ansicr. Mae pawb, fodd bynnag, i gysgu'n dawel yn eu gwlâu'r noson honno gan fod yr actor yn ei bennill olaf yn eu hysbysu nad oedd y rhan a chwaraeai 'ond rhyw gyff'lybiaeth fer.' Yr oedd tynged Anima, fodd bynnag, yn ddiogelach, gan ei fod wedi edifarhau mewn pryd, er dilyn Rhyfyg Natur ac Anrhydedd y Byd am amser maith, ac mae'n cael achubiaeth i'w enaid o'r herwydd.

Dull diwygio'r testun

     Yn unol ag arfer orgraffyddol oes yr anterliwt, ni ddangosir yn yr argraffiadau gwreiddiol affeithiad -*i* pan ychwanegir sillaf at air a affeithir gan y rheol. Hynny yw, fe geir yn rheolaidd yn y testunau ffurfiau fel *taithio, gwaithio,* &c. Ni ddangosir diwygiad yn yr achos hwn o gwbl yn y golygiadau hyn gan ei fod mor gyffredinol, ond mae'r pwynt yn gofyn ei grybwyll yma er mwyn yr anghyfarwydd. Ar y llaw arall yr ydys yn gweld yn yr argraffiadau gwreiddiol gynrychioli math arall o affeithiad -*i* fel y ceir yn *pirion* (purion) a *tithio* (tuthio), er enghraifft. Ni welwyd yn dda gan Bwyllgor Orgraff yr Iaith Gymraeg yn negawdau cynnar yr ugeinfed ganrif ystyried y treiglad hwn yn un gwiw o gydnabyddiaeth − a dyna ydoedd, heb amheuaeth, sef datblygiad naturiol yn nhreigladaeth yr iaith (fel yr erys ynddi o hyd i raddau); gan hynny fe'u newidiwyd yma i'r ffurfiau cymeradwyedig yn ddi-sylw ond am hyn o nodyn. Newidiwyd yr *i* a geir yn *ydiw* (ydyw) i'r *y* gymeradwyedig am yr un rheswm a'r un mor ddiarwydd. Lle ceir y ffurf *ydi'* neu *ydi* yn yr argraffiadau gwreiddiol fe'i cadwyd (heb y collnod), gan mor ddi-lun y ffurf amhosibl *ydy*, gan hyderu y deall pawb mai'r un sain a ddwg y ddwy ffurf *ydiw* ac *ydyw*. Pan fo'n rhagflaenu'r rhagenw ôl *o*, rhoir heiffen (*ydi-o*) er mwyn dwyn yr odl yn amlycach i lygad y darllenydd. Collwyd sain yr *w*, mae'n amlwg, ers canrifoedd (fel y prawf yr anterliwtiau wrth gwrs) ac nis seinir bellach ond yn 'benderfynol' wrth siarad yn gyhoeddus − cymharer y cynaniad naturiol *i'i* am *i'w*. Yn amlach na pheidio cynrychiolir y rhagenw meddiannol trydydd person lluosog *eu, 'u* gan *'i* neu *i* yn unig yn yr argraffiadau gwreiddiol ac ni ddangosir yn y golygiadau hyn ddim newid yn yr achos hwn chwaith, ac eithrio pan fo gofyn dangos y gwahaniaeth yn gliriach yn y cyd-destun rhwng y ddau rif (a'r cyd-destun hwnnw yn amwys braidd).

Nid ymyrrwyd â'r ffurfiau *ae, bae, gwnae,* &c., nid yn unig am eu bod mor nodweddiadol o iaith yr anterliwtiau, ond hefyd oherwydd eu bod yn sicr yn cynrychioli cynaniad naturiol y cyfnod, ac yn wir gynaniad naturiol a barhaodd yn gyffredin tan yn weddol ddiweddar − a phe byddid wedi 'diwygio', beth a wnelid wedyn (er mwyn cysondeb) â ffurfiau fel *pedfae, pedfaem*?

Am eu bod yr un mor ddilys cadwyd ffurfiau tafodieithol fel *gwyrhydri, cyfeilliach, trigien, heiddiw, pisieraid, mawrhygu, danghosodd, cenhioge, nhatur* (ffurf dreigledig a geir yn *Cyfoeth a Thlodi*, ll.1008), *ifieinctid* ac *ifienctid* &c., ond cadwyd hefyd wrth gwrs y ffurfiau llenyddol pan gaed hwythau. Hepgorwyd yr *-ng-* a geid yn gyffredinol o flaen *-c-* yng nghanol gair yn orgraff yr oes (fel yn *ifiengctid*) am mai dyna a gymeradwyir ers sawl cenhedlaeth bellach, er bod *-ng-* yn cynrychioli'r sain yn well. Pan welwyd bod yr *u* yddfol neu fyngus mewn llinell yn elfen bwysig yn seinyddiaeth y perfformiad, fel yn *creuadur, lloue, deuall, troued,* &c., fe'i cadwyd i mewn, gyda nodyn weithiau.

Er mwyn glanach darlleniad cysonwyd y terfyniadau llenyddol *-aeth, -iaeth* ac *-aith* â'r rhai llafar neu dafodieithol *-eth* ac *-ieth* (a'r terfyniadau hyn yn nodwedd bur amlwg yn yr odlyddiaeth): cais oedd hyn i gadw cysondeb ar y pen hwn mewn penillion unigol a rhwng diwedd un pennill a dechrau'r nesaf ato yn hytrach na chael cydymffurfiad y naill ffordd neu'r llall trwy'r testun namyn er mwyn cydymffurfiad. Mae'r anghysondeb rhwng y ffurfiau hyn yn amlwg trwy'r argraffiadau gwreiddiol. Wrth wneud hyn ceisiwyd cadw at reol 'ddemocrataidd', sef pan oedd mwy o'r ffurf lenyddol mewn pennill nag o'r dafodieithol rhoed y flaenoriaeth i'r lenyddol, a'r un modd fel arall. Barnwyd nad oedd dim i'w golli o beidio â dangos y mannau lle cysonwyd y terfyniadau hyn â bachau petryal ar ôl unwaith gofnodi'r nodwedd fel hyn yma.

Rhainy yw'r furf arferol a geir yn yr argraffiadau gwreiddiol am *rheiny*, a honno heb y fannod o'i blaen, a barnwyd yn yr un modd y gellid yn ddidramgwydd hepgor y bachau petryal wrth ychwanegu'r fannod a defnyddio'r ffurf *rheini*. Rhoed *boch chwi* am *bo chwi*, a *rhegan nhw* am *rhega nhw* yr argraffiad gwreiddiol; digwydd weithiau yr anghyflawnder ysgrifenedig hwn yn y rhagenw yn hytrach nag yn y ferf ei hun: *glywch i*, er enghraifft, am *glywch chi*. Anghyflawnder ar bapur yn unig ydyw hyn wrth gwrs – yr oedd y sain i'w chlywed yn gyflawn yn y perfformiad.

Fe gaiff y darllenydd fod y testun yn darllen yn esmwythach

iddo heb gollnodau diangen i gynrychioli'r -*f* a aeth yn fud ers canrifoedd, er enghraifft mewn graddau eithaf ansoddeiriau (*cynta, penna*). Cadwyd, wrth reswm, y llythyren yn y golygiadau lle mae'n argraffedig yn y gwreiddiol. Yn unol â pholisi golygyddol y gyfres, cadwyd y collnod mewn berfau person cyntaf unigol presennol neu ddyfodol (*gwna'*, sef *gwnaf*), yn unig i osgoi'r cymysgu a allai ddigwydd â thrydydd person neu â gorchmynnol.

Ni chollnodwyd ffurfiau cyfarwydd fel *cymdogion, perchnogion, bonddigion, wyllys* (neu *wllys*), *leni, cledi, erill, calyn, clonnau,* &c; ond rhoed sillgoll mewn ambell air fel fel *gw'chu, gwn'dogion, chwar'yddion,* &c. gan eu bod, yn iaith glaf heddiw, wedi mynd yn weddol ddieithr. Gwell fuasai hepgor y sillgoll ym mhob man bron mewn anterliwt, ond barnwyd yn fuddiol ei ddefnyddio er mwyn amlygu elfennau geiriau gan fod cymaint o'r eirfa wedi mynd oddi ar lafar cyffredin bellach.

Gorffennwyd Cymreigio rhai ffurfiau sydd wedi eu hanner-Cymreigio yn yr argraffiad gwreiddiol, e.e. *cwartie, cwircie, procsi, cnecs* (*quartie, qurkie, proxi, cnex*); ond cadwyd rhai ffurfiau Saesneg, e.e. *interlute, sign, street, hearty, tea, constable*, er y gellid eu Cymreigio'n rhwydd, am eu bod, unwaith eto, yn 'nodweddiadol'. Mentrwyd weithiau ddangos yr acen yn y geiriau amlsillafog Saesneg fel *inventory* ac *aggrievences* (gan Gymreigio *inventory* yn aml − yn ogystal ag ambell air fel *bu[c]kley, coatieu* a *glock*, sef treiglad o *clock*) a geir yn yr anterliwtiau pan welwyd bod trawiadau'r mesur yn gofyn hynny; sef fe'i dangoswyd uwchben y goben. Buesid yn sicr yn seinio'r geiriau hyn yn ôl teithi acennol y Gymraeg yn ystod oes yr anterliwt. Nid ymyrrwyd â ffurfiau treigledig y cysylltair *rhwng* − cadwyd *rhwngoch, rhwngom,* &c. Yn yr un modd cadwyd yr -*th*- yn *gantho, ganthynt,* &c. yn hytrach na diwygio i -*dd*-.

Rhoed y penillion a'r darnau penillion y gwnaed nodiadau arnynt eilwaith yn y Nodiadau er hwylustod y darllenydd, fel na fyddai angen bodio'n ôl ac ymlaen, ond ni chynhwyswyd holnod nac ebychnod ar ddiwedd darn wrth eu rhoi eilwaith fel hyn yn y

Nodiadau. Ni roed dyfynodau chwaith oni bai eu bod yn dechrau a darfod o fewn y darn.

Wrth geisio diffinio fel hyn y newidiadau neu'r diwygiadau a wnaed i'r argraffiadau gwreiddiol y gobaith yw fod y golygiadau yn cadw'n weddol ffyddlon at y gwreiddiol heb ddifetha gormod o'i flas.

Gair ynghylch atalnodi anterliwt

Yr oedd gofyn diwygio llawer ar yr atalnodi er mwyn hwyluso'r darlleniad i oes a gollodd ei chynefindra ag iaith yr anterliwt. Nid ydyw hyn yn golygu anwybyddu trawiad, seibiant, pwyslais ar air neu ymadrodd, ystyr ddwbl ymhlyg, &c. Mae'r rhain yn nodweddion pwysig ar benillion llafar a cherddi anterliwt – yn wir, dyma'r nodweddion sy'n rhoi blas mor dda weithiau ar ei hiaith. Mae natur anterliwt yn golygu weithiau fod mwy nag un dehongliad yn bosibl i fynegiant, a chan hynny nid ar chwarae bach y dylid mynd ati i atalnodi mewn golygiadau newydd. Ni ddylid ar un cyfri atalnodi anterliwtiau fel pe baent yn dalpiau mawr o ryddiaith ddienaid, gan ddiflasu'r efrydydd difrifol a'r llengarwr deallus fel ei gilydd i'r fargen. Gellid yn deg ddadlau mai gwell fuasai adargraffu'r argraffiadau gwreiddiol fel y maent na gwneud hynny.

Beth a ddigwyddodd i iaith yr anterliwt?

Mae'n bwysig cofio mai disgynnydd uniongyrchol i draddodiad rhyddiaith, cywir i dafod leferydd, chwedlau'r Oesoedd Canol yw iaith yr anterliwtiau, er ei bod yn arwach o gryn dipyn, a harddwch arafaidd gweithiedig y traddodiad hwnnw wedi'i golli; o'r herwydd trysorai'n ddiymdrech ac yn esmwyth yr hen deithi, yn eirfa, yn gystrawen ac yn briod-ddull fel ei gilydd, ochr yn ochr â'r Saesneg a ddeuai'n anochel iddi o'i chyfathrach â'r bwrdeistrefi Seisnig oddi ar sefydlu'r rheini gan y concwerwr, ac o'i hymwneud diddewis hefyd â gweinyddiaeth llywodraeth a chyfraith y concwerwr hwnnw yng Nghymru. Ychwanegwyd at hyn gynrychiolaeth dda, lethol weithiau, o ffrwyth yr hyddysgrwydd newydd yn y Beibl Cymraeg. Buasai llawer tro ar fyd, bid sicr, er pan roesid yr hen chwedlau i lawr ar femrwn, a gorthrymderau di-ri yn y cyfamser o du estron a'i iaith ar y genedl a'i hiaith hithau wedi digwydd, eto rhaid cofio, a chyfnod yr anterliwt yn ei hanterth yn rhagflaenu cyfnod dyfodiad y rheilffyrdd a'r ysgolion a'r papurau newydd estron o'r dwyrain i ddechrau seisnigeiddio'r bobl ar raddfa nas gwelsid erioed o'r blaen, fod yr hen air eto'n wireb, 'trech gwlad nag arglwydd', a'r iaith – a feiddir dweud? – yn ei *nherth* o hyd. A phwysig hefyd, llawn mor bwysig mewn gwirionedd, yw cofio mai llên y trewid i lawr ei hiaith yn ddifyfyr bron gan yr awduron, neu'n ddiymdrech o leiaf – iaith a glywent yn eu clustiau bob awr o'r dydd ac a lenwai eu breuddwydion y nos yn un berw mawr diddiffodd – yw cyfrwng yr anterliwt, gan gymaint nerth cyhyrau'r iaith yn yr oes honno. At hyn ychwaneger athrylith pen yr awduron gorau ac fe geir ffurf dra theilwng, ffurf unigryw yn wir, ar lenyddiaeth Gymraeg y telir ar ei ganfed erbyn hyn i'r sawl a'i hastudio. Mae hyn yn destun rhyfeddod a gwerthfawrogiad, neu o leiaf fe ddylai fod y cyfryw, mewn oes y gwelir ynddi ganmol ar gynnyrch llenyddol nad ydyw, yn rhy aml, ysywaeth, ond yn cyrraedd rhywle rhwng y gwael a'r canolig oherwydd caethder meddyliol i syniadau a mynegiadau a dderbynnir yn rhy barod o iaith arall.

Os bu farw'r anterliwt ei hun, cadwyd y gair yn yr iaith naturiol tan yn weddol ddiweddar. Fe'i cofnodwyd oddi ar lafar yn Arfon gan O.H. Fynes-Clinton yn ail ddegawd yr ugeinfed ganrif ar y ffurfiau *ántarliwt, ántaliwt, lántaliwt* ac *ýntaliwt*, gydag enghraifft o'i ddefnyddio yn tystio i'w phoblogrwydd hi gynt fel cyfrwng difyrrwch, sef 'Mae o fel ýntaliwt'. Ym Maldwyn, yn yr un blynyddoedd, cofnododd David Thomas y ffurf *antaliwt*, a rhoes yntau enghraifft o'r un natur: 'Oedd o'n ddigon o antaliwt i undyn'. Cadwyd y gair *prolog* hefyd yn yr iaith am amser maith ar ôl tranc y *genre*; Fynes-Clinton eto a'i cofnododd, gan ddyfynnu'r ystyr 'lol' iddo o enau un o'i ffynonellau neu'i hysbyswyr, ac unwaith eto enghraifft o'i arfer ar lafar, sef 'Riw hen brolog', gan ychwanegu'r nodyn 'but never now used'.

Bod corff iaith yr anterliwtiau wedi para, a hynny'n weddol iach, er gwaethaf popeth, hyd tua chanol (neu 'hanner', yn ôl priod-ddull yr hen iaith naturiol honno) yr ugeinfed ganrif, nid oes dim amheuaeth. Nid oes dim amheuaeth chwaith na welodd y corff gweddol iach hwnnw ddechrau tranc anorfod y grefydd-addoliaeth ar ffurf enwadaeth gwerylgar y damniodd ei harweinwyr adloniant yr anterliwt mor chwerw, er i hwnnw fod yn y bôn, yn ddigon eironig, yn ei ddefnydd crefyddol yn help i fraenaru'r tir i'r grefydd-addoliaeth heintus newydd honno.

Hawdd yw deall yr afael rwydd a gâi'r addewid o well gwlad neu well byd i ddod, mewn gwerin cenedl orthrymedig a newynwyd i bob pwrpas o wybodaeth am y byd o'r tu allan i'w chyffiniau Cymreig Cymraeg caethiwus ei hun er dyddiau pasio deddfau cystwyol gan wladwriaeth Lloegr ddig yn erbyn y Cymry yn dilyn methiant ymdrech fawr Owain Glyndŵr ganrifoedd ynghynt. I'r gorllewin yr oedd y môr yn fur rhyngddi a'r unig bobl neu genedl arall o fewn ei chydnabyddiaeth nad oedd yn elyn uniongyrchol i'w bodolaeth fel cenedl, ac i'r dwyrain yr oedd yr unig bobl arall o fewn ei chydnabyddiaeth a oedd yn elyn i'w bodolaeth fel cenedl wedi hen wreiddio yn y tir ac wedi ymffurfio'n fur rhyngddi ac unrhyw gyfathrach bosibl â phobloedd eraill. Ynys oedd Cymru o fewn ynys ym meddiant dieithriaid gweithredol elyniaethus â'u bryd ar y cwbl. Aethai breuddwyd Owain Glyndŵr o sefydlu dwy brifysgol at wasanaeth y genedl, fel yr eiddo cenhedloedd eraill at eu gwasanaeth hwythau, i ebargofiant mor llwyr â'r cof am y gwladgarwr ei hun erbyn y ddeunawfed ganrif, a moddion i fwydo prifysgolion Lloegr yn Lloegr at wasanaeth gwlad a gwladwriaeth Lloegr oedd yr ysgolion gramadegol a sefydlwyd yng Nghymru, yn ysbryd y

Dadeni, yn yr oes ganlynol.

Er gwell neu er gwaeth, mae'r angen i berthyn i genedl, ac i'r genedl honno fod â chydberthynas ar radd gyfartal fel cenedl, boed yn un elyniaethus neu'n un 'gynghreiriol' os nad cyfeillgar, â'r cenhedloedd y mae'n un yn eu mysg, yn angen cynhenid mewn dyn. Dyn annaturiol yw dyn sy'n caru cenedl dyn arall o flaen ei genedl ei hun ac yn dewis rhoi ei deyrngarwch iddi. Mae'n taro at wraidd hunan-barch dyn fel dyn. Gwelir yr angen o hyd yn yr anghydweld rhwng rhai Cymry (a'r mwyafrif efallai wedi'u suo i ddifaterwch hollol) ynghylch diffiniadau a ffiniau cenedligrwydd. Mae'r naill garfan yn methu er dim faddau i'r hen freuddwyd o Gymreictod, er a all fod ganddi o gamsyniadau ynghylch y Cymreictod hwnnw, a'r llall, un ai o lwfrdra neu ynteu o argyhoeddiad gonest, wrth weld y mawr ddifrod, anobeithiol, gellir credu, a wnaed eisoes trwy atboblogi tiriogaeth cenedl y Cymry a llurgunio ei hen ddemograffeg gynt, yn gweld yr hen freuddwyd (os ydyw'n dal yn ymwybodol ohono, neu os bu erioed yn ymwybodol ohono) fel achos coll ac yn edrych tuag at 'Brydeindod' am waredigaeth, sydd yn caniatáu 'Welshness', neu rywbeth, yn ei gysgod fel modd i liniaru'r dolur ac i ddiwallu'r angen cynhenid hwn am genedligrwydd diffiniedig pendant.

Darparodd cerddediad hanes (o gychwyniad o'r tu allan i'r wlad), neu Ragluniaeth Duw, waredigaeth i hunan-barch Cymro'r ddeunawfed ganrif yn yr Ysgrythurau. Trwy'r Hebread gallai fyw fel dyn arall, ac fel yr Hebread gallai 'wybod' fod y daledigaeth yn ei aros yn y byd a ddelai ond iddo aberthu a dioddef yn y byd hwn. Wrth fabwysiadu cenedligrwydd Israel estron bell ac ymneilltuo yn ei enaid o Gymru ac o'r byd hwn, gallai ddioddef, a goddef hefyd, ormes cenedl arall a chael cyrraedd nefoedd wen yn wobr. Meddiannwyd a gwallgofwyd y genedl yn ei chrynswth bron iawn, fel pe bai clwyf heintus wedi ei tharo, gan y grefydd-addoliaeth yma am ganrif neu ddwy yn ei hanes hir, ac yn bosibl iawn heuwyd hadau diwedd ei hanes ganddi. Beth bynnag ydoedd, fe'i gadawodd hi'n wan ac yn llesg ar ôl ymddisbyddu neu chwythu ei phlwc, yn analluog i feddwl drosti'i hun yn y byd hwn wedi'r dadrithio, a ddeuai'n anochel unwaith y câi'r ysgolion gwladwriaethol Seisnig a Saesneg eu llawn effaith, ac o ganlyniad i wneud fawr o ddim drosti'i hun nac ohoni'i hun. Gan ei fod o'i ddechreuad yn holltiedig, rhaid oedd i'r crefyddolder enwadaethol cenedl-ddinistriol hwn gwympo ymhell cyn y dymchwelyd a welir mor boenus o amlwg yn y blynyddoedd hyn ar ei addoldai mawreddog. Y drwg yw iddo rwymo'r iaith wrtho'i hun yn ystod blynyddoedd ei nerth. Aeth y Gymraeg yn afiach o orlawn o iaith y Beibl ac aeth geiriau cyfieithedig yr Hebread ar ffurf adnodau a diarhebion yn rhy barod ar flaen tafod y Cymro, gan ddisodli yn y pen draw ei hen ddiarhebion brodorol ei hun. Aeth enwau daearyddol y Dwyrain Canol yn fwy cyfarwydd iddo nag enwau lleoedd rhan arall o'i wlad ei hun. Aeth ei fryd ar hanes sefydliad ei enwad ei hun a'i 'hoelion wyth', ac fe ddisodlwyd ei ddiddordeb naturiol yn hanes ei wlad a'i gwroniaid hithau. Aeth popeth a ddigwyddodd yng Nghymru cyn sefydlu ei 'grefydd' ef yn ddibwys yn ei olwg ac yn annheilwng o'i goffáu. Ar adeg ysgrifennu'r Rhagymadrodd hwn gwelwyd ym Mangor ddymchwelyd addoldy a godwyd i eglwys o gannoedd lawer o bobl yn wyth-degau cynnar y bedwaredd ganrif ar bymtheg, un o lawer o'i fath a godwyd yn yr un cyfnod yn yr un dref ganolig ei maint. (Gwelwyd eisoes droi eraill yn drigleoedd i rai o elfennau atboblogaeth y ddemograffeg newydd ac yn stordai carpedi a'r cyfryw i ddarparu ar gyfer eu hanghenion.) Cafodd yr addoldy uchod ei ysgubo o'r ffordd i roi lle i fynedfa at addolfan crefydd newydd a elwir yn uniaith, hyd yn hyn, St. David's Retail Park. Dywedwyd wrth awdur y geiriau hyn gan ewythr iddo, Iorwerth dirion, a fu'n croesawu wrth y drws yno, wythnos cyn dechrau dadlechu'r to, mai dau ar bymtheg o bobl oedd rhif yr eglwys mwyach. Codwyd addoldy bach newydd ar gyfer y ffyddloniaid yn nghysgod adeilad y 'parc marchnata' newydd (ac o olwg y ffordd fawr), o'r tu ôl i'r hen fawreddog. Bellach daeth pedair o eglwysi eraill o'r cylch yn perthyn i'r un enwad atynt i gydaddoli yn yr un addoldy bach newydd. Yn ôl adroddiad yn y papur bro, mynegodd y gweinidog fod edrych ymlaen mawr o du'r ddau ar bymtheg at adael yr hen adeilad mawr oer o oes Victoria a symud i'r adeilad modern newydd.

Diwedd proses anochel a welir yn awr, wrth gwrs, a ddechreuodd cyn y Rhyfel Byd Cyntaf, er gwaethaf Diwygiad 1904-05, ond a aeth yn gyflymach ei hynt wedyn. Unwaith y dechreuodd yr ysgolion gwladwriaethol Saesneg gael yr effaith y llawn fwriadwyd iddynt ei chael o droi'r Cymry yn Saeson defnyddiol i'r Ymerodraeth Brydeinig, nid oedd dim troi'n ôl.

Wedi'r dadrithio a throi cefn ar y capeli yn finteioedd, nid oedd unlle i'r Cymro droi i gael ailarddel ac ailfeddiannu ei hen etifeddiaeth frodorol ef ei hun. Yr oedd 'arweinwyr' y genedl eisoes wedi'i swcro i dderbyn cyfundrefn addysg seciwlar estron, a mater o amser yn unig ydoedd nes gorffen y gwaith o ddatgymalu popeth a oedd wedi mynd i mewn i ffurfiad cyfansoddol Cymro fel Cymro ar hyd canrifoedd ei hanes. Trefn a edrychai i mewn arni hi'i hun oedd enwadaeth. Ymneilltuedig ydoedd, wedi'r cwbl, a'i harweinwyr wedi derbyn yn ddibryder yr iaith Saesneg yn iaith yr ysgolion gorfodol pan sefydlwyd hwy, gan gymryd arnynt eu hunain y cyfrifoldeb, er eu lles eu hunain, yn ôl eu barn eu hunain ar y pryd, rhaid dweud, o ddysgu iaith y genedl i blant eu pobl eu hunain. Rhoed ergyd drom i iaith naturiol yr anterliwt, yr iaith drosglwyddedig naturiol, gan yr amgylchiadau hyn, amgylchiadau sydd eu hunain wedi darfod amdanynt bellach.

Wrth sôn am drosglwyddo iaith naturiol, sôn yr ydys am draddodi o genhedlaeth i genhedlaeth y morter sydd yn dal hanes a diwylliant un bobl wrth ei gilydd o achos ei bod hi'n tyfu ohoni. Nid oes dyfodol iddi o impio arni yn hunanymwybodol, byth a beunydd, dalpiau mawr o iaith arall, a hynny am y rheswm plaen fod yr iaith honno wedi tyfu, ac yn dal i dyfu o hyd, o bobl arall. Nid dweud yr ydys fod yr elfennau mwyaf cras yn iaith yr anterliwt yn ddymunol, fod iaith fras neu serth yn beth y dylid ymdrybaeddu ynddo, ond yr ydys yn dweud bod iaith o'r fath yn elfen naturiol anhepgor mewn iaith iach. Ni fydd pawb yn ei defnyddio. Mae'n wrthun gan rai pobl byth, er na ellir dweud bod y rhain yn y mwyafrif bellach – ond y mae'n rhaid iddi fod yno. Mae'n cynrychioli gwedd gynhenid ar y cyflwr dynol. Pan geisier ei gwadu a'i chuddio, neu'i cheryddu, myn ei lle drachefn, gan gyrchu ei defnydd o'r unig ffynhonnell arall bosibl. O alltudio 'llên ddi-chwaeth' o'r iaith fe arloeswyd y ffordd – neu'n hytrach, fe agorwyd y llifddorau – i'w llenwi mewn oes ddiweddarach â'r iaith fwyaf iselwael, neu 'goman', y gallai'r Saesneg ei chynnig a geirfa gyflawn o 'good old-fashioned Anglo-Saxon four-letter words' i'w chanlyn.

Wrth resynu colli iaith yr anterliwt, gresynu colli iaith ystwyth a rhwydd yr ydys, iaith â gafael ei siaradwyr yn sicr ynddi, yn eirfa gyfoethog barod at fynegi meddyliau a theimladau dwys a chymhleth, digri ac ysgafn, dedwydd neu druenus, o achos ei bod hi'n gwahaniaethu rhwng cyfystyr a lled gyfystyr, a bod cyd-destun dealledig i ddefnydd y rhain, iaith gryno ddigwmpasog a ddeallai fodd ac amser y ferf yn reddfol ac a'i treiglai mor ddiymdrech â thynnu anadl i ddyn iach (er na chlywsai ei siaradwyr uniaith gynt erioed sôn am y termau hyn, wrth gwrs, mwy nag y clywodd mwyafrif gweddill ei siaradwyr heddiw amdanynt), iaith a ddeuai mor rhwydd i'w siaradwyr â chwerthin neu ddigio. Ar air, iaith iach. Dyna'r iaith y gellid bod wedi chwanegu'r newydd ati, fel y gwneir mewn ieithoedd eraill, gan ei haddasu a'i chaboli'n gyfrwng teilwng i'r ugeinfed ganrif a thu hwnt, pan ddaeth cyfleusterau addysg ar ôl hirymaros – neu'n gywirach, pan ddaeth y caniatâd, ar amodau neilltuol, o'r tu allan i Gymru, iddi hi gael bod yn gyfrannog o'r wybodaeth angenrheidiol a ddwg addysg mewn oes fodern (a rhaid deall mai sôn megis am ddoe yr ydys wrth sôn am gant neu gant a chwarter o flynyddoedd yn ôl), a oedd eisoes ar gael yn ddiamodol i genhedloedd eraill ers cenedlaethau a chanrifoedd erbyn degawdau olaf y bedwaredd ganrif ar bymtheg. Am mai hi oedd iaith yr aelwyd, o Fôn i Fynwy, yn llythrennol, er gwaethaf sôn a byrdwn rhai gwirion a difeddwl y dyddiau hyn am 'yr ardaloedd tradoddiadol Saesneg', gellid bod wedi codi cewri i Gymru ac i'r byd yn y cyfnod hwnnw, fel y codwyd yn naearbridd âr newydd gwyrf y Byd Newydd, ar 'ddarganfod' hwnnw, gnydau na welsid mo'u maint o'u tyfu ym mhridd blinedig Ewrop ers canrifoedd cyn hynny. Ysywaeth, mynnu a ddarfu'r gwŷr mawr newydd mai efelychu'r hen garcharwr oedd y ffordd ymlaen. Trychineb o'r mwyaf oedd ymyrryd yn yr iaith naturiol hon, a oedd yn dal yn fyw ochr yn ochr ag iaith 'dydd Sul' y capeli, o du ysgolheictod newydd, Saesneg ei gyfrwng, ar adeg mor fregus arni yn negawdau olaf y bedwaredd ganrif ar bymtheg ac yn rhai cynnar yr ugeinfed, pa mor uchelfrydig neu ddyrchafedig bynnag yr amcanion, a grymoedd estron ysgol, rheilffordd a gwasg yn pwyso mor galed ar wynt y bywyd cenhedlig. Ac iaith yr ysgolion gorfodol gwladwriaethol newydd yn Saesneg a'u hagweddau a'u dibenion yn hollol seisnigeiddiol, gwaith y mae'n rhaid edrych yn ôl arno yn gegrwth fud oedd y gwaith o geisio 'puro' dan y fath bwysau iaith fyw a oedd yn datblygu gyda'r oes, er mor drwsgl yr ymddangosai'r datblygiad hwnnw weithiau, iaith yr oedd y genedl, ar y cyfan, yn dal i gael ei newyddion a'i gwybodaeth trwyddi o newyddiaduron a gyhoeddwyd ynddi.

Ysywaeth, nid puro at anghenion y dydd a'r oes a oedd yn codi oedd hwn, ond puro yn ôl safonau iaith gaeth gelfyddydus draddodiadol geidwadol at bwrpas beirdd a gawsai eu dydd mewn hanes, ac iaith a gyflawnodd ei swydd ganrifoedd ynghynt. Gwadwyd hawl rhai geiriau o darddiad estron i fod yn yr iaith ac argymhellwyd lle teilwng i eraill o'r un tarddiad, a'r un modd yr oedd rhai ffurfiau ar eiriau cynhenid yn 'Gymraeg da' ac eraill yn ysgymun. Gorchmynnwyd nad oedd croeso bellach i rai ymadroddion a gawsai gartref clyd a Chymreigaidd yn yr iaith ers blynyddoedd lawer, ganrifoedd weithiau, rhaid oedd iddynt godi pac, tra câi eraill dderbyniad digwestiwn am eu bod efallai i'w cael yng ngwaith un o'r cywyddwyr a ystyrid ymysg y teilwng ac a gâi wên ymarddelwyr y 'Diwygiad Olaf'. 'Dysgwyd' i feirdd a llenorion profedig ac i wŷr y wasg â phrint wedi duo eu dwylo er cyn geni'r 'bechgyn o Rydychen', fel y'u gelwid, fel ei gilydd, sut i ysgrifennu ac i sillafu. Dyma'n wir yr oen yn dysgu'r ddafad i bori, yn ôl meddwl yr hen lawiau. Gŵyr y cyfarwydd â gwasg Gymraeg y cyfnod rhwng canol wyth-degau'r bedwaredd ganrif ar bymtheg a'r Rhyfel Byd Cyntaf, ac yn wir ar ôl y Rhyfel – o'r ddwy ochr i'r Iwerydd – pa mor chwerw oedd y dadlau. Yr oedd yn ddiamheuaeth yn drawma ar yr iaith a'i siaradwyr. Canlyniad hyn oedd creu nifer ddethol fechan am genhedlaeth neu ddwy o feirdd a llenorion coleg wedi ymdrwytho yn yr ysgolheictod newydd hwn ynghyd ag yn nhraddodiad addysg ysgrythurol gadarn yr enwadau y ganwyd hwy fel unigolion iddynt (hynny yw, yr oedd yr addysg yn dal yn gadarn ar yr adeg y magwyd hwy), heb fodd yn y byd i drosglwyddo'r ddisgyblaeth ddeuol newyddanedig hon i'r cenedlaethau a ddeuai ar eu hôl fel undod cenhedlig cyffredinol oherwydd ar y naill law y gyfundrefn addysg estron a dderbynnid mor barod ganddynt hwy eu hunain ac ar y llall y dryllio ar Ymneilltuaeth a ddeuai yn anochel yn sgîl y gyfundrefn honno. Yr oedd y garfan newydd hon yn ysgrifennu yn bennaf ar gyfer ei gilydd yn hytrach nag ar gyfer y ceisiwr gwybodaeth neu'r darllenydd deallus o Gymro, ond nid peth drwg ynddo'i hun fuasai hynny pe buasai'r gyfundrefn addysg yn goddef datblygiad carfan neu garfanau eraill llai dethol na hi ochr yn ochr â hi yn gydbwysedd iddi. Eithr, a defnyddio term masnachol diweddar, yr oedd y gyfundrefn honno yn sicrhau lleihad yn 'adnoddau dynol' y Gymraeg, ac at hynny yr oedd y garfan ddethol newydd yn mynnu meddiannu yn eiddo iddi ei hun y mudiad gwerinol hwnnw, yr Eisteddfod. Yr oedd elfen afiach gref o ysgrifennu er mwyn dangos rhwysg mewn llawer o'r llenorion hyn ac fe fenyweiddiwyd yr iaith i raddau helaeth am y tro cyntaf yn ei hanes. Aeth yn ferchetaidd ac yn llipa dan law rhai ohonynt, yn enw gwareidd-dra weithiau. Gellid bod wedi tempro hyn gan garfan neu garfanau eraill pe byddid wedi caniatáu iddynt fodoli a datblygu. (Er mai benywaidd yw cenedl y gair 'Cymraeg', wrth gwrs, ni fu'r iaith ei hun erioed yn fenywaidd;

iaith gyhyrog a gwrol oedd ar hyd y canrifoedd. Fe gofir bod hen ysgolhaig wedi sôn ganrifoedd lawer yn ôl am seinio'r iaith yn 'llown llythyren'). Effaith hyn oedd dieithrio'r iaith ysgrifenedig oddi wrth siaradwyr cyffredin y Gymraeg, neu, a'i rhoi mewn ffordd arall, cydrhwng y garfan ddethol hon a'r gyfundrefn addysg estron fe aed â'r iaith ysgrifenedig yn llythrennol allan o ddwylo'r siaradwyr Cymraeg cyffredin, wedi ei rhoi hi iddynt trwy ysgolion cylchynol y ddeunawfed ganrif a'i chynnal ar hyd y bedwaredd ar bymtheg gan y wasg gynhenid. Clwyfwyd hyder yn yr iaith naturiol yn y cyfnod hwn, ac wrth gwrs, hyder y genedl ynddi ei hun o'r herwydd. Hyd heddiw, ceir llawer yn tybied mai pobl eraill neu bobl rhyw ardal arall sydd yn siarad 'Cymraeg iawn'. A'r garfan ddethol honno wedi ymddryllio, fel y bu raid iddi, a'r puro gwreiddiol wedi'i oddiweddyd, ar y cyfan, gan fympwyaeth cenedlaethau diweddarach o addysgwyr na ddeallodd erioed ei egwyddorion, er ei arddel ac efallai ei frolio. Nid peth dieithr yw clywed erbyn hyn – yn unrhyw ran o'r wlad a fynner ei dewis lle erys peth o'r iaith – eiriau i'r perwyl 'ddim Cymraeg ni ydi hwnna'. Gŵyr y sawl a welodd rifynnau o bapurau newydd Cymraeg hanner cyntaf yr ugeinfed ganrif o'r Unol Daleithiau a'r Wladfa pa mor gyhyrog yr arhosodd yr iaith yn y gwledydd hynny yn bell o afael y drwg. Yn chwe-degau'r un ganrif yng Nghymru gwelwyd hyrwyddo yr hyn a elwid Cymraeg Byw, ynghyd â chychwyn yr hyn y gellir efallai ei alw yn fudiad gwrthburo, sef hawlio a hybu popeth a oedd erbyn hynny 'yn rhodio' yn dafodiaith ddilys, ac efallai mai'r ysgogiadau hyn a aeth â'r hen iaith naturiol yn y diwedd 'dros y nyth'.

Mae iechyd llenyddiaeth iaith, wrth gwrs, ynghlwm yn annatod wrth iechyd iaith bob dydd y genedl y mae'n perthyn iddi ac sy'n cael ei dysg, ei gwybodaeth a'i newyddion am y byd trwyddi. Oni bai bod y pethau hyn yn digwydd gellir cyffelybu ceisio cadw iechyd yn llenyddiaeth yr iaith honno i ymdrechu yn erbyn yr amhosibl braidd.

O ddeall pwysigrwydd hanfodol gwasg newyddiadurol

gynhenid i barhad hiaith, a hynny oherwydd mai'r wasg yw
blaen y gad megis i bob llenyddiaeth fodern, fel y gwyddai John
Morris-Jones yn iawn wrth gwrs pan gychwynnodd ei ymgyrch
i ddiwygio'r iaith trwyddi yn wyth-degau'r bedwaredd ganrif
ar bymtheg, eironi pob eironi yw mai iechyd y wasg gynhenid
Gymraeg ar y pryd a'i gwnaeth yn bosibl hyrwyddo argymhellion
Pwyllgor Orgraff yr Iaith Gymraeg, a'i thranc hi a barodd na ellid
eu cynnal.

Cyfoeth a Thlodi

Cyfoeth a Thlodi

CYMERIADAU

Syr Iemwnt Wamal, y Ffŵl
Traethydd
Cerddor
Hywel Dordyn, y Cybydd
Esther Wastad, ei wraig
Diogyn Trwstan
Lowri Dlawd
Siôn Dafarnwr
Angau

Enter SYR IEMWNT WAMAL, Y FFŴL:

1   Wel, rhowch yma osteg a gwnewch sefyll neu eiste,
     Bawb oll yn gyflawn yn hyn o gyfle;
     Chwi gewch ddiddanwch bod ag un,
     Os galla' i'n ddiddychryn ddechre.

5   Rwy'n meddwl o ran eich moddion
     Eich bod yn gwmni heddychlon;
     Gobeithio yr ydw i, yn hyn o le,
     Y byddwch fel finne'n fwynion.

     Mae gennyf i chw'ryddiaeth newydd,
10   A gefais gan Dwm y Prydydd,
     Heb ddim ond dau ffŵl, ar hyn o dro,
     I'w gweled yn ymgomio â'i gilydd.

     Rŷm 'run fath â *sign* y ddau bendefig
     Sydd ar y ffordd rhwng Rhuthun a'r Wyddgrug;
15   Y neb sydd am ein cwmni wrth chwant y cnawd
     Fydd inni yn frawd hwyrfrydig.

Ond erbyn imi ddal sylw,
Mi allaf ddweud yn groyw,
'Here's a company of loggerheads in this place,
20   My brother's face, good morrow!'

Gwaed calon gwrthwyneb cusars!
Ond rŵan y gwela' i fy nghyd-ysgolars;
Dacw'r merched a'u bwriad bâr,
O, *my dear* sistars!

25   Dowch, ferched ar dyfiad ofer,
I'r *meeting*, yn nes i'r mater;
Anaml y bydd drwg hyd wlad neu dre
Mewn gafel na boch chwithe ar gyfer.

Edr'wch yma mor lân eu boche
30   Y daeth fy chwiorydd i'm gweld i yn chware;
Pwy ydyw hon acw sy'n gostwng ei phen?
O, Neli! fy nghangen ole!

Corff barcutan! ond dyma fy chwaer Cati,
Siân a Gwenno mewn syn gyni,
35   Mali a'i snising hyd ei thrwyn,
A'r bwtog fwyn gan Beti!

Gwaed aradr o goed eirin!
Ond dacw fy chwaer Doli, a rhyw lafn yn ei dilyn,
Fe eiff hon acw i chware pwt,
40   Mae drwg yn ei smwt hi ers meitin.

Ond am hynny maen' nhw oll yn brysur
Wrth reol chwant eu natur;
Rhai am falchder a phleser ffôl,
A'r lleill yn fydol fudur.

45   Tyrd tithe'r Cerddor, cân yn dyner,
Rwyt tithe'n rhyw gymysgu rhwng pleser a balchder;

Nid ei di ddim â'th ffidal wrth dy glun
I'r nefoedd, nac yr un o'th nifer.   (*Dawnsio*)

Enter TRAETHYDD:

Wel, dos i lawr a phaid â'th cyffro.
IEMWNT:
50   Cymerwch yn dender, peidiwch â dondio;
Mi fyddaf i'n mynd i wylltio'n ffôl,
Yn egr, ar ôl fy nigio.

TRAETHYDD:
Ni fentri di dreio, mi wn wrth dy droue.
IEMWNT:
Mae'n hyll imi redeg yng ngŵydd fy nghariade;
55   Oni bae fod fy nghalon i yn isel iawn
Gan ddychryn, oni thrawn i ddechre!

TRAETHYDD:
Pwy wyt am ei daro, Ffŵl dyrys ei chwedle?
IEMWNT:
Wel, nid cyn gyfrwysed monoch chwithe;
Ond taro'r ddynes acw a wnawn,
60   Yn ei gaflach, pe cawn i gyfle!

TRAETHYDD:
Taw â'th wiriondeb, mae'n annoeth 'i wrando.
IEMWNT:
Os cewch chwithe gyfleustra, chwi fedrwch gynichio;
Ac oni chewch chwi gyfle, nid oes o hyd
I chwi ddiolch yn y byd am beidio.

65   Mae adeg a chyfle odiaeth
Yn seinio i bob gwasanaeth;
Pe cae rai hynny fo fydde fwy
O rai'n dygyd trwy'r gymdogaeth.

A phe cae lawer llencyn anllad
70 Gyfleustra rhagorawl i fynd rhwng traed ei gariad,
Mi wrantaf y byddent hyd at y bôn,
Mae ganthynt hwy burion bwriad.

TRAETHYDD:
Wel, dos i lawr yn ddie,
Mewn mwyniant, gad le i minne.
IEMWNT:
75 O, gweld rwyt ti'r bobl yn ymroi
Yn hawddgar i roi cenhioge.

TRAETHYDD:
Taw â'th sŵn, ddigwilydd gatffwl!
IEMWNT:
Ni waeth y fi sy'n dweud na th'dithe sy'n meddwl:
Da gan bawb arian yn ei bwrs
80 Gan fyned o ddisgwrs mor fanwl.

Bu'n Nimbych yn actio'n hynod
Ddialedd o Wyddelod;
Roedd y rheini'n cael arian da
Am eu poenau, dyna'u pennod.

TRAETHYDD:
85 Nid ydym ni'n ddiame,
Yn ôl ein hiaith, ond megis nhwythe.
IEMWNT:
O, ni wiw i Gymry trwy'r wlad hon
Mo'r siarad, y Saeson sy ore.

Roedd y bonddigion, hardd ymddygied,
90 Yn bresennol, a phersonied,
Doctoried ac ustusied yn cerdded o'u co,
Heb gwilydd, yno i'w gweled.

A'r merched a'r gwragedd, bonedd a chyffredin,
Am yr *actors* mewn awydd ar fynd yn iwin,

95   Ac ambell un a gode'n llon
     Ei dible i chw'ryddion Dublin.

    TRAETHYDD:
     Ffei! taw â'th drwst, ry annoeth drawster!
    IEMWNT:
     Taw di ag ynfydu, Ffŵl difeder!
     Ped faed yn cyrchu ond calie o bell,
100   Mae'r rheini yn well o'r hanner!

    TRAETHYDD:
     Wel, dos i lawr, gad i mi le
     I roi testun y chware allan.
    IEMWNT:
     Wel, mi af i ffordd, ni fydda' i dro,
     Os wyt ti am ruo rŵan. (*Exit Syr Iemwnt*)

MYNEGIAD Y CHWARE:

    TRAETHYDD:
105   Yn awr, o fawr i fychan,
     Dymuno'ch gosteg fwynlan
     I draethu'r testun hwn ar frys
     Mewn pwyllus wllys allan.

     Rhyw draws feddylfryd ydi,
110   Neu wir hoff iawnserch ffansi,
     Am Gyfoeth byd a'i fawredd da,
     Maith lydan, a Thylodi.

     Rhagdrefniad hyn o chware
     A fydd mewn diddan fodde;
115   Y Capten Cyfoeth, cadarn law,
     'N ddiddychryn a ddaw i ddechre.

     A chwedi hynny'n sydyn
     Daw Mr. Hywel Dordyn;

120
Hwn sy'n Gybydd tost ei fryd
Am drin y byd yn ddygyn.

A'i wraig ef, Esther Wastad,
Sy'n dywad adre o'r farchnad;
Bydd rhwng y rhain mewn sad ddisgwrs,
Yn siŵr, gryn gwrs o siarad.

125
'Nôl hyn daw Capten Cyfoeth
Gan ganu cerdd gywirddoeth,
A'r Capten Tlodi ddaw, heb wad,
I ddweud ei dyniad annoeth.

130
Yn ôl i'r rhain fynd allan,
Cewch weld henawgwr lledwan
Yn dywad yma o glun i glun
Tan enw Diogyn Trwstan.

135
A hwn sy'n dweud ei drafel,
Gan ganu wrth ymadel,
A chwedi hyn daw'r Ffŵl yn ffres
I ddwedyd hanes rhyfel.

140
Ar ôl i hwnnw derfyn
Daw Mr. Hywel Dordyn;
A Lowri Dlawd ddaw ato i'r fan,
Bydd cwrs o ymddiddan rhwngthyn.

Yn ôl hyn mae ymddiddanion
Rhwng Mr. Ystyriol dirion
A Mr. Gwirionedd, fwynedd farn,
Wedi'u gosod yn gadarn gyson.

145
A chwedi hyn daw'r Cybydd
I gwyno'r byd annedwydd
Sydd iddo wrth drin, o fan i fan,
Ryw ddynion gwan diddeunydd.

150
Daw Siôn Dafarnwr ato,
Ar hwn roedd arian iddo,
Ac ynte sy'n ei dynnu'n wâr
I roi *judgment* ar ei eiddo.

Ar ôl i hwn fodloni
Daw'r Ffŵl i fyny yn wisgi
155
At y Cybydd, drwy gonsent,
I ddarllain 'r infentári.

Ac wedi hyn mae'r Cybydd
Yn canu o wir lawenydd,
O ran mor hapus yw o hyd
160
Yn trin y byd ar gynnydd.

Yng nghanol hyn o hawddfyd
Daw'r Ange i'w daro â chlefyd;
Ymadewiff ynte o'r clwyfe a'i clodd,
Mewn gwaraidd fodd, i'r gweryd.

165
Daw'r Ffŵl i fyny'n ddie
I roi ffarwel i'r merchede;
Ac dyna drefniad, seiliad syn,
Awch wiwrwydd, hyn o chware.

Ac felly, pawb sy'n gwrando,
170
Gwnewch brofi pob peth drwyddo,
Gan ddal yn ddoeth ar 'r hyn sy dda,
'N wahanol yma heno.   (*Exit y Traethydd*)

Enter SYR IEMWNT WAMAL:

Wel, iechyd i'w gorun gwrol
Am frefu mor ddifrifol;
175
Mae'n rhywyr ei weled e'n troi'i gefn,
Does yma fawr drefn ar bobol.

Edr'wch acw lle mae'r merched
Wedi cilio mewn dychryn caled;
A'r oll ddicllonedd (on'd e, Mal?)
180   Sydd eisie bod y gal i'w gweled.

Mi glywais fod yma gynne gwyno,
A'r merched a'r gwragedd yn ymgrugo,
Ac yn dweud wrth ei gilydd, 'Dyna Ffŵl aflêr;
Ni fedd ef ddim cêr i'w cario.'

185   'Ffei! Ffei!' medde'r llall mewn hyfdra,
'Dyna imi Ffŵl tin-lipa;
Ni wiw inni ddisgwyl, yn ddigon siŵr,
Fawr lawenydd gan ŵr fel yna.'

Ond byddwch yn esmwyth, gwmni mwynlan,
190   Gadewch imi ateb trosta fy hunan;
Rwy'n dallt fod y merched yn cadw leb
Mod i yn hagr heb fy nhegan.

Rwy'n coelio mai cyflwr caled
Yw byw tan farn cydwybod merched;
195   Ni lwfian nhw i ddyn, mewn dygyn daith,
Fawr orffwys yng ngwaith yr arffed.

Ond gwir yw'r ddihareb, clywsoch farnu,
Na phery'r wialenffust ddim cyd â'r llawr dyrnu;
Mae felly ar ferched gwrs o fai,
200   Wrth edrych arna i, chwrnu.

Wel, mae hi'n dost ar ddyn diddonie
Na feddo ddim cêr yn unlle;
Ni thale hwnnw, yn foel ei din,
Ond ychydig i drin merchede.

205   Mae ffasiwn gan rai merched
Wneuthur peth o felfed;

Mae honno yn fwy trefnus i wneud y tro
Na rhyw ffwlach fo 'nwylo ffylied.

Mae hi felly'n dost anweddedd
210   Ar ddigon o rai bonddigedd,
Ond rydw i'n ame nad oes ar led
Fawr gledi ar ferched gwladedd.

Bydd llawer Ffŵl yn brolio,
Yn codi rhyw dincod wrth sôn am doncio;
215   Ni rown i am siarad felly faw,
Rhwng llaw a llaw mae llywio.

Ffarwél ichwi rŵan, ferched,
Rhaid imi'n fwynaidd fyned;
Wrth'i theimlo mae barnu'r hoel,
220   Ni rown i fawr goel o'i gweled.   (*Exit Syr Iemwnt*)

Enter CAPTEN CYFOETH:

Mi ddois o'ch blaene'r cwmni gwiwddoeth,
Dan enw cofus y Capten Cyfoeth,
Er fy hunan na fedda' i heno,
Drwy ferw hynod, fawr ohono.

225   Myfi yw'r hapusrwydd penna
Gan ddynion cnawdol y byd yma;
Rhai gaffont beth o'm cwmni mwyndeg,
Maent fwyfwy'n chwennych cael ychwaneg.

Myfi, Cyfoeth, yw'r grymuster
230   Sydd yn y byd gan bob rhyw bleser;
Chwant y cnawd a chwant y llygad,
A balchder y bywyd yw fy neiliad.

O ran fy mod mor fawr fy nghariad,
Mewn cymaint mawredd a chymeriad,

235   Mi ganaf bennill wrth fy mhleser
             I ddatgan mwy o'm braint a'm cryfder.

Canu ar 'Heppy's March':

             Gwrandewch ar ganiad wastad wir
             O orchest Cyfoeth doeth ar dir:
             I mi mae'r cariad, clymiad clir,
240   A difyr gywir gân,
             I mi mae'r parch a'r cyfarch cu,
             I mi mae'r tegwch, harddwch hy,
             I mi mae'r glod ddwys hynod sy,
                 Gair mwyngu mawr a mân.

245   I mi mae'r hedd, anrhydedd rhad,
             I mi mae'r glendid ym mhob gwlad,
             I mi mae'r swydde a phob llesâd,
             Mawrhad yn rhwydd, a llwydd rhag lluddad,
                 Llawn gymeriad sydd i mi,
250   Y Cyfoeth ffraeth, cu afiaith ffri;
             Mae mwyna sail fy mynwes i
                 Yn llonni mewn gwellhad.

             Myfi, myfi, sydd wisgi wawr,
             Myfi sy'n bod fel nod yn awr,
255   Myfi yw mwyniant pob gŵr mawr,
             Eu llawr, eu gwres a'u grisiau,
                 Ac ucheldere gwychol daith,
             Holl eiddo eu llwyddiant, meddiant maith,
             Yn cynnal balchder, uchder iaith,
260   Rwy megis gwirfaith gawr.

             Myfi sy'n gwneud, rwy'n dweud ar dwyn,
             O'm blaen yn faith y blin yn fwyn,
             A'r mwyn yn atgas gas ei gŵyn,
                 Mor lawn o anfwyn lid,
265   Myfi sy'n magu synnwyr ffri
             I rai cyfoethog, rywiog ri;

Ond gwael yw'r fael pan giliwyf i,
Hwy wnânt ei golli e i gyd.

Gwneis lawer beger, eger wŷn,
270 Yn hardd gyfrifol ddoniol ddyn;
Ond balchder mawrfost, lwyrdost lun,
    Sy'n un â'i nerth yn rhyserth osod
I wneud dibendod, syndod sydd,
I'r Cyfoeth cofus, foddus fudd;
275 Mae hynny yn rhan o'r Tlodi rhydd
    Sy beunydd ar bob un.

Myfi yw'r golud, iawnfryd iaith,
Amdana i mae ymdynnu maith,
Ond ambell ddiogyn dygyn daith,
280   Sy â'i graith yn groes a'i foes yn fisi,
Heb geisio codi â'i hegni o hyd,
Drwy gysur boen, i geisio'r byd,
A'i gyfan gyfoeth, glewddoeth glyd,
    Sydd hyfryd wynfyd waith.   (*Diben*)

Enter SYR IEMWNT WAMAL:

285 O, taw â'th sŵn annhirion,
Rhag c'wilydd, wfft i'th calon;
Nad elw i byth i Bont y Go,
Oni ddarfu iti frolio'n freulon!

CYFOETH:
    Pwy wyt ti, hen goegyn gwagedd?
290   Nid wyt ond ffwlcyn dianrhydedd.
IEMWNT:
    Ffŵl y gwelais i erioed, mewn gwawd,
    Bob dyn tylawd go wladedd.

CYFOETH:
    Nid ydyw rhai tylodion
    Ond ceriach, wariach wirion.

IEMWNT:
295 Nid anhawdd ffeindio cwrs o fai
Wrth agwedd rhai cwaethogion.

CYFOETH:
Mae bai ar gnawon diog
Eisiau gweithio i fynd yn gwaethog.
IEMWNT:
Rwyt ti rŵan, nad elw' o'm co,
300 Yn bygwth yn o bigog.

Ond mi a welais rai ffordd yma
Yn cymryd byd o'r cleta;
Nid aen nhw fymryn yn eu blaen,
Gweithient a gwnaen eu gwaetha.

305 Ac mae ambell un digyffro
Yn dywad o hyd i eiddo;
Hawdd dallt wrth hynny maint sy o braw
Fod rhywbeth heblaw rheibio.

CYFOETH:
Mae pob esgusion taerion torrog
310 Gan ryw Iddewon sy o natur ddiog.
IEMWNT:
O, peidiwch â bwrw gormod bai –
Oni fethodd rhai cyfoethog?

Mae rhywun a chanddo gyfrwng
I godi gradde a'u gostwng;
315 Er hynny, mae llawer hyd y fro
Mewn helynt go annheilwng.

Mae ambell ŵr yn berson,
A wnaethai eurych purion;
Felly mae'r byd, mewn llawer llam,
320 Wedi ymbwnio mewn cam ddibenion.

Mae ambell grydd neu deiliwr ffrolig,
A wnaethai reiol ŵr bonheddig,
Ac ambell ŵr bonheddig hy,
F'asai reidiol iddo ddysgu aredig.

325   Mae ambell ŵr yn mynd yn hwsmon,
Apothecari, neu siopwr, neu gyfreithiwr creulon,
Y peth y gallasen nhw'i drin yn llwyr,
Eu galwedigaeth, fo'i gŵyr digon.

Ac felly mae'r bobl hyd y gwledydd
330   Un fath â'r llyffaint yn y corsydd;
Mae'r blwydd o'r rheini, rwyddgry radd,
Nod aflan, yn lladd y dwyflwydd.

Peidiwch chwithe'r Capten hynod,
Efo'ch gwag armi, ag ymffrostio gormod;
335   Mae'n rhaid i Dlodi fyw'n rhyw lun,
Ni wiw ichwi'r dyn mo'r dannod.

CYFOETH:
Mae rhai cyfoethog, enwog annedd,
Yn byw'n hapuswych, raenwych rinwedd.
IEMWNT:
Wel, on'd y tlodion, moddion mân,
340   Ydyw'ch porfa chwi? 'R tân trwy'ch perfedd!

Beth a dâl gŵr mawr i weithio
Â dillad glân amdano?
On'd llawer cymhwysach, dewisach dull,
Ryw slyfen hyll i slafio?

345   Fo fydde gryn ryfeddu
Weled marchog yn cau neu'n palu,
Neu weled *esquire* glân ei wawr,
Neu dwrne â bol mawr, yn dyrnu.

CYFOETH:
    Nid yw na chlod na pharch cyfrifol
350   Fod yma'n gwrando ffwlcyn lleddfol.   (*Exit Cyfoeth*)

IEMWNT:
    Oni ddweudodd Solomon nad gweddus rhoi gwawd,
    Nac amarch, i dlawd synhwyrol?

    Er nad wyf i, mi lwfia',
    Yn un o'r alwad synwyrola,
355   Mi adwaen gwrs o ragoriaeth gwawr
    Rhwng beger a gŵr mawr, debyga'.

    Ac mi adwaen wrth fy natur
    Fursennod gwan eu synnwyr,
    Y rhai fo'n rhodio'n ffôl eu rhith,
360   Yn lledwan ymhlith anlladwyr.

    Rwy'n coelio hyn o'm calon,
    Fod natur merched ffolion
    Yn gwneud ac yn denu mwy bob dydd,
    Hyd wledydd, yn dylodion.

365   Anlladrwydd merch wrth garu,
    A chwantau dyn yn denu,
    Sy'n dechre drwg mewn dychryn draws
    Wrth borthi'r naws yn ysu.

    Melystra natur anllad
370   I feinir fain ei llygad
    Sy'n troi yn y diwedd, groywedd gri,
    Yn chwerw iddi hi a'i chariad.

    Am hynny, os rhowch chwi gennad,
    Mi draetha' ichwi ar gynnydd ganiad
375   Am ddull naturiaeth helaeth hy
    Sy'n enllyn caru'n anllad.

Canu ar 'Gonsêt Lord Wheelberry':

Pob gwamal fun gymen sy'n llawen ei llais,
Ar f'ymgais, mewn dyfais, gwrandewch,
Am anllad garwrieth, gwir afieth eich gwres,
380   Mae gennyf ryw gyffes a gewch:
Rwy'n traethu, trwy wawd, naturiaeth eich cnawd,
Yr hyn sy'n eich rhwydo i ledio yn dylawd,
Ac anffawd y gynffon yw'r greulon oer graith
Sy i'ch moedro chwi'n burfaith dan bwys;
385   Pan foch chwi'n ddi-fael, hogennod go wael,
Mae'ch awydd i ymbincio ac ymdrwsio drwy draul
I gael ichwi ymgoledd â ffoledd hoff wŷn,
A chanlyn rhyw landdyn sydd lwys.

Pan gaffoch wylmabsant, hoff hwylchwant neu ffair,
390   Chwi fyddwch yn grair yn eich gwres;
I ymgyrredd am gariad mewn rhediad yn rhwydd,
Chwi ddeuwch mewn awydd yn nes;
Ac yna mor gu, pan ddeloch i dŷ,
Cewch garu ac yswagro, cewch groeso gwych gry;
395   Cewch lyfu a chusanu, a'ch gwasgu yn eich gwanc,
O, fwyned fydd llanc yn eich llaw!
'Rôl hynny o'u riwl hwy, cewch wneud yn eich nwy,
Tan seinio cusane, bwyntmanne fo mwy
Bydd clwy ar y glanddyn am eich canlyn i'ch cell,
400   Ac adre'n fwy'i ddichell fo ddaw.

Pan ddeler i'r aelwyd neu rywle yn y tŷ,
Neu'r gwely'n dra mwyngu, 's bydd modd,
Fo ddaw tan ymsitrach, mwy hyfach o hyd,
Ei chwantau clau enbyd a'i clodd;
405   Fo deimliff y dyn, gan wasgu yn ei wŷn,
A nesu tua'r bennod rhwng bôn eich dwy glun,
Gan ddygyn ymddigwd â'i ffrwgwd yn ffri,
A choethi ac arloesi efo'i lin,
A chwithe'n ymroi i'ch trin ac i'ch troi,

410   Gan ochneidio ac ym'stwyro, nes gwyro ac osgoi,
        A rhoi ambell gusan mwyn llydan min llaith,
        Ac ynte wna'ch gwaith yn eich gwŷn.

        Ar ôl iddo ddechre trwy chwante trwch iawn,
        Daw felly'n dra chyflawn drachefn;
415   Nid hawdd byddir lonydd 'rôl unwaith gael blas,
        Mae gwraidd natur ddiras yn ddefn;
        Y drygwaith wneir draw, nid unwaith y daw,
        Ni fedrir mo'r peidio nes briwo mewn braw;
        Bydd hylaw'r cynefin fo'n dilyn hen daith,
420   Mae chwante rhy daerfaith mewn dyn;
        Oherwydd peth hyn mae'n digwydd yn dyn,
        I ferched a llancie, ryw siample rhy syn,
        Bob dygyn dylodi, blaen gyni, blin gur,
        Am fynd yn ôl gwewyr eu gwŷn.   (*Diben*)

425   Wel, y merched mwyngu,
        Ni waeth imi hyn o ganu
        Na phed fawn, yn hyn o fan,
        'N ymleferydd dan yfory.

        Ond fo fydde da, rwy'n credu,
430   Yn filain ichwi ofalu
        Na rotho'r un llanc, a'i gêr yn syth,
        Law tanoch byth ond hynny.

        Os byddan nhw'n fwyn wrth ddechre,
        Nhw ân yn chwerw pan ddarffo'r chware;
435   Ni choelie'ch calon chwi fyth mor frysg
        Y tynnant hwy'n wysg eu tine.

        Ffarwél, y cwmni diddig,
        Cofiwch, 'nghariade, fy nghyngor caredig,
        Rhag ofn y dowch chwi, o ran y din,
440   I dlodi a byd blin diawledig.   (*Exit Iemwnt*)

Enter MR. HYWEL DORDYN, Y CYBYDD:

A glywch chwi yma hyn, fy 'neidie?
Mae arnoch ryw helynt fel pobl o'u hwylie!
Pa beth ydyw'r mater fod yma'r fath lu
O bob coegwn yn lledu cege?

445   Arwydd y gyfarwydd, 'delwy byth i Lanferras,
Ond oes yma ddynion a lanwe ddinas!
Wel, os gostwng y farchnad hi eiff eto tan sêr
Yn fyd syber i bob siabas.

Ond mi a'i gwelais fi hi ers dyddie
450   Na bydde fawr o rodio a chware,
Pan oedd llawer yn gwneud wyneb llwyd,
Helbulus, am fwyd yn eu bolie.

Roedd hyfryd gan fy nghalon
Pan oedd yr yde yn ddrudion;
455   Eu gweld yn ymwthio ac yn rheibio i'r rhes,
Roedd hynny ar fy lles i yn burion.

Pe daliase hi beth yn rhagor,
Mi wnaethwn i fusnes propor;
Cael pymtheg swllt am hobed o haidd,
460   Cyn imi braidd mo'i agor.

Cael ynte'n Nhreffynnon, yn hoff heini,
Am yr hobed gwenith bunt neu gini,
A phedair ar ddeg y ffiolaid am frithyd mân,
Ond hi ymgrogodd yn lân yleni.

465   Ni ches i yn Nimbych am frithyd odieth
Ond pedair a dime gan ryw gydymeth,
A bod gyda hynny ar fy ngore glas
Yn 'i stwffio fo i'r siabas diffeth.

470
O! be gwelsech ym marchnad Rhuthun
Mor goeglyd oedd rhyw geglyn,
'Mod i yn gofyn saith geniog, afrywiog fryd,
Am ffiolaid o ŷd i'r 'ffylyn.

Ac dyma fel mae pob ceriach
Yn mynd yn goecach, goecach;
475
Ni wiw gen i ond hynny dramwy i'r dre,
Os eiff yr yde yn rhatach.

Mi gadwa' flawd ac yde,
Hyd lofftydd ac mewn cistie,
Tan obeithio, yn ddigon siŵr,
480
Gael mynd ag e i'r dŵr yn dyrre.

Beth a dâl mynd i farchnad i ganlyn rhyw silori,
I ddiferu trwyn ac i wrando coegni?
Fo geiff dyn arian glân yn ddi-swrth,
Ryw sylwedd, oddi wrth barseli.

485
Mae gen i wenith gartre,
Pe cawn i bris a'm plesie;
Mi werthwn drichant, ni fyddwn dro,
Neu bedwar o hobeidie.

Mae gen i, ynte, haidd ddigonedd,
490
Mi werthwn i'w fragu beth difregedd;
Ond hi aeth yleni, gwae fi o'm byd,
Yn llawnach o ŷd na'r llynedd.

Roedd ym mhob rhyw lannerch leni
Ddigon o ŷd gan bob tinglergi;
495
Ond gwaeth na dim oedd ei stopio fo i'r dŵr,
Neu mi faswn i yn ŵr aneiri.

Ond mi glywais fod rhai yn rhywle
Yn 'i brynu e dan din yn dene;

500
Pe cawn i saffrwydd ac ychydig swˆn,
Ar f'einioes, mi werthwn inne!

Mae'r wraig yma wedi mynd i'r dre er y bore,
Ar gefn y gaseg i ryw fân negese;
Mi debygwn y daw hi toc i'r tŷ –
Mi'i clywa' hi'n rhegi'r hogie ... !

Enter ESTHER WASTAD, GWRAIG Y CYBYDD:

ESTHER:
505
Wel, Hywel, rydach chwi'n wˆr hoyw,
Heb wneuthur fawr helynt heiddiw.
HYWEL:
Na, rydw i, Esther, er pan eist ti i'r dre,
'N ddigellwer ar ore gallw.

ESTHER:
Os ydach chwi'ch hunan yn ystuno,
510
O ran y gwn'dogion rydw i yn digio;
Roedd Wil y llanc yn y Werglodd Gron,
Efo Nedi'n ymryson neidio.

HYWEL:
Gwaed ei berfedd, gorgi gwargul,
O na b'aswn i yn ei ymyl!
ESTHER:
515
Wel, mi'i gyrrais i fo oddi yno tan gicio'i din,
Ac mi a'i cwffies o i drin y ceffyl.

HYWEL:
Fy mendith a'th canlyno,
Ti wneist o'r gore ag efo;
O! mae diawl mewn llancie pan drotho ddyn ei gefn,
520
Ni wnân nhw fawr drefn ar weithio.

Os ca' i fy hoedel, mae gen i hyder,
Y trinia' i'r gwn'dogion yn lled eger;
Ond gad imi glywed pa newydd sy o'r dre,
Tyrd yma, eiste, Esther.

ESTHER:
525　　Nid oes gen i fawr newyddion,
Rwy gwedi blino 'nghalon;
Mae'r gaseg front yna, wrth fynd ar frys,
Yn tuthio'n gwerylus greulon.

HYWEL:
Wel, dywed imi'n ddiwad,
530　　Pa sut yr oedd y farchnad?
ESTHER:
Digon ysmala oedd hi o hyd,
Nid oes i'r ŷd fawr rediad.

HYWEL:
Gad iddo, Esther druan,
Ni a'i cadwn e o hyn allan,
535　　Nes y caffon ni yn lanwaith le
I'w gario mewn trolie at Ru'lan.

ESTHER:
Roeddwn i yn gweled yna
Ar emenyn bris o'r mwyna.
HYWEL:
Rwy'n ofni yn fy nghalon, cyn pen y mis,
540　　Y bydd y catal â'u pris mwy cwta.

ESTHER:
Oni ddarfu inni werthu'r heffer,
A'r ychen, mewn purion amser?
HYWEL:
O, gwerthu'n ddrud a phrynu'n rhad
Sydd ore'n wastad, Esther.

ESTHER:
545   Rwy'n ofni fod Reinallt Morus
       Yn dalwr lled anhwylus.
HYWEL:
       O, nid ydyw gwerthu dim ar goel
       Ond bargen foel anfelys.

ESTHER:
       Mi fûm i yn gofyn yr arian iddo.
HYWEL:
550   Pa bryd yn weddol yr oedd y gwalch yn addo?
ESTHER:
       Dygwyl y ffair, gwneiff e fel bo ffit.
HYWEL:
       Oni theliff e'n gwit, rhaid gweitio.

       Wrth gofio, Esther fwyngall,
       A welaist ti'r teiliwr cibddall?
555   Pa sut na thale fo am yr ŷd,
       Yn ôl ei 'ddewid ddiwall?

ESTHER:
       Do, mi a'i gwelais yn ddigelu,
       Ond beth ydw i nes fod yn crefu ac yn ysu?
       Mae fo a'r gŵr o'r Foty Fawn
560   'N rhai diles iawn am dalu.

HYWEL:
       Na hitia, Esther, ni fwy gen i nag eiste
       Roi arnynt hwy gost yfory'r bore;
       'Ran fo wneiff gŵr y gyfraith, oddi ar ei din,
       Yrru beili i drin y bilie.

ESTHER:
565   O, wyddoch chwi pwy sy 'mron torri fyny?
HYWEL:
       Na wn i, ar f'engoch, Esther fwyngu.

ESTHER:
> Y gŵr y gwerthasoch yr hen geffyl Jac!
> On'd oedd e yn un brac wrth brynu?

HYWEL:
> O, nid oedd ryfedd i hwnnw rwystro,

570
> Prynu hen geffyle fydde 'min ffaelio!

ESTHER:
> Wel, mi wn fi pwy arall sy'n bur wan,
> Neu mae Siân o'r Llan yn llunio.

HYWEL:
> Wel, pwy ydyw hwnnw, Esthar?

ESTHER:
> Siôn feddal, mab Siân fyddar.

HYWEL:
575
> O, nid oedd ryfedd, yn ddigon siŵr,
> Roedd hwnnw yn ŵr rhy swagar.

ESTHER:
> Mae llawer o sôn yleni
> Am wŷr tirion ymron torri.

HYWEL:
> Ni hidiwn i ddraen pe torren nhw i gyd,

580
> Pedae flawd ac ŷd yn codi.

> Pe torren nhw i'w crogi'n gregin
> Y carpie sy'n trin tyddynnod bychin,
> Mi fydda' wrth y rheini, ped fawn i haws,
> 'Mron torri ar fy nhraws o wenwyn.

585
> Fe fydd ar un eisie help o aredig,
> Ac medd y llall, 'Gwerthwch hadyd
> > > a choeliwch fi am chydig.'
> Rhai am fenthyg arian a'r lleill am ryw geriach,
> Ni cheir gan neb lonydd – ni fu rioed bethe blinach.

ESTHER:
>Wel, pe gwelech y gwragedd – ni pheidient py 'mgrogen,
590   Bydd un am fenthyg blawd a'r llall am fenthyg halen,
>A'r llall yn cwyno, tan wneuthur pig,
>Yn glafaidd am fenthyg lefen.

>Py gwyddech chwi daered fu'ch cymdoges Catrin
>Am becaid o wenith i'w roi am ben ŷd melin,
595   A'i choelio hi amdano dan Ffair y Blodie,
>O, roedd siwrach gen i gadw 'ngwenith gartre!

HYWEL:
>Iechyd i'th galon di, Esther gryno,
>Na choelia neb byth oni bydd ganthynt eiddo;
>Os coeli di'r rheini am dair wythnos neu fis,
600   Myn chwaneg o bris amdano.

ESTHER:
>Mi wnaf, Hywel, yn ddigon llidiog!
>Wrth gofio, mae gen i ichwi newydd afrywiog;
>Mi glywais ddweudyd, gan ryw hen wrach,
>Fod morwyn y Fach yn feichiog.

HYWEL:
605   Wale, mae drwg yn hynny, Esther;
>Ond pwy aeth ar y genawes ofer?
ESTHER:
>Mi glywais rywun heddiw'n sôn,
>Mai mab i Siôn y Ffidler.

HYWEL:
>O'r aflwydd mawr i'r carpie!
610   Dyna fel y byddan nhw'n ymlid eu tine,
>Ac yn mynd i'w priodi ar draws ac ar hyd,
>Heb ddim yn y byd i ddechre.

ESTHER:

O, rydach chi'n camgymryd, Hywel druan,
Oni fydd ganthynt grud a phlentyn bychan?

HYWEL:

615   Wel, gwir a ddweudest, mi wn yn dda,
Mai dyna'r peth cynta drinan.

ESTHER:

Na, fydd ganthynt hwy fawr o lawndra
Yn eu tŷ o'u deutu gyda'r cwd cardota;
Hi fydd ag un ar ei chefn a'r llall yn ei bol,
620   A'r llall ar ei hôl hi'n hela.

HYWEL:

O'r cebystr i'r geriach, wariach wirion!
Hwy ânt yn bwys ar y plwyf a'r holl gymdogion;
Ni wnânt ond cardota ac ymlid eu tine,
Ffit fydde'u tresio nhw i ffordd o'r dryse.

ESTHER:

625   Wele, pan fôn nhw'n llancesi wrth gychwyn,
Yn dechre cael tipyn bach amdanyn,
'Rôl taflu'r cwd a gadel eu mame,
Ceir eu gweld hwy'n dechre britho'u cynffonne.

Rhaid cael gown brith ac ystaes ar frys,
630   A gwychu'r tu allan, peth bynnag fo'r crys,
Het siag a chap rhwyllog, pe baen nhw'r rhai hylla,
Hwy fynnant gychwyn 'run siwt â'r rhai gwycha.

Llarp o gadach sidan ar led eu 'sgwydde,
A mantell las fawr a chwd ar eu cefne
635   Â blew gyda'i hymyl gwedi ei hemio,
Pob peth fydde'n addas i rai'n perchen eiddo.

Fo alle ddyn feddwl wrth edrych arnynt
A'u gwisgiad, o gwmpas y talen nhw ganpunt;

Ac felly mae'n dyfod ryw gydafel
640 I'w caru nhw ac mynd arnynt mewn rhyw gornel.

A nhwthe ni feddant, pan elon nhw'n feichiog,
Ond rhyw ddillad ac aflwydd, heb ffyrling o gyflog;
'Phan gynta rhedont i'w priodi,
Gwarth yw'r hanes, rhaid gwerthu'r rheini.

645 Ac yna bydd rywyr troi heibio bob dyfes,
Ymorol am y cwd a chanlyn 'rhen fusnes;
A dyna fel y byddant hyd y gymdogaeth,
Plant ac wyrion yr holl genhedlaeth.

HYWEL:
Wele, iechyd i'th galon oni ddweudest, Esther,
650 Lawer o wir mewn ychydig amser,
A'r hanes mor wir ag alle fod
Am dyfiad llafnesod ofer.

ESTHER:
Dyna fel y byddan nhw'n cerdded y teie,
Lawer hafne geglom, yn ddible ac yn gagle;
655 Ar ôl eu balchder a'u gwychder a'u gwawd,
Yn ddigon tlawd eu 'lode.

Ni bydd yn lle cap â chnotyn heini
Ond darn o hen gadach na thâl mo'i godi,
Ac yn lle sgidie pinc a hosane cwircie,
660 Clocs tin egored a hen facsie.

HYWEL:
Wel, wfft iti bellach, Esther,
Oni ddarfu iti siarad a lliwiad llawer!
ESTHER:
Mae fo mor wir, er hyn i gyd,
Am gwrs y byd, â'r Pader.

HYWEL:
665   Wel, rydw i, er hynny, Esther hoyw,
      Yn gweld y llancie yn ddiffeth arw;
      Dim ond yswagro a laenio ar led,
      Caru, ac yfed cwrw.

      Pan ddechreuo un neidio'n rhyw enw o weinidog,
670   Ni phlesiwch chwi mono fo fyth â chyflog;
      Y rhai fydde 'stalwm eu ffasiwn am deirpunt,
      Ni cheir nhw rŵan ddim dan bumpunt.

      Maen nhw'n difetha'r holl gyfloge,
      Rhwng am gwrw ac am ddillade;
675   'Ran ni chyfrir mo siwt y chwilgwn serth
      Gan gystal heb yr anferth gostc.

      Rhaid cael het *garline* yn fuan,
      Cryse meinion, cadache sidan,
      A choler felfed ar eu cotie
680   Fel y caffon nhw'u credit ymhlith eu cariade.

      Rhaid cael clôs *buff* mewn munud,
      A *phumps* teneuon hefyd,
      A bycle *plated* cyn bônt yn eu lle,
      Ie, Esther, a hosane wrstyd.

ESTHER:
685   Wele beth am fon'geiddied ydi pob crwytgwn,
      Fel pet'en nhw plant i ni neu'n ffasiwn.
HYWEL:
      Ni wyddoch chwi ragor wrth eu cyfarfod
      Rhwng plant gwŷr cwaethogion a phlant bedlemod.

ESTHER:
      Maen nhw'n amgen eu dull 'n ymosod allan
690   Na'n plant ni ac eraill sy'n perchen aur ac arian.

HYWEL:
    Pan elon nhw i'w priodi tan y cledi a'r clwy,
    Ceir gweled pwy fydd gwiwlan.

    Os cân nhw unwaith redeg i'w priodi,
    Maen nhw'n meddwl eu bod yn ddiofal gwedi;
695   Ac wrth dorri un angen yn eu nwy,
    Nhw ymgludant i fwy o gledi.

    Er yr edrychant yrŵan yn ffroensur eger
    Pan fyddo lymru neu uwd i swper,
    Ped faen nhw yn y bwth bach ar fywoliaeth sâl,
700   Nhw a'i bwytaen e yn abal tyner.

    Mi wn i fod llawer fu'n weilch lled ysgymun
    Yn gorfod yrŵan weithio yn ddygyn,
    Ac ar brinder bara, fore a phrydnhawn,
    Ac yn fynych iawn heb fenyn.

ESTHER:
705   Mae llawer o ddiawlaid, pwy feddylie,
    Pan ddôn nhw at eich emenyn chwi a minne,
    Nhw fedran ei ddobio fo'n bur ddibris,
    Heb fawr o gwilydd, myfi a'i gwelis.

HYWEL:
    A glywi di, Esther, beth fydde iti ystyn
710   Imi ryw damed o fwyd amheuthun?
    A hwylia'r forwyn i wneud brwchan Sir Fôn,
    Neu rywbeth, i Siôn a Robin.

ESTHER:
    A glywch chwi, Hywel hoyw?
    Roedd y cig yn ddrud iawn heiddiw;
715   Ond mi brynais i yn ddie'r gore ges,
    Yn sicr, o hynny weles acw.

HYWEL:
　　Wele, gad inni'n bwyllus gael tamed bellach,
　　Mae cig ffres yn burion gen i heb eiriach;
　　Ond cig hallt o'r nen roi di iddyn nhw,
720　　A photes, mae hwnnw'n ffitiach.

ESTHER:
　　Nid rhaid ichwi ofal fyth un gronyn
　　Y rho' i i'r gwn'dogion fawr amheuthun;
　　Mi af at y forwyn i drefnu'n ffri
　　Ryw damed i ni'n dwymyn.　　　　　(*Exit Esther*)

HYWEL:
725　　O, Esther, estyn gwpaned o ddiod
　　I aros iti geisio bwyd yn barod.
　　Ni welais i â'm llygaid un well ar ei lles,
　　Mae hon yn ddynes hynod.

　　Hi gwyd yn fore o'i gwely,
730　　Ac a drefniff ei thŷ a'i theulu;
　　Ni chais hi ddim arbed ar forwyn na gwas,
　　Mae hi ar ei gore glas am gasglu.

　　Hi fydd yn trefnu'r tamed gore,
　　Mewn mwyniant, iddi hi a minne,
735　　A gwneud emenyn hallt a bara *sound*,
　　Yr holl encyd, ar *account* y llancie.

Enter ESTHER â diod:

　　Wel dyma gwpaned ichwi o ddiod,
　　Nid iawn cyn bwyta yw yfed gormod;
　　Dowch i'r parlwr ar fyr dro,
740　　Cewch burion cinio'n barod.　　　　(*Exit Esther*)

HYWEL:
　　Wel, gwraig dda, Esther fwynlan,
　　Dyma at fy iechyd da i fy hunan!

Mae hon yn well na chwrw'r dre,
Na dim sy'n unlle yn Henllan.

745 Dyma fywoliaeth wiwlan,
A digon o aur ac arian,
A gwraig synhwyrlan, ffraethlan ffri,
'N gwneud d'ioni ohoni'i hunan.

Oni bydde dda ichwi, lancie aflawen,
750 Edrych ychwaneg arnoch eich hunen,
Yn lle mynd i swagro a ffwndro'n ffôl,
A rhedeg ar ôl pob rhoden?

Gan fod yma gymaint weithan
O rai ynfyd yn yr unfan,
755 Mi gana' ichwi gerdd o gyngor teg,
A hynny â'm ceg fy hunan.

Canu ar 'Grusial Ground':

Pob llanc sy am wellhad, trwy deimlad gwrandewch,
Mae gennyf gynghorion yn gyson a gewch
I ddilyn yn ddwys, mewn cymwys fodd call,
760 Amynedd a sobrwydd, diwydrwydd di-wall:
Yn ifenc mae'r nod iach hynod i chwi
I ofalu am fywoliaeth bur odiaeth mewn bri;
On'd gwell ichwi, ynfydion, yn lle mynd yn dlodion,
Ymgaledu a byw'n glydion 'run foddion â m'fi?
765 Ni anwyd, mae'n wir, ar dir efo dyn,
Nac addysg nac eiddo i'w lwyddo yn ei lun,
Er hyn mae lle heleth, mewn rhyw alwedigeth,
Inni dreio'n hymdrawieth, yn berffeth bob un.

Er bod aml blwc, ryw anlwc i rai,
770 Mae mwy mewn byd diffeth 'ran barieth a bai;
Tra gwelir chwi i gyd mewn ieuenctid a nerth,
Ni wnewch ond ymwisgo a rhyw swagro'n rhy serth;

Anaml mae'ch bryd a'ch goglyd i'ch gwaith,
Gan fod eich tueddrwydd i ynfydrwydd yn faith;
775   Ceir gweled, bob gwylie, a'r un sail brydnhawn Sulie,
Rai'n gwario'u cyfloge hyd y llanne'n dra llaith;
Trwy foedro'n rhy faith bydd anrhaith rhy ddefn,
Ni rydd llawer dragwm fawr gotwm i'w gefn;
Ymguro'n ddigariad, gwneud amarch diymwad
780   I'r cyrff ac i'r dillad, mae'n driniad ddi-drefn.

Ac felly mae'n bur eich gwewyr a'ch gwŷn
Am blesio'ch naturiaeth mewn bariaeth bob un;
Eich awydd chwi o hyd sydd ynfyd ddi-ddawn
Am ddawnsio ac am ganu a charu'n wych iawn;
785   Chwi fyddwch ar led am ferched yn faith,
Cyn dysgu gorchwylion, mae'n greulon y graith;
Llawer llanc heini a red i'w briodi
Cyn teimlo na phrofi mewn difri mo'i daith;
Rhy brysur yw'ch bryd, awch ynfyd mewn chwant,
790   I enethod gwenieithus a moethus eu mant,
A chwithe'n feddaledd, yng nghanol eich ffoledd,
Am fynd yr un agwedd, bu'n gaethedd ar gant.

Cymered pob llanc sydd ifanc ddi-wad,
Cyn 'r elo hi'n rhywyr, lawn synnwyr lesâd;
795   Ymgroeswch yn gry wrth garu mewn gwŷn,
Mae natur merch wisgi'n llwyr doddi'n llaw dyn;
Ymdeimlwch heb dwyll, rhy fyrbwyll sy'n fai,
Am ddilyn meddalwch, bu'r egrwch i rai;
Na 'mroddwch yn rhyrwydd at unrhyw wantanrwydd,
800   Considrwch mewn sadrwydd mai sobrwydd a sai;
Gochelwch bob tro ymrwydo'n ddi-rôl
I ganol drygioni 'ran ffansi ry ffôl;
Marcia di hefyd dy naid cyn ei chymryd,
Ni throi di (rwy'n dweudyd, ddyn ynfyd), ddoe'n ôl. (*Diben*)

Enter SYR IEMWNT WAMAL:

805   O'r iechyd ichwi 'rhen rychor,
              Yn eich congol am draethu'ch cyngor!
              Ond mae Tlodi, er hyn i gyd,
              Am rwygo trwy'r byd yn rhagor.

              Mae fo a'i wŷr ar drafel,
810   Yn rhwyfo i godi rhyfel.
HYWEL:
              Ni waeth gen i amcan beth fo'i sŵn
              Ef gyda'i nasiwn isel.

IEMWNT:
              Wel, mae Tlodi a'i fyddin,
              Yn fyrbwyll iawn, gyferbyn;
815   Gwell ganthynt ymladd, meddan nhw,
              Mewn awydd na meirw o newyn.

              Mae yna dri o gapteinied llymion eu tine
              Yn brysur goethi ar draws y caue:
              Mr. Cwd-tan-ei-gesail, a Mr. Gwagfol-drwm,
820   A Mr. Llwm-bocede.

              Mae gyda nhw bac o sowldiers cyffredin:
              Huw Sipog Dyllog, a Siôn Libin,
              Twm Wan-ei-ben, a Wil Ysgafn-bwrs,
              A miloedd o gardotwrs melin.

825   Mae yna o filoedd, yn un armi,
              Fwy na deigien gan y Capten Diogi;
              Pobl Ystryd Pleser, ac aerod y plwy,
              Ydyw'r hanner neu fwy o'r rheini.

HYWEL:
              Nid ydw i'n hidio mewn tylodion,
830   Os gwnânt hwy beidio â mynd yn lladron;
              'Ran mae gen i'r stiwart gore yng nghred
              Ar un Mr. Caled-galon.

Ac mae gen i hefyd, os daw hi'n rhyfel,
Wŷr bonddigion wneiff y tro'n ddiogel
835   I yrru'r tlodion am gadw sŵn,
Fel pet'en nhw cŵn, i'w cenel.

A thro pur dda, 'n ddigelwydd,
Ydyw gwneud iddynt setlo eu plwyfydd,
Yn lle bod rhyw garpie drwg eu naws
840   Yn ymgludo ar draws y gwledydd.

Yn wir, nid alla' i aros gwrando
Ar bobl grefu, yn nadu ac yn udo;
Bydd fy ngwaed i yn cynhyrfu trwy fy holl gnawd
Pan welwy ddyn tlawd yn begio.

IEMWNT:
845   Ow! Mr Hywel Dordyn,
Beth pedfaen nhw'n meirw o newyn?
HYWEL:
Byddant hwy feirw, ni waeth mewn llid
Pe'u tynnid nhw i gyd i'r tennyn.

IEMWNT:
Ow! Mr. Hywel, tewch â'r fath eirie,
850   Mae rhywun tlawd yn perthyn i chwithe,
'Ran mae gwehilion, rwyddion rith,
'N rhyw gyrion i'r gwenith gore.

HYWEL:
Wel, anaml mae neb yn mynd i dlodi
Ond o ddiogi a difaterwch, ni wiw mo'r taeru;
855   Ac o ran cam-hwsmonaeth wrth drin y byd
Y maent hwy i gyd yn torri.

IEMWNT:
Wel, hawdd gan wŷr cyfoethog frolio;
On'd oes rhai'n cael colled am eu heiddo –

Camu'n Ôl
a Storïau Eraill

GLYN ADDA

DALEN NEWYDD

CAMU'N ÔL
a Storïau Eraill

Beth am gael rhai o'r atebion i ddechrau?

Cydlynydd Iaith
  Eryl Leslie Hughes
  Dim Byd
  Rex
  -------------- !
  Llu Awyr America
  Anfon y llyfr anghywir

Ac yn awr y cwestiynau:

Beth yw gwaith Emrys Wledig?
Pwy laddodd Eryl Leslie Hughes?
Beth yw enw'r blaid fuddugol?
Beth oedd enw'r hen gi coch?
Beth oedd pechod Charlie Brown?
Pwy ollyngodd fom atomig ar Baradwys?
Beth oedd camgymeriad mam Jac?

Bydd llawer rhagor i oglais eich dychymyg a'ch chwilfrydedd yn y gyfrol anghyffredin hon. Mae ynddi un ar bymtheg o straeon, amrywiol o ran hyd a dyfais. Canolbwynt y digwydd yw Cwmadda, ardal wledig, gyn-ddiwydiannol ar gwr Eryri. Oddi yno eir ar dro i drefi llawr gwlad, Aberadda a Chaeradda, weithiau cyn belled â Chaerdydd, Llundain a Ffrainc, drwy Uffern, Purdan a Pharadwys, i Feirionydd, i'r Dreflan a thair gwaith i Aberystwyth. Gwelir fod y straeon mewn amrywiol gyweiriau, llon a lleddf. Ond y prif gywair yw dychan. A beth yw'r cnul hwn yn y cefndir?

Hen fachgen mewn gwth o oedran yw **GLYN ADDA**, aelod o hen hen deulu a gollodd ei dyddyn oherwydd pechu yn erbyn y meistr tir. Cwrddwn ag amryw eraill o'r un teulu yn y straeon.

ISBN   978-0-95665 16-7-9

£15.00

DALEN NEWYDD

Dŵr, neu dân, neu haint neu bla
860 Yn dilyn eu da nhw o'u dwylo?

HYWEL:
Wel, os oes rhai yn cael colledion,
Beth am fyrddiwnau o ofer ddynion
Sy'n cael colledion, oerion wg,
Drwy fariaeth a drwg arferion?

865 Ac am hynny, taw â rhuo,
Mi af adre at fy mwyd cyn moedro.
IEMWNT:
Gan bitïo imi fod yn hyn o fan,
Trwy'ch cennad, rhowch ran o'ch cinio.

HYWEL
Ni choelia' i mai nid wrth rannu
870 Mae 'mol i fy hun yn twchu.   (*Exit Hywel*)
IEMWNT:
Wel, ni hidiwn i mo'r llawer, er maint eich llwydd,
Pedfae'n digwydd ichwi dagu.

Yn siŵr, y cwmni mwynion,
Mae rhai goludog â'u clonnau'n gledion;
875 Hwy fedrant fod, naws hynod swrth,
Yn o lidiog wrth dylodion.

Cynhyrfed pawb o ddifri
Rhag mynd yn dlawd ddigyfri;
Mae'n flin eu hoes, nid oes, hyd arch,
880 Na rhinwedd na pharch i'r rheini.

Dyfeisiwch bawb ffordd hylwydd,
Yn astrus trwy onestrwydd,
Rhag mynd i dlodi gwael ei glod,
Mae hwnnw'n rhyw nod annedwydd.

885   Tyrd tithe'r Cerddor, paid â bod yn smala,
        Cais ynnill dy fywyd oddi wrth dy fwa;
        Gwell iti ganu i borthi'r cnawd
        Na mynd yn dlawd o lyrfdra.   *(Dawnsio)*

        Wel, iechyd i ti a minne,
890   Tan obeithio i'r cwmpeini roi tâl am ein poene;
        Ond e, fe ddaw Tlodi a'i lu
        Yn anial i'n bachu ninne.   *(Exit Iemwnt)*

Enter CAPTEN CYFOETH:

        Gyda'ch cennad, gwmni cywrain,
        Dyma finne'r annwyl Gaptain,
895   Sy'n cael rhediad ac anrhydedd
        Yn y byd mewn braint a mawredd.

        Duw a'm trefnodd i'r tro cynta,
        Wrth greu'r byd, rhoed finne i Adda;
        Pan ddarfu Adda goelio Satan,
900   Mi eis wedi hynny'n dduw fy hunan.

        Ac felly byth, gan bob dyn cnawdol,
        Rwy'n amryw dduwie tra gorchestol;
        Aur ac arian, ac amryw geriach,
        Sy'n dduwie anianol gan ddynionach.

905   Gan fod y byd o hyd yn rhoddi,
        Yn rhad ddiame, anrhydedd imi,
        Mi ganaf bennill ar gynghanedd
        I ddweud beth ydw i mewn gwirionedd.

Canu ar 'Merionethshire March':

        Y dyrfa, gwrandewch, nesewch er llesâd,
910   I wrando fy adlais, wir ddyfais ddi-wad,
        O'm hanes fy hun, i'w ganlyn heb gur,
        Fel mae bryd pawb o hyd am y byd yma'n bur:

Yn y Cwymp, enw caeth, y daeth ar bob dyn
Bob melltith ac artaith, ing lwyrfaith, ynglŷn,
915   Pob blinder a blys, anafus yw'r nerth,
'Herwydd hyn daeth yn dyn, inni'n syn, anian serth;
Anianol ydem ni, wedi'n llenwi o ddallineb,
Gwarth anial gwrthwyneb, at undeb y Tad;
Cymeryd pob mael, eiddo hael, iddo'i hun
920   Y mae dyn yn ei wŷn, er llun balch wellhad;
Gwybydded pawb sy'n byw mai Duw a ordeiniodd
Yr eiddo – fe'i rhoddodd, trwy ddoethfodd, i ddyn,
A Duw bia'r dawn, yn llawn, am bob llwydd,
Ei foli e'n rhwydd ydyw'n swydd o'i herwydd ei hun;
925   Y sawl a gadd gyfoeth, mae'n annoeth y nod
Na roe fo i Dduw'n bendant iach lwyddiant a chlod,
Yn lle ymfalchïo a chwyddo mewn chwant,
Bu hynny'n ddihenydd, oer gynnydd, i gant;
Fe roddodd Duw gyfoeth, yn ddoeth, yma i ddyn
930   I gynnal 'i ogoniant a'i haeddiant ei hun,
Ac nid i wneud balchder nac uchder dyn gwan,
Sy'n bridd ac yn lludw, yn marw yn y man;
Pob enaid sy'n byw raid ateb i Dduw
Am bob rhyw dalente a rodde yn ei ryw;
935   Os gwych neu os gwael, un modd y bo'u mael,
Rhônt gyfri am bob galwad 'nôl triniad eu traul;
Doethineb o hyd sy'n brydferth ei bryd,
'Nôl gleuni rhaglunieth, yn berffeth i'r byd;
Peth bynnag fo'n rhyw, ein hachos ni yw
940   Cymeryd bodlondeb, iawn undeb, yn Nuw.   (*Diben*)

Enter CAPTEN TLODI:

Wel, Cyfoeth enwog, ŵr cu faith hanes,
Rŷch chwi â'ch caniad mewn awch cynnes;
Rwyf inne'n garpiog oediog adyn,
A phawb yn fyrbwyll godi yn f'erbyn.

CYFOETH:
945 Peth bynnag ydyw blin gymyrraeth
A dull y byd mewn anwybodaeth,
I ni mae'n rhaid cyflawni ein rhyw,
Yn ôl dawn doethineb Duw.

Duw a wnaeth y byd yn gywren,
950 Ac oll sydd ynddo, o bedair elfen,
Sef dŵr, a thân, a daear ac awyr,
Dyna holl ddefnyddiau natur.

Pe gwnaethai Duw y byd yn siŵr
O'r un elfen – tân, neu ddŵr –
955 Y tân yn boeth, a'r dŵr yn llaith,
Ni wnaethai hynny fyth mo'r gwaith.

A phe buasai'r ddaear hithe'n lân
Heb yn ei chroth na dŵr na thân,
Ni roesai ffrwyth nac ymborth union,
960 Na dim i gynnal ei bywolion.

A phe buasai Dduw'n ddi-syn
Yn gwneud y byd o'r tri pheth hyn,
Ni safai fyth, heb nerth yr awyr,
Anadliad byw mewn un creuadur.

965 Fel hyn pob peth a wnaeth Duw ne
Trwy ddonie llawn sy'n dda yn eu lle;
Ar ôl eu gorffen oll ar goedd,
Duw a wele mai da oedd.

TLODI:
Rwy'n gweled hyn mewn galwad hynod,
970 Doethineb Duw yw'r holl ryfeddod;
Ar ôl creu'r byd â'r pedwar defnydd,
Mae'n gwneuthur dyn o'r un cyffelybrwydd.

CYFOETH:
Mae'r Greadigaeth oll ynglŷn
O'r pedwar defnydd sy 'nghorff dyn;
975 Y dŵr yw'r gwaed, a'r tân yw'r natur,
Sy 'ngwres cenhedliad pob creuadur.

Y ddaear ydyw'r cnawd a'i ryw,
A'r awyr yw'r anadliad byw;
Felly dyn sydd unrhyw fryd
980 Â'r pedwar defnydd ynddo 'nghyd.

A chan fod dyn heb ddim gwahaniaeth
Rhwngo a'r byd mewn creadwriaeth,
Rhoes Duw mewn dyn ddoethineb eglur
I ddallt naturiaeth pob creuadur.

TLODI:
985 Ond hyn a welaf i'n wahanol,
Er cymaint grym doethineb dynol,
Fod cymaint blinfyd, ennyd annoeth,
Yn y byd rhwng Tlodi a Chyfoeth.

CYFOETH:
Wel, teimlwn reswm yn ddiruso,
990 Er addysg bur i bawb sy'n gwrando;
Ceiff ambell un, fel gwag lysieuyn,
Fael i'w gynnal, fel y gwenyn.

Mae dyn, ti wyddost, mewn cenhedliad
Yn deip o'r byd a'i holl greaduriad;
995 Nid oes dim rhagor genadigaeth
Rhwng dyn tylawd a dyn â chywaeth.

Felly'r ddaear sy o'r un defnydd,
Un lle'n fôr a'r llall yn fynydd,
Peth yn greigiau, peth yn ddyffryn,
1000 Doethineb Duw wnaeth bob lle 'honyn.

Mae mewn rhyw fanne 'nghorff y ddaear
Amryw o drysorau hawddgar,
Ac amryw chwiliad am y rheini,
A rhai'n eu cael a rhai'n eu colli.

1005   Doethineb Duw sy'n trefnu'n gywren
Y goleuade yn y ffurf'en;
Yr haul fel tân a'i wres yn eglur,
A'r lleuad hithe'n oer ei nhatur.

Yr haul sydd megis byd o dân,
1010   Fe losgai'r cwbwl oll yn lân,
Ond bod y lleuad a'i hoer dymer
Yn llarieiddio nerth ei boethder.

Ac felly, gwêl yr haul a'r lloer,
Un yn boeth a'r llall yn oer;
1015   A pheth a geir yn well cyff'lybiaeth
Yn y byd i Dlodi a Chywaeth?

TLODI:
Wel, chwi ddweudasoch yn dra dwysedd,
Yma'n llawn, yr iawn wirionedd;
Rwy'n dallt yn glir mai Duw sy'n glau
1020   Yn trefnu ein dull ni yma ein dau.

Yng ngolwg y byd mae'r dyn cyfoethog
Megis haul yn twnnu'n wresog;
A'r dyn tlawd, mewn gwawd a chledi,
Fel y lleuad yn llawn oerni.

CYFOETH:
1025   Chwi wyddoch weithie fod yn dywad
Éclips ar yr haul neu'r lleuad;
Rhyw fryniau o'r ddaear ydyw'r pall
Sy'n cuddio'r naill o ŵydd y llall.

Yr haul sy'n cynnu i dwnnu ar daniad
1030   I roddi'r llewyrch oll i'r lleuad,
Fel mae Cyfoeth, o'i fawrhydi,
Yn rhoddi'r cynnyrch i Dylodi.

TLODI:
Rwyf inne'n dirnad hyn heb ame,
Pechodau'r byd sydd megis brynie
1035   Yn peri eclips neu ryw ddiffygiad
I rai neu'i gilydd ym mhob galwad.

CYFOETH:
Gwir yw hyn, rhoes Duw o hyd
Ryw dasg i bawb i'w dwyn trwy'r byd;
A Duw a nertho bawb i ateb
1040   I'r daith honno mewn doethineb.   (*Exit Cyfoeth*)

TLODI:
Gan fod ymddiddan gan weddeiddiad
Yma rhwngom yn un fwriad,
Gobeithio fod rhyw rai'n ystyrieth
Doethineb Duw, sy'n trefnu popeth.

1045   Nid ydyw ein hoer ymadrodd ni
Ond megis hogiad hefiad lli,
Oni bydd gwrandawydd ffyddlon
Yn teimlo'r golwg yn ei galon.

Os rhynga'ch bodd chwi bawb mewn undeb
1050   Yma wrando drwy diriondeb,
Mi ganaf bennill i fynegi
Dull y byd sydd ar Dylodi.

Canu ar 'Lord of Kildare':

Dyma'r byd enbyd iawn, sy'n llawn o bob llid,
A'i ergyd er gofid i'r gwan,

1055 Mae'n anhawdd i'r tlawd, roch anffawd, ru chwith,
   Yn eu plith, gwla rith, gael ei ran;
   Cenfigen filen fawr sydd wedi llenwi'n llawr,
   Blin wawr o'i swydde'n awr sydd i ni;
   Fe darddodd yma ar dir i dlodi'r cledi clir,
1060 Mae'n wir, weiddi hir o'i herwydd hi.

   Y gofid sydd yn gaeth fel y daeth i bob dyn
   Ynglŷn afiach wŷn efo chwant;
   Cenfigen ry dyn, dôn syn dan y sêr,
   A balchder wnae'r blinder i'w blant;
1065 Cenfigen, gwae ni ei fod, sy nerthol arw'i nod,
   Ow! cariad, swydd iawnglod, sydd yn gla;
   Mae ffalster, drawster drud, fel brenin 'r hyn o bryd,
   Mawr lid yma ar hyd ymfawrha.

   Creulondeb am y byd sy'n enbyd ei nerth,
1070 Mae'n gerth, hynod anferth, y dwyll;
   Heb geisio llewyrch llawn gore dawn geirie Duw,
   Pob cyfryw sy'n byw yn ddi-bwyll;
   Y Cyfoeth, annoeth wŷn, sy'n dduw gan amryw ddyn,
   A'r Tlawd, caeth oer lun, cythraul yw;
1075 O, ceisied pawb yn iawn, rhag llid, wybodaeth llawn
   I adnabod enwog ddawn 'r unig Dduw.   (*Diben*)

   Ni chana' i rŵan ddim yn rhagor,
   Gweddïed pawb ar Dduw am gyngor
   I ddallt y deunydd, ar ddull diannoeth,
1080 Y trefnodd ef Dylodi a Chyfoeth.

   Doethineb Duw wnaeth flaidd ac oen,
   Ac ef a wnaeth esmwythdra a phoen,
   Efe a greodd ddeddf a gras,
   Chwerw, melys, cariad a chas.

1085 Yn groes i'w gilydd y rhain ymddwg,
   Un yn dda, a'r llall yn ddrwg;

Oni bae fod drwg ac amal dra,
Ni adnabyddai neb mo'r da.
Mae Cyfoeth a Thylodi yn dywad,

1090 Weithie o gerydd, weithie o gariad;
Gostwng y balch a chodi'r isel,
Amcanion Duw sy ddoeth a dirgel. (*Exit Tlodi*)

Enter DIOGYN TRWSTAN:

Gyda'ch cennad, gwmni mwynlan,
Dyma finne, Diogyn Drwstan;
1095 Diog ydw i er pan 'm ganed,
Mae diogi braidd â'm rhwystro i gerdded.

Mi fydda'n gweld yn helynt flin
Geisio codi oddi ar fy nhin,
Cymeryd bwyd neu fynd i'm gwely,
1100 Ond wfft fawr rhag codi i fyny!

Pan oeddwn yn hogyn bach ysmala,
Rhoe mam fi i ddal y plentyn lleia;
Mi a binsiwn hwnnw i'w yrru'n flin
I safio'r drafferth i mi'n ei drin.

1105 'Phan yrre Mam fi i ffordd yn ffraeth
I nôl pisieraid o ddŵr neu laeth,
Mi ddwedwn raff o gelwydd wrthi,
Nid awn i ddim ymhell o ddiogi.

Pan ddaeth fy nhad a'm mam i ddirnad
1110 Fy mod yn hogyn drwg yn wastad,
Mi ges fy nghuro a'm hymlid ymeth
Oddi cartre i wasaneth.

Bûm mewn gwasaneth am ryw bris,
Yn burion bachgen, gwmpas mis,
1115 Gyrru'r ychen, tendio'r catal,
Ond ni choelia' i nad es i toc yn ddiofal.

'E barai'r bobol imi fyned
I daflu tamed i'r 'nifeilied;
Awn inne allan ac a safwn,
1120 Ni chymrwn arnaf ddim na roeswn.

Mi a ddown i'r tŷ yn union deg
Â llafn o gelwydd yn fy ngheg,
Na b'asai neb yn ame 'ngweithred,
A'r catel truain heb gael tamed.

1125 Fe ddaed i ddallt fy nghast o'r diwedd,
Mi ges fy nghuro yn ddidrugaredd;
'Rôl hynny dihengais i yn o bell
I chwilio gawn i ryw le gwell.

Ac felly deuthum at ryw dŷ,
1130 Rown erbyn hyn yn llafn go gry;
Mi ymgyflogais gyda'r rheini,
Roedd rhyw swm mawr o gyflog imi.

Hwy a'm rhoent i ddyrnu gwmpas Clame,
Roedd hynny'n galed iawn gan inne;
1135 O'r diwedd mi a ddyfeisiais gast,
Sef torri'r ffust wrth ddyrnu'n ffast.

A dyna lle byddwn gwedi hynny,
Yn trwsio'r ffust i safio dyrnu;
A phan ae'r bobl oddi cartre,
1140 O! fel y cysgwn yn y gwellt yn rhywle.

Mi a fûm yno'n llywio felly,
Dyrnu'n fudr a darn ynfydu;
O! roeddwn yn gweld fy ngwaith yn atgas,
A thoriad calon oedd edrych ar y cwlas.

1145 Ond ar ryw ddiwrnod mi es yn rhy sâl i ddyrnu,
Fo'm gyrrwyd i'n chwannog efo'r forwyn i chwnnu;

A dyna lle bûm i yn abl prudd,
Gan ddisgwyl yn dost am ganol dydd.

A phan ddae'r amser i orffwyso,
1150   Mi es gyda'r llances tan ymdreiglo;
A hithe'n diodde'n lled wyllysgar,
Es rhwng ei deulin hi ar y dalar.

Er dioced oeddwn hyd y dyddie,
Fe ddaeth ryw gynnwr mawr i'm gwynie;
1155   Ar ôl cael blas ar waith fath honno,
Ffaeliodd gennyf byth mo'r peidio.

A daeth cynhaeaf gwair ar diwedd,
Hwy roent i minne bladur weddedd;
A chyda gweithwyr o'r gymdogaeth,
1160   Gyrrent finne i'r gwair, osywaeth.

Dyma lle bûm i am un darn diwrnod,
Yn gorfod gweithio yn ddigydwybod;
Ond daeth rhyw stitsh i'm cefn i'm blino,
Mi es adre'n sâl y noswaith honno!

1165   A chartre bûm yn byw'n o gul,
Yn sâl trwy'r wythnos ac yn rhesymol y Sul,
Gwrthodwn fy mwyd pan fae 'mam yn ei gynnig,
Ond, troe hi 'chefn – bwytawn yn ddiawledig!

Yng nghanol fy nghlefyd dyma newydd llidiog
1170   Fod y ddynes honno gen i'n feichiog;
Clywswn arnaf 'r amser honno
Fynd i ffordd o'r wlad, oni bae diogi fy rhwystro.

Cychwynnais unwaith godi o'm gwely,
O! daeth arnaf inne ormod o gysgu;
1175   Onid e, mi aethwn i rywle i rodio,
Oni bae imi ofni mai blin oedd trafaelio.

A thoc dyma'r *warden* yn teithio'n gywirdeg,
A'r *constable*, i'm rhwydo, nid oedd wiw rhedeg;
Bu raid imi yno addo'n weddedd,
1180   Nid oedd wiw imi dewi, priodwyd ni o'r diwedd.

Roeddwn inne'n llafn heb ddim amdana,
Wedi gwasanaethu darn blwyddyn draw ac yma,
A'r cyflog yn sefyll 'ran rhyw droue ansuful,
Dim dillad am 'y nghefn nac arian yn fy nghyfyl.

1185   Ond darfu'n tad a'n mam dosturio,
A disgwyl mewn mwynder y gwne'm ni ymendio;
Roem ni i drin rhyw gloryn o dir bychan,
Gan helpu eu gore yn tŷ ac allan.

Rhoi hadyd inni y flwyddyn gynta,
1190   'Chael help o'i droi ef draw ac yma;
Ond catal y cymdogion borodd hwnnw,
O wir ddiogi cau a chadw.

Roedd y tai yn aflêr a'r caue yn egored,
Pob peth bendro-mwnwg wedi myned;
1195   Doedd gennym ddim, a chyflym chwant
Yn dywad yn ei blaen, ond parsel o blant.

Ar ôl yr holl ddiogi heini hir,
Pwy ddeue toc ond y meister tir
I gymryd gafel yn 'r holl gyfan,
1200   Dan ysgubo'n ddigellwair y tŷ ac allan.

'Nôl hynny, ymorol am dŷ a gardd,
A mynd i hwnnw yn gwmni hardd;
Roedd yno fywoliaeth led anfelys,
O wir ddiogi byw'n ofalus.

1205   Ac yna dechre ystuno'n enbyd
Y wraig a'r plant i hel eu bywyd;

A minne gartre'n cadw'r âl,
Ac yn swnio 'mod yn sâl.

Ni weithiwn ddiwrnod i gymydog,
1210   Ac ni chawn ddim gwaith 'ran 'mod mor ddiog;
Mi ffaeliais erioed wneud dim o'r ardd,
A phe gwelech y tŷ chwi barnech yn hardd!

Ni fyddwn yn lewion pan êl hi i lawio,
Os cawn ni gongol ddiddos ynddo;
1215   A'i hen barwydydd o glai breuedig,
Fo fydd y gaea yn oer wenwynig!

Mi lechais ryw amser i ochel oerni
Yn fy ngwely'n hir aneiri;
A mi geis y grafel yr amser honno,
1220   O wir ddiogi codi i biso.

Ac felly, rhwng pob diogi dyrys,
Euthum yn fochyn pur afiachus;
Ac ar y plwyf yr ydw i o'r diwedd,
Mae'r rheini wrtha i'n ddigon coegedd.

1225   Wele dyna i chwi'r cwmpeini,
Hanesion dygyn eich câr, Diogi;
Pe bawn yn ddiocach beth nag ydw,
Mi gana' ichwi bennill cyn fy marw.

Canu ar 'Tyb y Tywysog Rubert':

Clywch hanes achwynion, ymadroddion un drwg,
1230   Hen Ddiogyn eiddigus a ddyrys ymddwg;
Diog oeddwn, dyn a'i gŵyr,
A diog eto, yn llusgo'n llwyr;
Diog fore a diog hwyr, mae cerydd i'm bryd,
Mi dreies amryw ymdrawieth
1235   I geisio bywoliaeth drwy benbleth y byd,
Roedd diogi'n glwy dygyn i'm herbyn o hyd.

Pob math o gelfyddyd, rwy'n dweudyd ar dir,
A dreies i a'm teulu, mi wn hynny, mae'n wir;
Treio'n deiliwr, treio'n wŷdd,
1240   Treio'n gobler, treio'n grydd,
Treio'n of, roedd trwy fy nydd ryw dramgwydd i'm bryd,
Treio mynd yn siopwr,
Treio'n ffyrm droi'n ffarmwr, trybaeddwr y byd,
Roedd diogi'n glwy dygyn i'm herbyn o hyd.

1245   Mi a dybiais o'm calon droi'n borthmon drwy barch,
I fyny ac i waered, cawn fyned ar farch,
Neu fynd yn gigydd, fwyndeg iaith,
Neu saer neu joiner, dyner daith,
Neu ar y môr, trwy eirie maith, bu ganwaith fy mryd;
1250   Er hynny, ym mhob rhanne,
Ofn mawr oedd arnaf inne, ryw boene yn y byd,
Roedd diogi'n glwy dygyn i'm herbyn o hyd.

A diogi dideimled, rwy'n gweled mewn gwŷn,
Sy'n ddrws i bob pechod i ddyfod i ddyn:
1255   Mae'n ddrws i gelwydd, aflwydd wawd,
Mae'n ddrws i draha cnofa cnawd,
Mae'n ddrws i ledio rhai'n dylawd, blaen oer-wawd blin wg,
Mae'n ddrws i Anghristnogeth,
Mae'n erbyn gweddi a phregeth, a'i ymdrinieth mewn drwg,
1260   Diogi ysbryd anraslon, gwae'r dynion a'i dwg!   (Diben)

Ffarwel ichwi rŵan, y cwmpeini,
Dyna ichwi ddigon sôn am ddiogi;
Gwybyddwch, bawb, fod diogi chwerw
Yn ddrwg i fyw ac yn waeth i farw.   (Exit Diogyn)

Enter SYR IEMWNT WAMAL:

1265   Wel, dweuded pawb a fynno,
Mae hi'n dal yn flinder eto
Rhwng Tylodi mawr ei fâr,
A'i ddeiliaid, sy'n cabarddulio.

Maent hwy rŵan wedi myned,
1270   Fel y Trowyr gynt a'r Groegied;
Fe gafodd Cyfoeth golled ddrud
Am ddialedd byd o'i ddeilied.

Y rhain oedd wedi eu dysgu
Yn fanwl, a'u dwyn i fyny,
1275   Gan y Capten yn fawr eu ffull
At olwg a dull y teulu.

Ac un o'r deiliaid yma dan eu dwylo
Oedd Mr. Ucheldrem, a gymrodd ryw chwyldro,
Mr. Hunan-dyb-da, a Mr. Balchder-heb-droed,
1280   Ni welsoch erioed fath gyffro.

Mr. Meddwl-mawr, a Mr. Uwch-na'i-allu,
Mr. Tro-yn-ei-gynffon gyda hynny,
Mr. Menter-fawr, a Mr. Labet-lydan,
Mr.Gwag-ymffrost a Mr. Penchwiban.

1285   Roedd yno un Mr. Mi-wna'-ac-mi-fynna',
Gŵr yn ôl 'r achos â golygiad o'r ucha,
Mr. Hwsmon-tafod, a Mr. Twyll,
A Mr. Byrbwyll-yrfa.

A dyna ichwi'r deiliaid annoeth
1290   Ddaeth yn enw'r Capten Cyfoeth;
Ac hwy gollasant, er maint eu llu,
Am gychwyn yn rhy benboeth.

Roeddent hwy'n dechre'n ormod eu dychryn,
Heb edrych oedd digon o brofisiwns i'w canlyn;
1295   Doedd wiw iddynt geisio mynd o'u co,
I wneud cuchiau, 'rôl misio'r cychwyn.

Roedd y Capten Tlodi a'i wŷr yn dyludo,
Ond pwy, debygech, ddarfu fo 'i bigo

1300
I fynd yn *gommander* ar ei lu?
Nid hawdd, heb gelu, goelio.

Ond Mr. Angall oedd y *commander* uchel,
A'i *sarjeants* a'i *gorp'rals* yn ei ryfel
Oedd Mr. Treio-pob-trâd, a Mr. Marchnad-frac,
A Mr. Llac-ei-afel.

1305
Mr. Gwendid, a Mr. Meddal,
A'i gymar, Mr. Gwamal,
Mr. Llawenydd-pob-lle, Mr. Rhodio-pob-llan,
A Mr. Gwan-ymgynnal.

Mr. Seguryd-a-hawddfyd-heddwch,
1310
Mr. Yfed-yn-hwyr, a Mr. Trin-dihirwch,
Mr. Caru-pot-â-phibell-wrth-ei-drwyn,
A Mr. Mwyn-ddifyrrwch.

A dyna ichwi rai o'r armi
Ddaeth yn enw'r Capten Tlodi;
1315
A'r Capten Cyfoeth gyda'i lu
'N ddigellwair a ddarfu golli.

A'r rhai na laddwyd yn hyn o gynnen,
Maen nhw yn yslâfs tan Mr. Angen;
Yr hwn sy'n cadw carchar llwm
1320
Yn agos i Gwm Cenfigen.

Mae yno lawer hyd y fangre
O'ch cymdogion annwyl chwi a ninne,
Tan law Mr. Angen nos a dydd,
Oer gerydd, ar eu gore.

1325
Mae yno gwmpeini heini hynod,
Rhwng Mr. Meddal, a Mr. Medd-dod,
Mr. Trin-bargeinion-gwag
A Mr. Troi-brag-yn-ddiod.

1330
Roedd gan Mr. Medd-dod gwmpeini di-order,
Rhys y Gof a Thwm y Twrner,
Ac aml feddwyn, ddygyn ddull,
Yn swbach hyll ansyber.

Twm o'r Nant a Thwm Bancar, wedi'r holl ymbincio,
Oedd gynt yn cadw trwpers, maent hwy i gyd wedi tripio;
1335
Fo ddarfu Dlodi, ddifri ddull,
Er y llynedd ynnill yno.

Nid oes yrŵan yn eu herlid
Ond Mr. Angen a'i was Gofid;
Felly mae llawer cydymaith cry
1340
Â'i gefn wedi plygu o'u plegid.

Tyrd tithe'r Cerddor, cais ddechre corddi,
Rhag ofn iti ddigwydd fynd yn dlawd o ddiogi;
Mi ddawnsiaf i beth heb hidio mo'r bin
Yn 'rhen leidr gin Dylodi.   (*Dawnsio*)

1345
O, cais dewi â'th wagedd!
Rhaid imi fyned eto'n fwynedd;
Ffarwél ichwi, meinir efo'ch llygad mall,
Rwy'n ame'r ewch chwi'n ddall o ffoledd   (*Exit Iemwnt*)

Enter MR. HYWEL DORDYN:

1350
Hai how, heno, rwy'n 'nghrugo fy hunan
'Ran pob oferedd sy'n difetha fy arian;
Yr ydw i rŵan ar draws ac ar hyd,
Rwy'n addef, mewn byd anniddan.

Mae rŵan ryw egr gaclwm
Wedi 'nigio i ar gownt fy negwm,
1355
Yn gwneud Act a'i throi hi yma a thraw,
Yn gastiog, heblaw'r hen gostwm.

Maen nhw'n codi, trwy gnafeidd-dra,
Ddau swllt y bunt o ddegwm porfa,
A degwm bytatws o bob pen tir,
1360   Daer amod, a godir yma.

A gwaeth gen i'r person aeth mor filen
 chymryd y porchell gore oedd i'm perchen;
A maint a dendiais arno o hyd,
Roedd hyn yn fyd aflawen.

1365   O, mae dialedd mawr o gostie'n cerdded,
Ac mi wrantaf i leni bydd trethi diarbed,
'Ran fo wnaeth y llif mawr achosion clir
I roi cost ar y sir, gan siwred.

Roedd mewn llawer afon ryw nerth go ryfedd,
1370   Fe syrthiodd o bontydd beth difregedd;
Fe aeth afon Clwyd ag un neu ddwy,
Ac a rwygodd Elwy ddialedd.

Ac felly, mae'n debyg, y cwmni tirion,
Y bydd yleni dreth chwarter greulon;
1375   Ond ni bydda' i'n ymadel ag odid beth
Mor lidiog â threth dylodion.

Enter LOWRI DLAWD·
Enter LOWRI DLAWD:

Wale, gyda'ch cennad, rhad Huw ar a feddoch,
A wiw imi ofyn cerdod gynnoch?
HYWEL:
Wel, soniwch am ddrwg na dydd na nos,
1380   Fo fydd yn agos atoch!

LOWRI:
Ow! rhowch imi gerdod heno,
Mewn mwyniant rwy'n dymuno.
HYWEL:

Nid ydi'r wraig yma ddim yn tŷ;
Mae'r egoriad ganddi hi yn ei gario.

LOWRI:
1385   Gobeithio, heb ddigio'n ddygyn,
Y rhowch imi ryw ronyn.
HYWEL:
Mae yma foch o gwmpas tŷ;
Nid alla' i mo'r rannu'r enwyn.

LOWRI:
Ni fedda' i ddim bara er doe'r bore.
HYWEL:
1390   Wel, mae digon o newid ar hwnnw 's dyddie;
Pam nad ellwch weithio yn lle gwneud cŵyn,
A'i ynnill e'n fwyn fel finne?

LOWRI:
Rwy'n dallt na bydda' i, er maint fy nghledi,
Fawr lawnach fy mol wrth wrando coegni.
HYWEL:
1395   Wel, da gynnoch chwi roi coegni hyll
Am bobol erill, Lowri.

LOWRI:
Na dda gen i ladd ar neb o'r gymdogeth,
'Ran mae rhyw fai ar bawb, osyweth!
HYWEL:
Wel, cofio rŷch yrŵan fel y buoch yn y Grîn
1400   Yn crecian dan Robin Cricieth.

LOWRI:
Wel, ni wiw imi'n hirfaith am gelwydd gynhyrfu,
Ond mae gŵr yn deilwng a fedr dalu.
HYWEL:
Fo ffaeliodd gynnoch chwi, tan gamu'ch min,
Wrth ymlid eich tin, wneud hynny.
LOWRI:

1405 Does arna i ddim i chwi, rwy'n meddwl.
      HYWEL:
          O, ffei cebystr! A dalasoch chwi'r cwbwl?
          Beth am y blawd roesoch yn eich cest,
          Gan fyned o'r ymcwest mor fanwl?

      LOWRI:
          A raid ichwi swnio am eich blawd eisinog?
1410   Nid oes arna i mo'r chwecheiniog;
          Os galla' i eu hynnill o hyn i'r ha',
          Efo rhywun, mi dala'n rhywiog.

      HYWEL:
          O, gwych ydech chwi am dalu'ch dyled!
      LOWRI:
          Wel, chwi ellwch goelio fod y byd yn o galed;
1415   Mae llawer o boblach ar eu gore glas
          Yn ymgynnal efo'u plantas gweinied.

      HYWEL:
          Ffei! nid rhaid ichwi ddim cwyno,
          Rydach chwi'n un bicwarch os cewch ddybaco;
          Ond fe debyge ddyn wrth eich tafod ffraeth
1420   Na byddech ddim gwaeth er gweithio!

      LOWRI:
          O, nid alla' i weithio fawr, osyweth,
          Mae dolur o'm brest yn fy lladd yn lanweth.
      HYWEL:
          Ie, gorwedd ar eich cefn, 'run fath â'r rest,
          A wnaeth eich brest chwi'n ddiffeth!

      LOWRI:
1425   Ni waeth ichwi dewi â gwawdio hen wreigan,
          Yr ydych yn magu plant ych hunan.
      HYWEL:

Peth bynnag a fegais, mae gennyf i
Led wllys i chwi fynd allan!

Trowch eich cefn, da Lowri,
1430   Rwy gwedi blino'n gwrando'ch coegni;
Ceisiwch dalu, ar fyr o dro,
'R peth sy arnoch efo'ch surni.

LOWRI:
Ow! Mr Hywel druan,
Mae'n hyllig ichwi 'nhaflu allan.
HYWEL:
1435   Ni wiw ichwi aros yma'n hwy,
Cychwynnwch i'ch plwy'ch hunan.

Mae arnom ni drethi trymion
Yn mynd i gadw tlodion;
A raid rhoi i rai eraill am gadw truth?
1440   Ni choelia 'r a' i byth mor wirion!

LOWRI:
Wel, 'run peth yw bendith y dieithr anghenog
 phe baech chwi'n ei haeddu hi gan gymydog.
HYWEL:
Ni feddwch chwi'r un fendith, mwy na cheffyl clafr –
A glywch? – yr hen afr gynddeiriog!

LOWRI:
1445   'Run peth ydyw gweddi cerdotwraig hyllig
 phe bawn yn globen o wraig fonheddig.
HYWEL:
Nac ydyw hynny, wrth farn gwŷr mawr,
Rwy'n tybio'n awr, ddim tebyg.

LOWRI:
Fe fyddai hyfryd ichwi, eto,
1450   Roi tamed yn drws, a chennych eiddo.

HYWEL:

    Rhoi trethi a cherdode i garpie diawl –
    Yn ulwyn bo'r sawl a wnelo!

LOWRI:

    Ow! rhowch imi damed cyn mynd ymeth,
    Mae arnaf i newyn tost am lunieth.

HYWEL:

1455   Oni chawsoch damed (hwch gynhaig)
    Gan fy ngwraig i ganweth?

LOWRI:

    Na, welais i fawr yn unlle
    O'ch rhoddion chwi na hithe.

HYWEL:

    Mae'n frwnt gen i daro'r garpes ffôl,
1460   Anwybodol, ond pwy beidie?

LOWRI:

    Hai whw! *Murder*! Ow! fy hoedel!

HYWEL:

    Wel, ceisiwch fynd oddi yma'n ddirgel;
    On'd e, mi a'ch gyrra' chwi yn fy llid,
    Ar hyn o bryd, i'r *Bridewell*.

LOWRI:

1465   Ow! 'nghetyn annwyl inne
    A dorrodd e yn gant o ddarne!

HYWEL:

    Ni wiw ichwi swnio o'm cwmpas i,
    Ewch, ladi, cyn torri'ch 'lode!

LOWRI:

    O, mae melltith arnoch chwi a'ch eiddo;
1470   Abiwsio hen wreigan a cholli 'thybaco!   (*Exit Lowri*)

HYWEL:

    Ni chewch gennyf i ond croeso llai,
    'S dowch at y tai yma eto!

Pa le mae'r cŵn yma? Gyrrwch nhw allan!
Here, Teigr, naid at ei hugan!
1475 Hys iddi, Motyn, dod arni ambell grap!
Beth, ai ni wnaiff y clap mo'r clepian?

Yn boeth y bo'r carpie! Rhaid imi rŵan
Roi bwyd i gŵn a chyfarth fy hunan;
O! mi rof ichwi, os cyrredd fy ffon,
1480 Teigr, burion tegan!

Na, pe buasai'r cŵn yn cyfarth ac yn haffio,
Fo f'asai anos gan y gnawes ddŵad eto;
Peth ffeind wrth lwybre, meddan nhw,
Ydyw gadw tarw'n rhuthro.

1485 O! na fedrwn wneud rhyw gastie,
Na ddae'r tlodion fyth i'm dryse;
Fo fydd arnynt hwy bob dydd, heb wad,
A Duwsul, yr anfad eisie.

Mi adwaenwn fi hon ers pan wy'n cofio,
1490 Yn y plwyf nesa atom yr oedd ac mae hi eto;
Does odid wythnos na bo hi yma ar feth,
Am rywbeth, yn ymreibio.

Ac roedd hi 'rstalwm yn hogen
Na choeliech chwi fyth mor gymen;
1495 Doedd un o'i thebyg ar ei thaith
Am gadw noswaith lawen.

Hi fedre ddawnsio'n un o'r rhai gore,
A chanu'n lled hynod efo'r tanne,
A gollwng y llancie, hyd y caue neu'r coed,
1500 Rhwng ei deudroed cyn mynd adre.

Ac chwi welsoch fel roedd hi rŵan
Â'i thin ar ei garre'n geran;

Dyna esampl i ferched rhag mynd yn eu gwŷn,
Mewn drygfoes, i'r un drigfan.   (*Exit Hywel*)

Enter MR. YSTYRIOL:

1505   Mi ddois o'ch blaenau'r cwmni gweddol,
        I ddweud fy stori dan enw Ystyriol,
        Trwy faith ryfeddu'r Tad uchelder
        A wnaeth y byd a'i holl gyflawnder.

        Rhyfedd! rhyfedd maith ar hyd,
1510   Doethineb Duw sy'n llywio'r byd;
        Rhai'n gywaethog, enwog union,
        Wir hynod lediad, a rhai'n dylodion.

        Wrth hyn o wrthrych rhyfedd amlwg,
        Rwy'n dal sylw mewn dwys olwg,
1515   Fod cymaint helynt ym mhob taleth
        Yn y byd rhwng Tlodi a Chyweth.

        Doethineb Duw sy'n dra rhyfeddol
        Yn rhagddarparu yn feunyddiol,
        O'i anhraethadwy lân ragluniaeth,
1520   I'w holl greaduriaid lawn gadwraeth.

Enter MR. GWIRIONEDD:

        Fy mrawd, Ystyriol, unol enw,
        Da ydyw'ch haeddiant, dy'dawch heiddiw.
    YSTYRIOL:
        Dy'dawch amdano, 'mrawd un dyniad,
        Gwirionedd dawnus raddus roddiad.

1525   Rwy yma ers ennyd yn pensynnu,
        Mewn amryw foddion gan ryfeddu,
        Wrth edrych ar ddynionach annoeth
        A'r blinder sydd rhwng Tlodi a Chyfoeth.

GWIRIONEDD:
Yn wir, Ystyriol, mae'n dosturus
1530 Fod rhai'n y byd mor anwybodus
Na theimlent hwy ddoethineb Duw,
A'r modd y trefnodd ef bob rhyw.

Pan roes ef Adda, 'n tad cenhedlig,
I arglwyddiaethu'r holl fyd unig,
1535 Rhoes eiddo'r greadigaeth gref,
Am ddal ei Air, i'w ddwylo ef.

A hyn a glywsom ni oll yn glau,
Fel darfu hwn anufuddhau;
Ac yn yr anufudd-dod hwnnw,
1540 'R aeth e yn garcharor melltith chwerw.

Pryd hynny dweudodd y Gorucha,
'Drwy chwys dy wyneb bwytei fara';
Ac felly fyth rhaid inni amdano,
Waelaf arwydd, ymlafurio.

1545 Holl gyfoeth hyfryd byd sy'n bod,
Sain ymgais nerthol, megis nod;
A phawb a'u natur yn crychneitio,
Yn ôl eu gallu'n ymdynnu amdano.

YSTYRIOL:
Mae amryw ddyn yn fawr ei flinder,
1550 A'i feddwl ar feddiannu pŵer;
Ac eto, er maint ei boen a'i gyni,
Yn syrthio'n wladaidd i dylodi.

GWIRIONEDD:
O! gwybydd hyn, Ystyriol frawd,
Nad meddwl Duw mo feddwl cnawd;
1555 Ysbryd ydyw Duw'r goleuni,
Ac mewn gwir ysbryd rhaid 'i addoli.

Roedd Adda ac Efa gynt yn meddwl,
Wrth goelio'r sarff a'i geirie manwl,
Y cawsent fwy o fraint ac eiddo
1560　　I'w hunen serthedd, er hynny'n syrthio.

Ac felly fyth y rhai sy wrth natur
Yn ymdrafferthu â'r byd yn brysur;
Nid oes ond un ai colli ai ynnill,
Rhai ar brinder a rhai â gweddill.

1565　　Mae sy wrth natur yma'n byw
Yn rhwym dan farn a melltith Duw;
I'r un dibenion maent hwy'n ogwyddol,
Er y tyf post aur yn nrws annuwiol.

YSTYRIOL:
Mae'r dyn anrasol, am ryw hyd,
1570　　Yn cael ei lwyddiant yn y byd,
Ac falle'n llawer uwch ei ryw
Nag ydyw'r dyn sy'n ofni Duw.

GWIRIONEDD:
Mae hynny'n ddigon gwir, osywaeth,
Fod yn y byd fath anwybodaeth;
1575　　Eilunaddoliaeth a chybydd-dod
Sy'n magu, heb ochel, amryw bechod.

YSTYRIOL:
Wel, mae'r tlodion hwythe'n meddwl
'U bod mewn meddiant mwyniant manwl
O Deyrnas Nefoedd a'i hesmwythdra,
1580　　Ar ôl blinderoedd y byd yma.

GWIRIONEDD:
Mi wn fod rhai tlodion, oerion arwydd,
Mewn cymaint balchder yn eu herwydd
Ag ydyw rhai sy'n berchen golud,
Ond chwilio gwraidd eu natur ynfyd.

1585
Mae Teyrnas Duw'n cael ei sefydlu,
Nid mewn ymadrodd, ond mewn gallu;
Ni cheiff tlodion byd mo'r bywyd,
Ond rhai sy'n wir dylawd o ysbryd.

Am y rhain y dweudodd ef,
1590
Mai eiddynt hwy yw Teyrnas Nef;
Nid neb sy o natur uchel olwg
Feddianna'r Deyrnas hon, mae'n amlwg.

YSTYRIOL:
Mae hynny'n eglur i bob un,
Fod raid darostwng natur dyn;
1595
Am hyn rwy'n gweld y tlawd anghenog
Yn fwy hapus na'r cyfoethog.

GWIRIONEDD:
Nid gwell yw cyflwr dyn tylawd,
Heb ras Duw'n gorchfygu'r cnawd,
Na chyflwr dyn o uchel radde
1600
Fo'n byw yn ei wreiddiol anwiredde.

Duw ordeiniodd mewn nod enwog
Rai'n dylawd a rhai'n gyfoethog;
Rhai yn fedrus i wneud llywodraeth,
A rhai'n gysonaidd i bob gwasanaeth.   (*Exit Gwirionedd*)

YSTYRIOL:
1605
Fy mrawd, Gwirionedd, fwynedd fynwes,
Diolch ichwi am hyn o hanes;
Mi af inne 'mlaen mewn dwys ystyriaeth,
Dan leisio cân i'r glân ragluniaeth.

Cân ar 'Sweet Passion':

Mae achos i ganu a rhyfeddu'n ddi–feth
1610
Ddoethineb Duw Celi, sy'n peri pob peth;

Y cyfoeth a'r tlodi sy i'w nodi â sain wych
I bawb mewn golygiad, un drefniad â drych.

Y g'leuni a'r tywyllwch, trwy ollawl fodd hael,
A'r llwyddiant a'r drygfyd, un ffunud heb ffael;
1615 Mae'r Gair yn Eseia, mewn gyrfa ddi-goll,
Mai'r Arglwydd sy'n gwneuthur yn eglur hyn oll.

Doethineb Duw'r Drindod sy hynod o hyd,
A'i ryfedd ragluniaeth sy'n beniaeth i'r byd;
Ei ofal beunyddiol yn ddoniol rydd ef
1620 Tros bob rhyw greuadur dan awyr y nef.

Pan werthodd plant Isr'el o'u gafel yn gaeth
Eu brawd i'r Ismaelied, oer ddalied a ddaeth;
Yn amser y newyn bu'n syn arw sain,
Troes hynny'n rhagluniaeth bur helaeth i'r rhain.

1625 Doethineb a chynnyrch, da lewyrch di-lyth,
Duw ollawl, da'i allu, oedd felly ac mae fyth,
Yn gostwng yn isel yr uchel ei ran,
Gan roddi derchafiad, wir godiad, i'r gwan.

Troi Saul o'i frenhiniaeth, bu'n hynod y brad,
1630 A'i rhoi hi'n llaw Dafydd, er deunydd di-wad;
Hwn oedd fugail defaid, cadd fyned yn fawr,
A'r llall o'i deyrngadair ergydiwyd i lawr.

Roedd Haman yn uchel, chwenychai wneud brad
I Mordecai dirion, oedd wirion ddi-wad;
1635 Er hynny, mor hynod, Duw'r Drindod a wnadd
I Mordecai godiad, a Haman, ei ladd.

Doethineb yr Arglwydd sy hylwydd o hyd,
Yn wrthrych gwybodeth, wawr berffeth i'r byd;
Ei ras a'n haddysgo tra byddon ni byw
1640 I roddi'n hymddiried, dda nodded, yn Nuw. (*Diben*)

Gwybydded pawb, mewn dwys ystyriaeth,
Mai yn llaw Duw mae pob rheolaeth;
Cyfoeth, Tlodi, bywyd ac ange,
Gwnaed pawb o'i dalent fel y dyle.   (*Exit Ystyriol*)

Enter MR. HYWEL DORDYN:

1645   Er cariad ar Huw'r Cwriwr,
            A welsoch mo Siôn Dafarnwr?
            Fo gadd gen i drigiain hobed o haidd
            Pan ddechreuodd ef braidd droi'n fragwr.

            Rwy'n meddwl mai angenrheidiol,
1650   Am arian, imi ddechre ymorol;
            Mi glywais ddweudyd, mewn rhyw fan,
            Ei fod e yn wan erwinol.

            Mae cymaint yleni yn torri ac yn clecian,
            Twm y Prydydd ar gwr Bodeugan,
1655   Mae'r bobl tu'g i fyny yn gwneuthur turs
            O achos Dic Pyrs, Llansannan.

            Ac felly nis gŵyr dyn pwy i'w goelio,
            Er teced y bydd rhai'n addo;
            Mae pobl y byd gwedi mynd mor hyll,
1660   A phawb â'u dull ar dwyllo.

            Gwnelwy a fynnwyf, Och o finne!
            Bydd rhyw ffalster ym mhob cyfle;
            Mi rof ddiofryd ond hynny'n syth,
            Na choelia' i neb byth mo'r pethe.

1665   Os prynu, os gwerthu, os gweithio,
            Os mynd i'r dref neu rywle i rodio,
            Rhaid i ddyn fod yn lwcus ym mhob traul
            Ddw'd allan heb gael ei dwyllo.

Enter SIÔN DAFARNWR:

	Mi ddeuthum yma, Mr. Hywel,
1670	Rhag ofn bod arnoch ryw anghaffel.

HYWEL:

Os oes gennych arian gyda chwi,
Mi fyddaf i'n ddiogel!

SIÔN:

Ni fedda' i'n wir mo'r arian heiddiw,
Ond mynna' i dalu ichwi gynta gallw.

HYWEL:

1675	O, yn 'run fan rwyt ti'n ddi-feth,
	Dweudw i'r peth a fynnw.

	Gwerthu iti haidd er cyn Calangaea,
	A'th wrando di yn dulio, 'Mi dala' ac mi dala'';
	Ni chefais i eto ddim i'm siâr,
1680	Ond celwydd, y lleidar cwla!

Pa sut y medrwch fod mor ddideimled,
Rhodio mor bwyllus ac ysmocio'ch pibelled,
A maint mae pawb yn ei gadw o sŵn,
Hen ddiawl, am y ffasiwn ddyled?

SIÔN:

1685	'S oes arna i beth i chwi'n ddiame,
	Mae ar rai eraill beth i minne.

HYWEL:

Wel, pam na ddondiwch y rheini â maint y roch
A choethi fydd arnoch chwithe?

SIÔN:

	Beth fydda' i nes er dondio'n wisgi
1690	Ryw *finers* taerion sy 'mron torri?

HYWEL:

    Wel, mi waetiwn i arnynt ym mhob lle,
    Yn gyfrwys, pan fydde gyfri.

SIÔN:

    Na byddwch, y Meistr druan,
    Yn chwerw, chwi gewch eich arian.

HYWEL:

1695   Haro! Cawn gen ti ryw esgus gwan,
    By lwfiwn i dan Ŵyl Ifan.

    Ond rydw i gwedi blino'n gwrando,
    Rhaid imi feddwl bellach am f'eiddo;
    Ni waeth imi gychwyn ystreifio'n llym,
1700   A rhoi *ticket*, nid oes dim yn tycio.

SIÔN:

    O! gwelwch fod y byd cyn dynned,
    Yr *excise*, a'r brag a'r *hops* gan ddruted;
    Hi wnaeth flynyddoedd tost ers cwrs
    Ar les tafarnwrs gweinied.

HYWEL:

1705   Do, hi wnaeth flynyddoedd tostion arw,
    Y wraig yn yfed *tea* a chwithe'n yfed cwrw;
    Ac anaml noswaith yr aech i'ch gwlâu,
    Na fyddech chi'ch dau'n bur feddw.

    A chwithe yn eich cwrw a'ch licers poethion,
1710   A diawl yn eich arenne, yn llamu'ch morwynion;
    A'r wraig ffordd arall yn dal her
    Ar ddannedd rhyw ofer ddynion.

    Ac felly 's oedd modd i wneud bywoliaeth,
    Lle bydde gymaint o anllywodraeth,
1715   Yn tyngu a rhegi a chadw cwrs drwg,
    Roedd hyn yn rhyw olwg helaeth.

SIÔN:

    Nid ydych yn dweud mo'r gwir o ddifri.

HYWEL:

    Mi a'th glywaf di'n mwmian, ond ni waeth iti dewi;
    Peth anhawdd chwthu'r tân yn deg,
1720   A blawd mewn ceg heb golli.

SIÔN:

    Wel, wel, yn siŵr mae'r byd yn galed
    Os bydd dyn gwan ag arno ddyled,
    Fo ddweudir hyd y wlad fod arno
    'R pedwar cymaint ag a fyddo.

HYWEL:

1725   A glywi di'r tafarnwr, ni wiw iti fowrnio,
    Dod fand a *judgement* imi ar dy eiddo;
    Os ca' i fod yn saff mi a'th cadwa' di am blwc,
    Os wyt ti, trwy lwc, yn leicio.

SIÔN:

    Ewyllys fy nghalon i, Mr. Hywel,
1730   Os medrwch fy ngwneuthur yn ddiogel;
    Mi af at ŵr o gyfraith tu draw i'r Hand
    I wneud y fand yn ddirgel.   (*Exit Siôn*)

HYWEL:

    Cerdd! Brysia! Dos heb ruso,
    Bydd siŵr o ganlyn arno!

1735   Mi chw'raesym i yrŵan yn o graff,
    Rwy'n meddwl y bydda' i'n saff o'm eiddo.

    Wel, mater digon taclus
    Ydyw trin y byd yn gyfrwys;
    Rhaid weithie ddondio a sowndio'n sur,
1740   A bod weithie'n bur wenieithus.

Mae llawer ffordd mewn difri
I ladd ci heblaw ei grogi;
Os caf inne fy arian o le mor sâl,
Mi a fydda'n ddiofal gwedi.

1745   Ond mi gymeraf siampal gefnog
Rhag ymhel â charpie anghenog;
Fo gaed ar eu dwylo nhw, trwy'r wlad hon,
Lawer o golledion llidiog.

Enter SYR IEMWNT WAMAL:

           Wel fe'm gyrrwyd i yma'n sydyn
1750   I roi ichwi awdurdod, Mr. Hywel Dordyn,
Ar eiddo Siôn, dafarnwr gwan,
Y chwi pia pob rhan ohonyn.

HYWEL:
           Iechyd i'th calon di am y newydd,
Os oes gennyt fand a digon o saffrwydd.
IEMWNT:
1755   Oes, mae gen i fand i chwi,
Ac infentóri o'i herwydd.

           Mae yn 'r infentóri, ŵr tirion,
Bris pob peth a feddon;
A henw pob ceryn, bychan a mawr,
1760   Wedi eu gosod ar lawr yn gyson.

HYWEL:
           Wel dyma henw'r dreser
Mewn gafael, a'i phris ar gyfer,
Treinsiwre a phlâts yn hyn o le,
Fel pet'e, a dysgle pewter.

1765   Dyma'r cwpwrdd cornel (o'r plac arno!),
A'r llestri *tea*, a'r cwbwl ynddo;

Dyna'r gwalch, os dweudan nhw'r gwir,
A wnaeth imi fod yn hir heb f'eiddo!

Dyma'r *warming pan* (Huw'n benna!),
1770   A'r *saucepan* a'r *tea-kettle* (corff y twca!),
Crochanau, heyrn pentan a llwyau pres,
Wedi eu gosod yn rhes o'r hawsa.

Dyma gloc a bwrdd a phedwar gwely,
Cadeiriau a *round tables* i lawr o'r untu,
1775   Llestri darllaw, peintie, cwartie,
A glywch chwi, roedd ganthyn nhw gwrs o bethe.

Dyma *account* o'r selar, erbyn dal sylw:
Pedwar *barrel* llawn o gwrw;
Ond os arhosir heb werthu dair wythnos neu fis,
1780   Ni wiw gwneud pris ar hwnnw.

IEMWNT:
Fe yfir y cwrw, bob diferyn,
Ac a ddygir ac a gerir amryw geryn;
Gwerthwch nhw'n union, 'y Meistir bach,
I gael bod yn iach oddi wrthyn.

HYWEL:
1785   Pe gwyddwn yn ddewredd nad allwn ymddiried,
Ni hidiwn i flewyn er rhoi yn feilïed;
Ple mae Siôn Roberts o'r [Raven]? Fe fydde fo
A gwŷr Dinbych yn o danbed!

FFŴL:
Mae ohonynt hwy bac ers dyddie
1790   Wedi sengyd Brenhinllys Ange,
Yn cadw cwrt ac yn siarad yn is,
A phawb yn cael y *fees* a haedde.

HYWEL:
    Wel, nid rhaid i neb yleni
    Mo'r hynod ofni'r rheini;
1795   Ond mi fynnaf i toc, os bydda' i byw,
    Yn filain gael rhyw feili.

FFŴL:
    Nid rhaid ichwi ddim trafferthion,
    Ni a wnawn yn ffair yn union;
    Ni bydd am hyn ddim mwy o gnecs,
1800   Ond ceisio'r *execution.*

HYWEL:
    Yn siŵr ichwi'r cwmni mwynion,
    Mae'r gwŷr o gyfraith yn bethe glewion;
    Hwy wnânt am arian yn ddi-feth,
    Ar f'einioes, y peth a fynnon.

1805   Gan fod imi siawns yrŵan,
    Drwy fwriad i gael f'arian,
    Mi ganaf bennill o foliant ffri,
    Heno, i mi fy hunan.

Cân ar 'New Rising Sun':

    Hyfrydwch a heddwch a harddwch o hyd
1810   Sy i ŵr berchen cyweth, yn berffeth drwy'r byd;
    Ei fryd a ga 'n freudeg, bob adeg heb oedi,
    Er cymaint sy o groesni, mawr ddrysni, mor ddrud;
    Yr arian, mor wrol, yn unol, yw'r nerth,
    Y rheini'n bur enwog a bryn ac a werth;
1815   Mae'n anferth, iawn wynfyd, bob munud eu mwyniant,
    Gogoniant a moliant, ddwys haeddiant ddi-serth;
    Nyni, rhai goludog, sy'n ymgledu,
    Wedi dysgu gwasgu'r gwan,
    Ysbïo, gwaetio, cogio a chwsnio,
1820   Breibio a rheibio am ein rhan;

Ond cyfan y cefes i'r fantes i fowntio
'R tafarnwr digyffro sy'n llithro yn y Llan,
Fy eiddo er ei waetha mi a'i mynna' yn y man;
Mi fûm yn gyfrwys, wiwlwys olwg,
1825   O le cynddrwg fedru cael
Fath siawns ryfeddol am fy eiddo,
Ar ôl iddo wyro'n wael;
Mae'n ddiwael f'addewid a'm rhydid a'm rhwydeb,
Y ca' i fy modlondeb, hoff undeb heb ffael,
1830   Peth bynnag a drinaf, mi fynnaf ryw fael.   (*Diben*)

Enter MR. ANGAU:

Wel, bellach cais gynhyrfu
I fyned i'th hir lety.
HYWEL.:
Oni allesych chwi ddweud, yn hyn o le,
'Trwy'ch cennad', a minne'n canu?

ANGAU:
1835   Rwyt ti, yn dy ryfyg draws orchestol,
Wedi addfedu i'r byd tragywyddol;
Cyn y dinistr y balchïa'n siŵr
Galon gŵr annuwiol.

HYWEL:
A glywch chwi, bobl? Mae yndda i ryw iase
1840   Llawer amgenach nag oedd arna i gynne;
Fo'i gaf'odd yn fy nghefn rhyw bricied blin,
Mae troued yn yr hin rwy'n ame.

ANGAU:
Nid oes i'th hoedl di yma, 'r dyn,
Iach obaith un achubwr.
HYWEL:
1845   Ow! ai ni cha' i ddim gorffen, fel roeddwn i yn sôn,
Gyda phethe Siôn Dafarnwr?

ANGAU:

    Bydd llawer amcan llidiog
    Yn ôl o feddwl chwannog;
    Ychydig rybudd sydd i ran
1850   Y gŵr fo'n anhrugarog.

HYWEL:

    Ow! na bawn i yn fy nghader,
    Heb gystudd, efog Esther;
    Ow! deigryn o'r botel sy yn y cwpwrdd bach,
    Nid wy ddim yn iach o lawer.

ANGAU:

1855   Arnat ti rwy'n gadel clefyd,
    A hwn yn fuan a ddwg dy fywyd.   (*Exit Angau*)
HYWEL:
    Wel, ni weles i mewn llan na phlwy,
    Yn unlle, un mwy gwenwynllyd.

    Ow! mae rhyw ofid creulon
1860   Yn fy mhen a'm calon;
    Nid alla' i ddim sefyll i fyny fawr,
    Mi syrthia' i lawr yn union.

    Ow! A raid imi farw mewn amser cyn fyrred,
    A gadel fy ngheffyle a'm gwartheg a'm defed,
1865   Fy holl aur ac arian, a'm stwff tŷ?
    Mae hyn, heb gelu, 'n galed.

    Ow! gadel fy neuddeg eidion,
    A'm pedwar mochyn tewion,
    A gadel fy llafur ar ôl ei drin,
1870   Mae galar blin i'r galon.

    A gadel, gwae fi gwedi!
    Fy enaid mewn trueni;
    Cydwybod sy yntha i'n flin ei bloedd,
    Am hynny ar goedd rwy'n gweiddi.

1875
O! fel y darllenais, mewn diwydrwydd,
Ryw Act o Barliament neu bapur newydd;
Ni fu gen i un amser mewn un lle
Fawr oglyd at lyfre'r Arglwydd.

1880
O! chwi'r rhai sy'n chwerthin yn eich dyrne,
Ceisiwch feddwl am eich siwrne;
Ni cheiff y balcha, gwycha eu gwedd,
Ddihengyd o ewinedd Ange.

1885
Ow! gwelwch y byd bob adeg
A'i anrhydedd heibio'n rhedeg;
Cymerwch fi'n siampal, y cwmni da,
Nid yw'r helynt yma ond dameg.   (*Exit Hywel*)

Enter SYR IEMWNT WAMAL:

1890
Nad elwyf byth i Bant y Chwilod!
On'd ydyw Hywel Dordyn wedi colli'r awdurdod?
Ac mi wranta' mai rhywyr yn hyn o le,
Gan y dyrfa, 'mod inne'n darfod.

Chwi welsoch, y cwmni manwl,
Mai darfod mae pob cythrwfwl;
Gwagedd! O, gwagedd y tu yma i'r bedd!
Gwagedd ydi'r cwbwl.

1895
Blinder ydi dweud a dwndro,
A blinder ydyw gwrando;
A phe dweudid tra dalie ben o bres,
Ni fydd rhai ddim nes i goelio.

1900
Blinder ydyw casglu,
A blinder yw gwasgaru;
Blinder ydyw gwneud pob gwaith,
A blinder maith yw methu.

Ac nid ydyw'r holl flinder enbyd
Ond gwagedd a gorthrymder ysbryd;
1905 Gwagedd ac oferedd yw hyn o fyd,
Fe'n gyrrir ni i gyd i'r gweryd.

Ac ni cheiff y mwya'i gywaeth
Ond rhywfaint o degwch, ar ddydd 'i gladdedigaeth,
O ragor y tlawd sy'n llwm ei gefn,
1910 Yn glynu wrth drefn rhagluniaeth.

Ni chadd y rheini gynt mo'r ynnill
Wrth gasglu Manna ddim yng ngweddill;
Ac felly ni bydd y cwaethog, ryw bryd,
Ddim rhagorach yn y byd nag erill.

1915 Nid oes dim yn ysbâr gan berchen eiddo,
Nid oes ar y tlawd ddim llawer eisio;
Am hynny, dweuded pawb yn ffraeth,
'Rhagluniaeth odiaeth ydi-o!'

Ac ar hynny mewn gwir wahanieth,
1920 Fo ddarfu am hyn o chw'ryddieth;
Ffarwél ichwi rŵan yn ddi-lid,
Rai annwyl, i gyd ar unweth.

Bernwch y chware a'r chwaryddion
Fel y mynnoch, y cwmni mwynion,
1925 A'r neb na leiciodd ni ar hyn o dro,
Na ddoed ddim eto aton.

Yr Epilog
i'w chanu ar 'Great George the King':

Chwi gwmni teg eu gwedd,
Fu'n gwrando hyn mewn hedd,
Trwy amynedd maith,
1930 Ni roesom ichwi ar hyd

Ryw bennau o gwrs y byd
    A'i enbyd waith:
Am gyfoeth, annoeth wŷn,
Mae dwys dueddrwydd dyn,
1935   Er mwyn derchafu ei hun
        I hynod fri,
Hen falchder uchder yw,
O Adda, brudda briw,
Heb deimlad, rhediad rhiw,
1940   Ein unrhyw ni.
Cymered pawb mewn pwyll
Wirionedd Duw heb dwyll
        Yn gannwyll gu
I ddeall, ddiwall ddawn,
1945   Mai lles rhagluniaeth llawn
        Sydd i bob llu.
Duw cadw rhag pob cur
George ein Brenin pur,
Na welo ef na'i wŷr,
1950   Is awyr, sen;
A bydded ym mhob iaith
I'r eglwys, wiwlwys waith,
Anrhydedd, mawredd maith.
        Amen. Amen.

DIWEDD

Tri Chydymaith Dyn

Tri Chydymaith Dyn

CYMERIADAU

Mr. Rhyfyg Natur, y Ffŵl
Traethydd
Lord Anima
Mr. Blys y Cwbl, y Cybydd
Anrhydedd y Byd
Cydwybod
Cariwr
Mr. Clefyd Marwol
Doctor

Enter MR. RHYFYG NATUR, Y FFŴL:

1   Wel, gosteg ar bob traws gwestiwn,
         Mae yma'r hen gadw bugad, mi debygwn;
         Fe fyddai'n addas yn fy marn i,
         Drwy burder, ichwi dewi â'ch bwrdwn.

5   Mae bac o bobl, pan ddelont i'r unlle,
         Yn union 'run waedd â pharsel o wydde;
         Eu gwaith ydyw dwndro ar draws ac ar hyd,
         A chodlo pob ynfyd chwedle.

         By clywsech ddigrifed y bûm i ar drafel
10   Yn gwrando ryw noswaith rai'n siarad yn isel;
         O! roeddynt hwy'n barnu ac yn dadlu'n dyn,
         Gan ymrwyfo â chryn ymrafel.

         Fe ddweude un i ddechre ymbyncio,
         'O, ni a gawn *interlute* i'w gwrando;
15   Mae dau o chw'ryddion mwynion, Mal,
         Am chware'n ddiatal eto.'

Atebai'r llall mor ddicllon,
'Yn boeth y bo'u procsi wirion!
Ffit fydde i rywun eu gyrru o'r wlad
20   I wneud cuwch mewn dillad cochion.'

'Ffei! Pam', ebr y llall, mor drwyed,
'Gwaed y gwcw, rwyt ti gan goeced?
Mae chwarae *interlute* hyd y fro,
Dan awyr, yn dro diniwed.'

25   'Mae arno,' meddai'r llall, 'ddin'weidrwydd creulon,
Denu rhai i chwalu oddi wrth eu gorchwylion
I wrando arnyn nhw'n ymffrostio'n ffraeth –
Y cebystr i'w haraeth wirion!'

Ac yno'r aeth honno'n saith wrthunach,
30   I wylltio ac i regi'n gynddeiriogach;
Meddyliais y b'ase yno ymladd cry
Pan glywais i daeru dewrach.

Mi neidiais atynt hwy'n o sutiol,
A gostegodd eu cynnwr' pan ddois i'r canol;
35   Mi'u gwelwn yn ymgroesi'n fawr eu gwrid,
Gan edrych rhag llid o'u lledol.

Mi a'u clywn hwy'n dweud yn ddistaw ddifri,
'Dyma un o'r chw'ryddion puredig – 'delwy byth i'm priodi!
A minne'n lladd arnynt hyd y lôn,
40   Taw di â'th sôn, da Siani.'

Ac fe ddarfu'r ddwy'r pryd hynny,
Heb achwyn ar ei gilydd, gelu;
Honno oedd yn cablu fwya oedd fwya'i brol,
Ei gweniaith a'i lol am ganu.

45   Felly, mae'n anhawdd i ddyn musgrell
Wybod na chofio pwy sy elyn na chyfell;

Yn siŵr mae'r byd yma'n enbyd iawn,
Fe d'wchodd yn llawn dichell.

50 Tyrd ti'r hen Gerddor gwag ei urddas,
Er cymaint sy amdanom o sôn trwy'n dinas,
Mi ddawnsiaf i beth, sut bynnag y bo,
Rwy'n ei feddwl yn dro cyfaddas.   (*Dawnsio*)

O, rhywyr gennyf beidio,
Mae 'ngwynt i yn lled ddiffygio;
55 Mi wranta' yma lawer yn barnu'n lew
Fy mod yn rhy dew i ystretsio.

Ffarwel ichwi am ennyd, Meinwen,
A chofiwch do' i 'nôl drachefen;
I ddweud fy hanes a pha sut rwy'n byw,
60 Mi bregetha' ichwi ryw brygowthen.   (*Exit Rhyfyg*)

Enter TRAETHYDD:

MYNEGIAD Y CHWARAE:

Mae gennym fath ar chw'ryddieth,
Fel act neu ddarn gyff'lybieth,
A gwraidd ei sylwedd a'i hagwedd hi
Yw dameg y Tri Chydymeth.

65 Sef dangos y trueni,
Fel y mae pob dyn yn hoffi
Ffyrdd twyllwch, fawrdrwch fâr,
Mwy glanwaith na'r goleuni.

Daw un i fyny'n brysur
70 Dan enw Rhyfyg Natur,
A hwn sy'n dysgu, ym mhob rhyw dra,
Un Lord Anima yn amur.

'Nôl hyn daw i fyny'n fanwl
Un Mr. Blys i'r Cwbwl;
75   Hwn sy'n frigman mawr ei frys,
Trachwantus, foddus feddwl.

Daw Rhyfyg Natur ato
I gydchwedleua ag efo;
Ar ôl i'r ddau droi'n frau'r un fryd,
80   Anrhydedd Byd sy'n rhodio.

Ac at Anrhydedd yma
Fe ddaw y Lord Anima;
Mae hithe'n dawnsio'n deg ei llun,
A'r Lord mewn gwŷn a gana.

85   A'r Lord sydd yn ymchwyddo,
Nes daeth Cydwybod heibio;
Mae hwn yn dweud ei aflan flys
A'i fuchedd warthus wrtho.

Mae ynte mewn anghysur,
90   Nes dyfod Rhyfyg Natur
I'w ddysgu i ganlyn dull y byd
Mewn hyfryd oglyd eglur.

'Nôl hyn o wrthrych meddwl,
Daw'r Cybydd, sef Blys i'r Cwbwl,
95   I drin rhyw Gariwr wrth ei chwant
Mewn ffals ddymuniant manwl.

Ar eiddo hwn mae'r cerlyn
Yn cael *injudgement* ddygyn;
Fo wneiff â'r cariwr anferth gam,
100   Nod eiddig, am ei dyddyn.

Yn ôl yr helynt yma
Fe ddaw y Lord Anima;

Gan gael 'i ordeinio o'r byd i'w daith,
Fe lwyraidd faith alara.

105   Mae'n gofyn help o'i ddiffyg
I'w ben cydymaith, Rhyfyg,
Ac i'w gymdeithwraig deg ei phryd,
Anrhydedd Byd garedig.
Ac o'r cymdeithion hynod,
110   Nid oes yr un yn dyfod,
Na neb a'i canlyn ef i'r pen,
Ddydd diben, ond Cydwybod.

Cewch weled wedi hynny
Y Cybydd yn dibennu;
115   Cydwybod a'r Doctor ddaw i'w drin
E'n fanwl 'min terfynu.

Ac dyna ryw ddarn-luniad
O sylwedd hon a'i threfniad;
Chwi gewch, ond gwrando awr neu ddwy
120   Mewn agwedd fwy mynegiad.   (*Exit Traethydd*)

Enter MR. RHYFYG NATUR:

O, f'annwyl, dyma finne,
Wedi dŵad heb gêl i'r gole;
Chwi gewch fy hanes, os da fy ngho,
'N amgenach na'r tro gynne.

125   Mae arna i enw eglur,
A hwnnw ydyw Rhyfyg Natur;
Mr. Anystyriaeth ydyw 'nhad,
Sy'n gosod i'r hollwlad gysur.

Fy [mam] yw Chwant Cnawd Naturiol,
130   Hen ddynes bur ddiddanol;
Mae gen i, ynte, chwiorydd mewn cynnydd cu,
Ac o frodyr, lu hyfrydol.

Fy nhaid a'm nain ddiamgen
Ydyw Balchder a Chenfigen;
135   Mae Mr. Trawster i mi yn gâr,
A'r cene gan Mr. Cynnen.

Mr. Twyll a Mr. Cogio,
A Mr. Maswedd, on'd wy'n misio;
Mae o deulu Rhagrith beth mwy na rhi
140   Yn geraint i mi, rwy'n gwirio.

Mr. Medd-dod a Mr. Drygbwyll,
A'r hen remwth gan Mr. Amwyll,
Mr. Anlladrwydd a'i drachwant llawn,
Un diwyd iawn mewn tywyll.

145   Rwy'n gâr i Mr. Digydwybod,
[? Hen walch] uchel yn ei bechod,
Mr. Digwilydd a Mr. Caru-drwg,
A Mr. Gweniaith a'i olwg hynod.

Mr. Terfysg a Mr. Dicllon,
150   Mr. Lleiddiad a Mr. Camddibenion,
Mr. Hunan-dyb-da, Mr. Tafod-brau,
A Mr. Heresïau-ymryson.

Perthyn i mi, 'r cwmpeini tirion,
Mae'r holl sectau crefydd a'u hopinionau cryfion;
155   Nid oes gan undyn, bobl dda,
Fwy geraint, mi ddalia' goron.

Gan hynny deuellwch, y cwmni eglur,
Gymaint gŵr ydyw Rhyfyg Natur;
Rwy'n cael trwy'r hollfyd, ffraethfyd ffri,
160   Heb ruso, fy mherchi'n brysur.

Enter LORD ANIMA:

Yn rhodd, y cyfaill hynod,
Pwy wyt ti? Moes gael gwybod;
Rwy'n clywed fod iti yma ar daith,
Mewn dewrder, faith awdurdod.

RHYFYG:

165   Oes, mae gen i, heb gwyno,
Gymaint anrhydedd ag sy'n rhodio;
On'd y fi ydyw Rhyfyg Natur ffri,
Sy ym mhob cwmpeini'n pwnio?

LORD:

Rwy'n dallt fod iti fawr gymeriad,
170   Ond ple y cest ti dy ddechreuad?
RHYFYG:
Fo'm ganwyd yn agos iawn i'r Nef,
Mewn lle elwir Tref Dewisiad.

LORD:

Tref Dewisiad, pa beth yw honno?
RHYFYG:
Ewyllys rhydd i sefyll neu syrthio;
175   Ac fe glywodd y rhan fwya, mi wn yn dda,
O gwmpas, fod i Adda gwympo.

Ac dyna lle ces i 'nganedigeth,
Rhwng Chwant y Cnawd ac Anystyrieth;
Ni ddaeth yr un i'r byd yn ffri,
180   Hyd yma, hebof i'n gydymeth.

LORD:

Rwyf inne'n dirnad hyn mewn difri,
Fod rhyw berthynas rhwngwy a thydi.
RHYFYG:
Oes, rwy'n gwybod hyn fy hun,
'Mod efo thi'r dyn cyn d' eni.

185   Roeddwn efo thydi'n faban,
            Roeddwn efo thi'n hogyn egwan,
            Roeddwn efo thydi'n llanc,
            Pan oeddit yn ifanc oedran.

            Y fi ddysgodd iti chware,
190   A sawrio at dy holl blesere;
            Yswagro ac yfed cwrw a gwin,
            Awch hudol, a thrin merchede.

LORD:
            Rwy'n dallt dy fod yn fwyn gydymeth,
            Wrth fy modd yn ddigon perffeth;
195   Dilyn ffyrdd dy addysg di
            Fu'n hyfryd gen i ganweth.

            Ond mi ddarllenais trwy ddull union
            O lafur nawswir lyfr hanesion,
            Fod i bob dyn trwy'r byd yn ffri,
200   I'w dethol, Dri Chymdeithion.

            A'r cynta o'r rhain yw Deall Natur,
            I reoli pob creadur,
            A'r ail yw'r Byd a'i eiddo llawn,
            Sy'n gosod maethlawn gysur.

205   A'r trydydd yw Cydwybod weddedd,
            I fod yn bennaeth rheol buchedd;
            Ac dyna'r tri, trwy'r addysg hon,
            Yw'r Tri Chymdeithion doethedd.

RHYFYG:
            Wel, nid wyt yrŵan eto,
210   Wedi'r holl gwbwl, ond rhyw ddallgeibio;
            Ffasiwn newydd sy'n mynd ymlaen,
            Mae'r hen, a'i graen, yn crino.

Os oedd rhai 'rs talwm dan eu dwylo,
Yn byw'n gydwybodol, bu rywyr iddynt beidio;
215 Mae'r byd yn mynd yn dostach o lin i lin,
Rhaid, wrth ei drin ef, draenio.

Y fi, Rhyfyg Natur, yw'r hynota,
Ac Anrhydedd y Byd, ni arbeda,
Sy'n rhoi pob meddiant, llwyddiant llon,
220 Dyna'r cymdeithion doetha.

Fo ellir sôn am Gydwybod mewn rhyw fusnes,
A hynny ddim ond o dwyll a rhodres;
Rhaid i bob drwg gael daioni ar dro,
[?Ryw] ddifyn, i guddio'i ddyfes.

LORD:
225 Rwy'n deall hyn mewn diwall hanes,
Dy fod mewn deunydd cynnydd cynnes.
RHYFYG:
Oes, mae gennyf, dan y rhod,
Fasnach ym mhob rhyw fusnes.

Y fi yw'r cydymaith nad ellir henwi,
230 Byth yn ddiame'r braint sy imi;
Nid oes i'r un mewn tref a gwlad
Fwy rhediad a mawrhydi.

LORD:
Cei fod yn gydymaith gore,
Mewn mwyniant pur, i minne,
235 Gad ganu pennill hyn o dro,
Air tyner, efo'r tanne.

RHYFYG:
Tyrd tithe'r Cerddor mwynlan,
Cais ddechre canu *Consêt Gruffydd ap Cynan*;

Mae gen i wyllys, heb ymdroi,
240   Yn hollawl i'w rhoi hi allan.

Canu bob yn ail odl:

LORD:
Mi luniaf gân, lawena gwaith,
O! annwyl iaith, mwyniant maith;
Dyma'r daith, yn lanwaith lonwych,
Sy'n ogoneddwych iawn gen i.

RHYFYG:
245   Dyma'r ffordd sy hyffordd hael,
Gelli gael mwyna mael,
A pharch ddi-ffael i ddiwael ddywad
I wych ddi-wad hoff rediad ffri.

LORD:
Mi gaf fy mhleser, amser yw,
250   A byd diddana, llonna lliw.
RHYFYG:
Cei bob rhyw hyfrydwch calon,
Gain wiw foddion, gennyf i.

LORD:
Mi a'th calyna' fwya fyth,
Burwych hoyw-wedd, tra bo chwyth.
RHYFYG:
255   Minne'n syth a ddilyth hwyliaf
Afiaith dewraf, efo th'di.

LORD:
Cydymaith gwych diame y'th ges,
Dy nodi wnes ar fy lles;
Yn dy wres mi gynnes ganaf,
260   Ar d'ôl, mi fentraf, da imi fod.

RHYFYG:

    Ar f'ôl i mae trafaelio maith,
    Dyma daith pob rhyw iaith;
    Hyn yw gwaith naturiaeth taeredd,
    Denu'n rhwyddedd dan y rhod.

LORD:

265   Dyma serch, wir draserch drud,
    Y rhai sy bennaf yn y byd.
RHYFYG:
    Dyma fryd hyfrydwch Natur,
    Dyma lwybyr cysur cu.

LORD:

    Canlyn Rhyfyg, flysig flaen,
270   Sydd fwyn gysurlan rwyddlan raen;
    Mynd ymlaen tan gydymlonni
    A wnawn yn gwmni heini hy.   (*Diben*)

    Wel, digon inni hynny
    Ar gynnydd 'nawr o ganu;
275   Tyrd i'r tŷ tra bôn ni'n iach,
    Cawn well cyfeilliach felly.   (*Exit Lord*)

RHYFYG:

    Cychwynnwch chwi adre ar gerdded,
    Dof inne ar eich ôl, cewch weled;
    Ond mae peth cyfeilliach rhyngwyf i
280   A Nani, a Siani, a Sioned.

    Y fi yw'r cydymaith eglur
    Sy'n gosod i'r merched gysur;
    Ni welsont hwy neb yn teimlo eu cig
    Netiach na Rhyfyg Natur.

285   Mae llawer llanc yn anllad,
    Ac yn ddigon main ei lygad,

Heb dalu nodwydd mewn sadrwydd serch,
Gyda merch, mewn marchnad.

Ni rown i ddraen am garwr gwacsaw,
290   'N rhoi rhyw gusan gwanllyd ac ymelyd ag unllaw,
Yn lle ymrwbio a thandwyro'n deg
Â'i ddeulin, a'i geg, a'i ddwylaw.

Y fi, Rhyfyg Natur fwyngu,
Fydd yn dysgu i bobl garu;
295   Mi hwyliais lawer hyd y fro,
'N ddigwilydd ymwthio i'r gwely.

Mi fûm gydag ambell wraig gymwynasgar
Yn cwcwaldio'r gŵr yn lled ddichellgar,
Ac mi ddysgais y forwyn, yn ambell fan,
300   Ymestyn dan ei meistar.

A dyna ichwi'r hynod ddefod ddyfal,
Mae dysgeidiaeth Rhyfyg Natur wamal;
Nid oes yr un mewn gwlad na thre
Yn medru pob castie cystal.

305   Y fi ydyw pen cydymaith tyner
Y merched ifenc sy'n lled ofer,
A chydymaith y llancie ym mhob man:
Mi a'u mynnais hwy dan fy maner.

Gan hynny, beth meddwch, y cwmni gweddedd,
310   On'd ydw i, Rhyfyg, yn rhywbeth rhyfedd?
Rydw i yn 'r ifieinctid, cryf a gwan,
Ac rydw i mewn rhan yn 'r henedd.

Ffarwél ichwi'n fwynedd, rhaid imi fyned
Oddi yma i ofyn am rywbeth i yfed;
315   Rwy'n meddwl ar led na fernwch lai,
Nad oes achos fod arna i syched.   (*Exit Rhyfyg*)

Enter MR. BLYS Y CWBL, Y CYBYDD:

Wale'n wir, mi wela'
Fod yma gwmni lled ysmala;
Ai tybed y byddwch yn ymhel
320   Yn amal fel hyn yma?

A glywch? Ped fawn i mor ddiswydde,
Ni fedrwn feddwl pa sut a fydde;
Mi ofnwn yr awn, cyn diwedd f'oes,
Yn ddrwg fy noes mewn eisie.

325   Ond rydw i'n dallt fod llawer yn treulio'u bywyd
'Run faint ar y cogail ag ar y werthyd;
Cadw'r nodwydd ddur yn siŵr,
A cholli'r cwlltwr hefyd.

Anaml y gwelir na dyn na dynes
330   Â'u bryd ar gynhilo, nhw aethon yn heles
I ddifetha'r cwbwl trwy'n gwlad ni
Am ryw wyrhydri a rhodres.

Ac dyna ichwi yr achosion
Mae cymaint yn dylodion,
335   O ran eu bod yn canlyn, erwin wg,
Oferedd a drwg arferion.

Nid dyna'r ffasiwn lwybre
Ganlynais i yn fy nechre;
Roeddwn i yn ofalus, dra awchus dro,
340   A 'nghariad i weithio 'ngore.

Pan ddois i gynta hyd i gywaeth,
Mi fyddwn yn myned i borthmonaeth;
Prynu ambell heffer, hen fuwch neu bâr ychen,
Ni adawn i ddim ar gyfyrgoll os gwelwn i fargen.

345   Ac felly pan ddeuthum i ddallt y ffeirie,
         Ac i ddirnad pob rheswm pa bryd y doe prisie,
         Mi awn, cyn gynted ag y clywn i sôn,
         I ffeirie Môn a manne.

         Mi geis ffeirie da ganwaith dros afon Gonwy,
350   A cherdded a thuthio bûm i Ffair Porthaethwy,
         Pwllheli, Cricieth, Penmorfa a'r Bâs,
         Ac 'run moddion i Ddinas Mawddwy.

         Mi fyddwn weithie, trwy ddichellion,
         Yn cymryd gyrfa hyd Fôn ac Arfon;
355   Mi gogiwn felly, ar f'engoch fach,
         Tan chware, ryw boblach wirion.

         Mi fyddwn yn cerdded draw ac yma,
         'Run fath â hen lwynog yn chwilenna;
         Mi brynwn felly lawer hyd y wlad
360   Tan siarad a llyswyra.

         Mi brynais ac a werthais â llawer o wyrthie,
         Ac a gesglais yn boenus gantoedd o bunne;
         Nid oedd gen i hefyd, ddiwyd ddawn,
         Ond ychydig iawn yn dechre.

365   Pe medrwn gael dialedd o dir i'm dwylo,
         Yn borfeydd ac adlodd, mi awn i brynu ac i godlo;
         Ni fyddwn i dro yn rhwygo ar hynt
         I gasglu canpunt eto.

         Rwy'n meddwl y cymrwn, pe cawn fy amcan,
370   Yr holl blwy yma heno i mi fy hunan;
         Ac ni bydde fo imi'r cwmni cu,
         Os ca' i f'iechyd, ond rhy fychan.

         Mi brynwn gatel fwy nag undyn,
         Ac a'u gwerthwn yn jobie i borthmyn,

375   Pe cawn i ddigon o dir fel gallent ar dro
         Ymendio a graenio gronyn.

Enter MR. RHYFYG NATUR:

         Ai chwi'r hen borthman hoyw,
         Sy am diroedd yn fawr ei dwrw?
BLYS:
         Ie, mae arna i eisie lle i droi ambell ŷr,
380   Cais dewi ar fyr â'th ferw.

RHYFYG:
         Cymrwch yn ara, 'rhen gorffyn iredd,
         Un o'ch ceraint sy yn eich cyrredd;
         Rhyfyg Natur, ŵr eglur ei ran,
         Mi fûm gyda chwi yn Llan y llynedd.

BLYS:
385   Ni ddo' i ben â chofio pob cwmnhïeth.
         Pa beth, drwy degwch, yw d'alwedigeth?
RHYFYG:
         Calyn gwŷr bonddigion da
         Mewn mawredd a chymerieth.

BLYS:
         Wel, beth yw'r deunydd byddi di yno?
RHYFYG:
390   Dysgu'r stiwardied i ddondio ac ystwrdio,
         Mesur tiroedd a chodi mwy rent,
         A rhoi 'nghonsent ar ddondio.

         Ac mi fydda' lle byddo dau gymydog,
         Un yn o ledwan a'r llall yn oludog;
395   Mi ddyga' dyddyn y gwan yn siŵr,
         Ac a'i gwthiaf i'r gŵr cywaethog.

BLYS:
    Wel, bendith dy fam iti er hynny siarad,
    Yrŵan y daethost wrth fy mwriad;
    A ddygi di dyddyn rhyw ddyn o'r plwy,
400   I minne, trwy 'nymuniad?

    Mae'r tenant yn wan ac yn anghenus,
    Ac yn gymydog lled anhwylus;
    Pe dygit ei dyddyn i mi yn fy rhan,
    Mi'th garwn di yn [?an]hepgorus.

RHYFYG:
405   Os rhowch imi sbul go weddol,
    Chwi fyddwch yn bur debygol.
BLYS:
    Dyma iti sbul, nad elwy o'm co,
    'S ydyw gini yn o ddigonol.

    Ac mi ddof ddiwrnod neu ddau'n wyllysgar
410   I gario glo neu fawn i'th feistar,
    Ac mi gadwa' iddo'n gefnog geiliog neu gi,
    Ac mi wnaf â th'di'n bur hawddgar.

RHYFYG:
    Wel, siŵr, nid oes mo'r ame,
    Mi wnawn y tro â'r gore.
BLYS:
415   Mae gen inne'n fy llaw un afel dda,
    Ar f'einioes, mi ganlynaf inne.

RHYFYG:
    Canlynwch, siŵr, beth, ynte,
    Os oes arno fo ichwi arian, hynny wnewch ore;
    Rhowch arno fo gost yrŵan ar fyr,
420   Mi wrantaf y tyr e yn ddarne.

BLYS:

    Rwyt ti'n dweud y gwir, ond odid,
    Gwell canlyn arno fo yn ei wendid,
    A'i dorri fo'n wir i gael ei dyddyn yn wag,
    Fel na byddo mo'r blag o'i blegid.

RHYFYG:

425   Dyna'r ffordd ichwi'n ddigon gloyw,
    Beth fydde gyrredd im gwart o gwrw?
BLYS:
    Galw di mewn difri'r dyn,
    Mi dala' i fy hun am hwnnw.

RHYFYG:

430   Dyma ichwi Iddewes o hen ddiod,
    A glywch chi, mae yma dŷ go hynod.
BLYS:
    Moes imi chwart, ni a'i hyfwn e yn fflat,
    Hefo'n gilydd, hyd at y gwaelod.

    Dyma at iechyd da dy feistr a th'dithe,
    Ac iechyd da y teulu gartre!
RHYFYG:
435   Diolch ichwi'n blaen, mi yfa' heb lid,
    Yn wych, weithan, eich iechyd chwithe!

BLYS:

    Mi eisteddaf i lawr, eiste dithe'n f'ymyl;
    Mae'r yfed o sefyll yma'n dro ansuful.
RHYFYG:
    Mi eisteddaf i gyda chwi yn hyn o le,
440   Os bydd eisie, dan y bore Dduwsul.

BLYS:

    Diolch yn fawr ichwi'r hawddgar Gymro,
    Ac chwaneg o gydnabyddiaeth rhwngom ni eto.

RHYFYG:
> Peth bynnag a'r allw' i ichwi'r gŵr da,
> Am ych rheswm, mi gwnaf o â chroeso.

BLYS:
445
> Nid wy'n ame monoch am eich geiriau mwynion,
> Ac ni hidiwn i garre py gwariwn i goron,
> Gan ddarfod imi rŵan, yn fy ngwŷn,
> Daro wrth ddyn mor dirion.

> On'd ydyw'n gonffwrdd imi 'nghanffod
450
> Gyda phen ystiwart Mr. Mawr-'i-Awdurdod?
> Rydw i agos â meddwl, o hyn i fis Mai,
> Y meddianna' i rai tyddynnod.

RHYFYG:
> Meddiennwch, mi'ch gwranta' chwi, f'ewyrth cryno.

BLYS:
> Wel, ar f'einioes, deuded pawb peth a fynno,
455
> Ti gei ambell sgyfarnog a gŵydd fras;
> Mi wna 'ngore glas i'th plesio.

RHYFYG:
> Dyma at iechyd da y meistar a chwithe!

BLYS:
> O, diolch yn fawr ichwi, yfwch eich gore;
> Nid oes fawr gynhesrwydd i neb gael
460
> Mewn sucan wael tafarne.

> Ond mi welais ers talwm y bydde ar gerdded
> Hen ddiod gre mewn tai tenantied;
> Ond maen nhw rŵan, druan draul,
> Yn llawer mwy gwael i'w gweled.

465
> Roedd tenantied yn byw'n glydion,
> Ond pan ddarfu nhw fagu merched a meibion,
> Fo ddarfu'r rheini, ar draws ac ar hyd,
> Ddifetha'r golud gwiwlon.

'U gyrru nhw i ysgolion Caer neu'r Amhwythig
470   I ddysgu yswagro a byw'n fonheddig;
Y meibion am gwrw a'r merched am de,
Doedd ryfedd drwy'r wlad nad ae'r byd o'i le.

Roedd 'u tade a'u teidie'n byw'n dra dedwydd
Ag arian yn llog a phob tym'reiddrwydd;
475   Mae llawer o gyfnewid, er pan mae co gen i,
Drwy'r gymdogeth yma wedi digwydd.

RHYFYG:
Considrwch yr awron ar fyr eirie,
Ar bwy, mewn dychryn, roedd y drwg yma'n dechre?
'U balchder nhw'u hunen, yn ddi-ball,
480   Mewn puraidd wall, a'i pare.

BLYS:
Mae'r gwŷr mawr yn gas ddigysur,
Fod yn codi ar eu tiroedd mwy taerach 'u natur.
RHYFYG:
Dyma fel y mae, bydd pawb â'i fys
Yn ddilys lle bo'i ddolur.

485   Ar bwy, debygech, mae'r bai yna i'w bigo,
Ond arnoch eich hunen, considrwch heno:
Pan fo dyddyn ar sâl, wyddoch hynny fydd
Yn ymdynnu bob dydd amdano.

A'r holl fater trosodd ydi'r trecha treisied,
490   Ni wiw ichwi stwrdio ni'r stiwardied;
'Ran rhaid inni wneuthur ym mhob man
Rymustra o ran ein meistred.

BLYS:
O! gonest iawn ydech chwi, Mr. Rhyfyg,
Rydw i'n cymryd atoch yn bur garedig;
495   Y chwi a'ch meistar, Huw a'ch cato ch',
Gwyn fyd y tenant gae fod tanoch.

RHYFYG:
 Nid rhaid ichwi ofal, 'rhen ŵr ufudd,
 Na chewch chwi dir cyn hir o'n herwydd.
BLYS:
 Wel, os ca' i hynny i'w drefnu heb drai,
500 Mi allaf ddeudyd y bydda' i'n ddedwydd.

 Ond os bydd ar eich meistar neu chwi ryw helynt
 Am fenthyg trigien punt neu ganpunt,
 Neu chwaneg na hynny'r Cymro mwyn,
 Dowch adre ar dwyn amdanynt.

RHYFYG:
505 Wel, diolch ichwi'n fawr, geill hyn fod yn burion,
 Mae'n digwydd weithie ryw achosion.
BLYS:
 Wel, os daw achos mewn rhyw draul,
 Nhw fyddan i'w cael yn union.

 Mae gen i rŵan efo phorthmyn
510 Wyth ugiain punt er Ffair y Sulgwyn;
 Nhw fyddan i'w derbyn Ffair Ŵyl y Grog,
 Rwy'n coelio, a'r llog i'w calyn.

RHYFYG:
 Bydd gynnoch chwi gatel braf, 'rwy'n dirnad.
BLYS:
 Bydd, gore gan undyn yn y farchnad;
515 'Ran dyma'r porthmyn mwya yma ar 'y ngair,
 Nhw ddôn ata i bob ffair yn wastad.

 Mi werthais yn Nimbych gwmpas trigien
 O burion catel, a phedair coten;
 Mi drewais wrth Saeson, neu ryw gêr,
520 Mi ges seithbunt am 'r heffer sythben.

RHYFYG:
    Wel, lwc dda ichwi gyda'ch eiddo,
    Dyma atoch chwi unwaith eto!
BLYS:
    Rwy'n ofni y meddwa' i, a deud y gwir,
    Ar y licer wrth hir lowcio.

525   Ond dyma at dy iechyd di a minne,
    A phawb a'n caro ni'n ôl ein cefne!
RHYFYG:
    Iechyd i chwithe, a rhwydeb clir
    I gael y tir i'ch bache!

BLYS:
    Dwêd wrth dy feistar y rho' i fwy ardreth
530   Nag undyn arall trwy'r gymdogeth;
    'Ran mae gen i fodd, 's eiff y mater ymhell,
    Os mynna' i wneud gwell hwsmoneth.

    Mi allaf i gloferu a gwrteithio,
    Teilo, calchu, cau a chloddio;
535   Dyna'r modd, a deud y gwir,
    Y tâl y tir amdano.

    Ni rown i faw am denant lledwan
    Wneiff ddim d'ioni i'w dir nac iddo'i hunan;
    Nid oes i'r rheini'r cwmni cu,
540   Ond y golled yn tŷ ac allan.

    Mi roisym yleni y gost yn lanweth,
    Tros ddeigien punt mewn gwrteth;
    O! ped faet ti rŵan yn y fan a'r lle,
    Mae gen i yde odieth.

RHYFYG:
545   Wele, oes yn siŵr, beth ynte,
    Ond eich d'ioni chwi'ch hun a'i pare?

Rhaid cymryd cost cyn gwnelo dir,
Mae hynny'n bur wir, mo'i ore.

BLYS:
    Wel, os ca' i dyddyn y dynan wy'n sôn amdano,
550   Mi af at ŵr o gyfraith, mi wna' iddo fo gwafrio,
    Os wyt ti'n sefyll yn d'air yn glir
    Mai fi geiff ei dir pan dorro.

RHYFYG:
    Nid rhaid ichwi na phoen na thraffeth,
    Rydw i fy hun yn ŵr o gyfreth;
555   On'd e, ni bydde wiw imi godi oddi ar fy nhin
    I stwrdio ac i drin stiwardieth.

BLYS:
    Wel, iechyd i'r galon eto,
    Oni chei gen i'r bil sy arno;
    Dod tithe arno gost, bydd siŵr,
560   Rhyw ridwll o gariwr ydi-o.

RHYFYG:
    O, cariwr! mi wn â'r gore,
    Haro! mi'ch gwranta' chwi'n saff o feddianne;
    Mi yrraf i ato fo ddau o wŷr
    I'w waetio fo'n bur y bore.   (*Exit Rhyfyg*)

BLYS:
565   Wel, yn siŵr ichwi, camp ddaionus
    Ar ddyn ydyw bod yn lwcus;
    Dyma gychwyn cywir, sicir sen,
    Os eiff yr helynt i ben mor hwylus.

    O! pe cawn i'r tir i'r fagal,
570   Fo fydde'n gyfleustra diofal;
    Mae arno fo un ddôl ar Gwr y Gro
    O biwr coetie i raenio catal.

Mae yno hefyd arno
Le da i hau a llafurio;
575   'Ran nid oedd ond hwsmonaeth sâl, yn siŵr,
Pan aeth y gŵr i gario.

Rwy'n barnu mai rhyw garpie
Ydyw'r cariwrs yma i gyd o'u cyrre;
Eu diwedd oll, mi wrantaf i,
580   Ryw ddiwrnod, fydd torri'n ddarne.

Mi dreiwn fi lawer byd o bethe
Cyn 'r awn i cyn ffoled i ladd fy ngheffyle;
Rydw i'n gweled llawer llai traul bob tro,
A pherygl, wrth rodio ffeirie.

585   Ni welais erioed pan golle rai erill,
Os edrychwn yn fanwl, na byddwn yn fy ynnill,
Ac agos wrth feddwl am y fargenion a fu,
Nas pwniwn i ganu pennill.

Mi glywes fy nain yn canu wrth ardio,
590   *Lucy Hoe*, ped fawn yn cofio;
Mae gen i ryw feddwl, yn hyn o fan,
Y medra' i fy hunan honno.

Canu ar 'Lucy Hoe' neu 'Falltod Dolgellau':

Pob hen ffeiriwr, maeliwr milen,
Sy'n gywren am y gwaith,
595   Gwrandewch ar gyffes hanes union
Hen frigmon, dirion daith:
Mi drafeilies drwy ofalon
I fyny o'm gwirfodd Fôn ac Arfon
A Meirion am fy mael;
600   Ni rois ar Loeger un golygieth,
Hyd ffeirie Cymru, drwy lynu'n lanweth,
Ces gyweth heleth hael.

Mae yndda i ddichell, wellwell wllys,
Deuallus bwyllus ben;
605   Llawer dynion gwirion geirwir
Gadd gen i'n sicir sen;
O, mor wiwlan gen i weled,
Uwchben 'nifeilied, gwych olygied,
Ryw ffylied yn y ffair!
610   Gwych gen i wladedd boblach ledwan,
Mi fedraf loetran a herio f'arian,
Nhw 'nghoelian i ar fy ngair.

Wrth fedru cogio a thwyllo'r deillion
Yr eis i yn union ŵr;
615   Trwy 'nghyfrwystra ces gymeriad,
Cyrhaeddiad siarad siŵr;
Gwell oedd gen i erioed, heb gwyno,
Ennill chweigien trwy dwyllo a chogio
Na phunt wrth weithio'n ffôl;
620   Pwy ae i geisio ymgoethi'n gweithio
A fedre gogio a chasglu eiddo?
Hyn sy'n arwyddo ar ôl.   (*Diben*)

Wel, rhywyr imi gychwyn adre
I rwymo llawer o gege lloue,
625   Fel caffo'r gwartheg amser ffri,
Mae parsel eisie llenwi pyrse.   (*Exit Blys*)

Enter ANRHYDEDD Y BYD:

O'ch blaene'r cwmni gweddol,
Mi ddoisym yn urddasol,
Tan enw anianol, breiniol bryd,
630   Anrhydedd Byd wybodol.

Myfi sydd i'm clodfori,
Myfi sy'n cael fy mherchi;
Amdanaf i mae'r byd ar led,
Mewn dwned, yn ymdynnu.

635   Amdana i mae'r brenhinoedd
         Yn filain mewn rhyfeloedd;
         Anrhydedd Byd yw'r unig bwynt,
         Eu llewyrch hwynt a'u lluoedd.

         Myfi sy'n rhoi gor'chafieth
640   I'm deiliad ym mhob rhyw daleth;
         Rhof blant y byd o hyd i'w harch,
         Mewn tegwch a pharchedigeth.

         I mi mae pob cymeriad,
         I mi mae parch a chariad,
645   I mi mae mwyniant ym mhob man,
         Gysurlan, wiwlan alwad.

         A chan fy mod mor hyfryd,
         Mor fawr fy mraint a'm gwynfyd,
         Mi ganaf bennill yma'n bur
650   I ddweud fy eglur oglyd.

Canu ar 'Thro' the Wood Laddie':

         Pob cnawdol ddyn bydol hyfrydol ei fryd,
         Y byd a'i wybodeth yw'r deg barchedigeth;
         Trwy lanweth or'chafieth, wir odieth anrhydedd,
         Myfi yw'r arglwyddes wiw gynnes ei gwawr;
655   Ca'n fawr fy nghlodfori trwy'r bydoedd heb oedi,
         Pob rhediad mawrhydi sy gen i ddigonedd;
         Myfi ydyw'r fam, air dinam ar dir,
         Sy'n magu'r holl falchder, glau w'chder, yn glir;
         Myfi yw'r Anrhydedd sy benna ymysg bonedd,
660   Rhoed i'm rhan, ym mhob man, rai anian o'r unwedd;
         Cywaethog enwog wawd a thlawd annoeth lun
         Sy'n rhedeg am Anrhydedd, yn buredd bob un,
         Myfi sy hyfrydwch i degwch pob dyn.

Mewn amryw rith hynod, wir fawrglod, rwyf i
665　　Yn llenwi, dull union, y byd a'i drigolion;
Rwy'n ceulo 'mhob calon yn foddion, rhyfeddwch,
O chwant i'm hawddgarwch a'm tegwch cytûn;
Pob dyn sy'n ymdynnu hyd eithaf ei allu
I'm caru a'm croesawu, mawrhygu'n rhywiogwych;
670　　Llaweroedd hoffe 'nghael er mael yn eu mysg,
Rwy'n aeres uchelglod, awdurdod a dysg;
Rwy'n bennaeth yr hawddfyd, 'rwy'n uchel 'ran iechyd,
Rwy'n fawrhad tref a gwlad, rhediad a rhydyd;
Rwy'n barch i blant y byd, fi o hyd yw eu hawl,
675　　Amdana i mae dwned a synied pob sawl,
Myfi yw cyflawnder eu mwynder a'u mawl.　　　　(*Diben*)

Enter LORD ANIMA:

Fy nglân angyles, dduwies dda,
Awch cynnes, gyda'ch cennad.
ANRHYDEDD:
Croeso wrthych, iawnwych ŵr,
680　　Â chwi rwy'n siŵr am siarad.

LORD:
Anrhydedd Byd, a chwi'n ddiame,
Yn gywren fwynaidd, a garaf inne,
A'ch cwmni wy'n leicio tra bo byth
Ar gynnydd chwyth i'm gene.

ANRHYDEDD:
685　　Fy nghwmni gewch, os gwnewch eich egni
Ar fod yn rymus filwr imi;
Anaml y mae Anrhydedd mwyn
Heb weithio ar dwyn amdani.

LORD:
Os ca' i chwi'n bur gymdeithreg addas,
690　　Mi wnaf a fynnych yn gyweithas;

Rwy'n ail i Herod aeth trwy serch
I rwydau merch Herodias.

ANRHYDEDD:
Rwyf i fel honno ar afel hynod
Yn torri diball ben Cydwybod
695 Wrth imi ddawnsio i blesio blys
Rhai sy'n ei warthus wrthod.

LORD:
A gawn yr awron, ar fyr eirie,
Ryw afiaith hynod efo thanne?
ANRHYDEDD:
Cenwch chwi ryw ddyri dda,
700 Yn fwynaidd, mi ddawnsia' finne.

LORD:
Tyrd y Cerddor, chware allan
New Rising Sun mewn pur naws anian;
Mi ganaf i, gwneiff hithe ar dro
Ddawnsio heno ei hunan.

Lord yn canu, Anrhydedd yn dawnsio:

705 Wel dyma ddiddanwch, wir degwch ar dwyn,
Cael plesio fy nghalon ar foddion mor fwyn;
Mae'n addfwyn gynheddfe mawr wynie mor enwog
Anrhydedd ardderchog, sy'n serchog ei swyn;
O'i gweled hi'n dawnsio rwy'n chwyddo 'ran chwant,
710 Nid oes un ferch ddilys mwy melys ei mant;
Addoliant ddiwaeledd Anrhydedd a'i rhediad
Sy'n ddigon o ddygiad camsyniad i sant;
Hon yw'r cyfoeth gwiwddoeth gweddus,
Hedd cyhoeddus, raddus ryw;
715 Hon yw'r dygyn barchedigaeth,
Ma[wr] gymeriaeth odiaeth yw
Pob cyfryw a'u cyfraint, wiw foliant ofalus;

Anrhydedd wŷn rheidus, fael dawnus fel Duw,
Cyhoeddir o'i haeddiant hi feddiant i fyw;
720   Hon sy'n hynod uwchlaw brenhines,
Penna peunes gynnes gu;
Hon yw dyfais ymgais ymgyrch,
Cannwyll cynnyrch llewyrch llu,
A'i gallu'n deg ollawl ragorol wir gariad,
725   Gwiw freiniol gyfraniad o'i syniad hi sy,
Does wrêng na bonheddig mewn rhyfyg mor hy.
Hyfrydwch y galon, yn rhwyddlon ar hyd,
Yw canlyn mor hoywdeg Anrhydedd y Byd,
A gwynfyd yw ganfod awdurdod ei dewrder,
730   Ei chryfder a'i mwynder, hoff rwyddber ei phryd;
Dy lewyrch da loyw-wedd, gwawr hoyw-wedd ei rhan,
Sy flaendrefn cyflawnder a mwynder ym mhob man;
Dy gyfan deg afieth yw'r odieth fawrhydi
Sy'n gloywi ac yn hoywi ac yn llenwi pob llan;
735   Anrhydedd reidus, glodus, gleudeg,
Heuldeg, fwyndeg, landeg lun,
Hon yw dwysglir hynod oesglau
A llwyr raddau llawer un;
Ei dygyn wir degwch, hawddgarwch pob goror,
740   Mawrhygiff ei rhagor o'i honor ei hun,
Anrhydedd ardderchog sydd enwog i ddyn;
Hon yw'r glendid, ergyd eurgoeth,
Hon yw'r cyfoeth, wirddoeth wawr,
Hon yw'r benna, teca tyciant,
745   Hon yw'r llwyddiant, meddiant mawr,
Hon yw'r ddirfawr eurwawr irwych,
Hon ydyw'n hynodwych ein llewyrch a'n llawr,
A hon yw fy hyfryd anwylyd yn awr.   (*Diben*)

ANRHYDEDD:
    Wel, digon inni hyn ar gynnydd,
750   Drwy eiliw annwyl o lawenydd;
Fo alle down ni eto ar frys
I galyn blys ein gilydd.

LORD:
O, na bydde, enw buddiol,
Fodd i mi'ch cael chwi'n briodol!
ANRHYDEDD:
755 Chwi gewch fy chwaer i'ch boddio'ch hun,
Sy'n ddynes o lun diddanol.

LORD:
Os yw hi mwynaidd, rwy'n dymuno
Cael adnabyddiaeth hon i'm boddio.
ANRHYDEDD:
Madam Hunan-dyb-da ar dir,
760 Yn wir, yr henwir honno.

[Y] mae hi'n aros yn wastadol
[   ] balchder cnawdol
Yn Nhref Gwallgofrwydd yn Sir Mawrddrwg,
Ymhen *Street* yr Uchel Olwg.

765 Yna mae'r tair duwies eurad,
Chwant y Cnawd a Chwant y Llygad,
Balchder y Bywyd, lle cewch yn enwog
Eich awdurdodi'n fwy godidog.

LORD:
Diolch ichwi am eich hyfforddiad,
770 Chwychwi, Anrhydedd, yw fy rhediad;
Os ca' i'ch cynhorthwy chwi hyd fedd,
Hawdd imi gyrredd cariad.

ANRHYDEDD:
Rhaid ichwi ymgodi'n gadarn fwriad,
Ac altro'n drachwyrn eich edrychiad;
775 Rhowch imi'ch het i'w chodi'n uwch,
Na wnewch mo'r cuwch-ostyngiad.

Lle byddwy'n harddu dyn mewn urdda,
Gwisgo'n uchel rwy fynycha;

Rhowch chwithe hon fel yma'n fwyn
780   I gofio ar dwyn amdana.

Chwi gewch yn buraidd gen i'ch bwriad,
Parch ac ymborth, gwerthfawr wisgiad;
Ar hynny'n awr, mewn ffraethwawr ffri,
Cymeraf i fy nghennad.   *(Exit Anrhydedd)*

LORD:
785   Cennad da ichwi'r hawddgar ladi,
A diolch yn fawr ichwi am eich cwmni;
Gobeithio na bydd ichwi a'ch nerth
Fod byth yn ddierth imi.

O ran ei bod mor fwyngu,
790   Rwy'n clywed arnaf ganu;
Wrth feddwl mawredd teg ei gwên,
Rwy'n awchus lawenychu.

Canu ar 'Cousin Tommy's Fancy':

Hyn ydyw'r or'chafiaeth mor helaeth ar hyd,
Cael fy mryd yn y byd, wir hawddfyd yn rhydd;
795   Cael pleser a mwynder, llawn burder llon bwys,
Cael yn lwys, degwch dwys, nod eurlwys i'm dydd;
Cael yn rhwydd, da sadrwydd di-syn –
Beth sydd fwy hyfrydwch neu harddwch na hyn?
Anrhydedd Byd sy hyfryd hael
800   Ym mhob hawddgara, mwya mael;
Hon sy'n cael diwael araul eirie
Awdurdode gwyrthie gwych;
Anrhydedd Byd yw'r gwynfyd gwir
Mae amryw'n dewis yma ar dir;
805   Hon yn glir a dderchefir beunydd,
Aml dremydd sy yn ei drych.

Am hon mae'r ymryson rhwng dynion ar daith,
Mawredd maith, pob rhyw iaith, sy'n ymdaith is nef;

Hon ydyw'r hynodwedd Anrhydedd i'n rhan,
810 Cryf a gwan, ym mhob man, sy'n llwyrlan 'i llef;
Hon beunydd, er byw, a roes Duw yn siars dyn,
A hon aeth yn dduwies o'i hachles ei hun;
Roedd ardderchawgrwydd hylwydd hon
Mewn sylwedd maith gan Solomon;
815 Babilon Frenin, creulon ddyrnod,
Gae eiddo hynod ganddi hi;
Mae'n fwy ei delw a'i helw ar hynt
Na Diana'r hen Effesiaid gynt;
Nerth ei gwynt, helynt hoyw alwad,
820 I ddal 'y mwriad ddelo i mi. (*Diben*)

Enter CYDWYBOD:

Wel, difyr iawn yr wyt ti'n canu
Hyd lwybrau pechod, hynod hynny.
LORD:
Wel pam nad alla' i ganu'n rhydd,
Os f' wllys a fydd felly?

825 CYDWYBOD:
A ydyw canu yn chwedl cynnes
I ddyn fo'n colli'r ffordd i'w neges?
LORD:
Ni chollais moni, rwy o hyd
Ar briffordd y byd a'i broffes.

CYDWYBOD:
830 Ai ffordd y byd a'i ryfyg ufudd
Addewaist ganlyn yn dy fedydd?
Ow! meddwl beth am bwys dy bwn,
Mae hwn yn gwestiwn cystudd.

Tydi addewaist ymado'n dduwiol
835 Â chwant y cnawd a gwagedd bydol,
A dilyn Duw gan fyw hyd fedd
Tan reswm buchedd rasol.

LORD:
Ow! Ow! Cydwybod hynod union,
Paham y berni fi'n anraslon?
On'd ydw i'n byw, heb wneuthur cam,
840 'R un degwch â'm cymdogion?

CYDWYBOD:
Wel, wel, os yw cymdogion eglur
Yn ddrych i ti wrth olwg Natur,
Ni ddaw cymydog, nac un gwrda,
I ateb trostat yr amser trista.

845 Am hynny, ddyn, pam rwyt mor wagffol
Â chanlyn Rhyfyg Natur gnawdol?
O! gwybydd fod dy gnawd a'i ryw
'N elyniaeth tost yn erbyn Duw.

LORD:
Och! beth yw hyn o syn air serth?
850 Rwy'n teimlo'n ofid mawr i'm nerth,
Ac yn ofni cledi clir,
Os wyt ti ar goedd yn dweud y gwir.

CYDWYBOD:
Mae'n ddigon gwir, cei dithe brofi,
Os ffordd dy Natur a ddilyni;
855 Fo fydd dy felys fwyn drachwante
Iti'n chwerw am fyw tan chware.

O! paid â dilyn ffyrdd trueni,
Gad i'th Gydwybod dy reoli;
Goleuni wyf i, Duw a'm trefnodd,
860 Gwae'r anffyddiawg a'm diffoddodd!

Ond eto'n wir, er cael llewygfa,
Nid oes mewn oernych ddiben arna;
O'm diffodd, fyth mi goda'n fwg,
Yn llawn o ddrewi a sawyr ddrwg.

865 Cydwybod dda yw'r cyfaill pura,
Cydwybod ddrwg yw'r gelyn gwaetha;
Am hynny, ddyn, cais dithe ymddatod
I fod yn gyfaill i'th Gydwybod.

LORD:
Mae gennyt eiriau tost anhyfryd.
870 Ow! gad imi ymlithro oddi wrthyd;
Ni thrinia' i byth mo'r byd mewn trefn,
Gan hynny, am gwrs – O! tro dy gefn!

CYDWYBOD:
Wel, wel, er cael fy ngwasgu'n isel,
A gwrando chydig ar fy chwedel,
875 Fo ddaw'r dydd y bydd, heb wad,
Fy ngair yn drecha, brudda brad.   (*Exit Cydwybod*)

LORD:
Rwy 'nawr yn cloffi rhwng dau feddwl,
Mae ar fy nghalon anferth drwbwl;
Fo dorrodd hwn holl flas fy mhleser,
880 Rhaid imi rŵan ganu *Trymder*.

Canu ar 'Drymder':

Och! beth yw'r byd naws enbyd sy
    I'm gyrru'n gaeth?
Cydwybod ymgais, glais di-glod,
    Ddig nod, a'i gwnaeth;
885 Pwy f'asai'n meddwl drwbwl draw,
A m'fi mor llawen gynt ger llaw,
Y daethe drymder, brudd-der braw,
    Fel hyn i'm bron?
Cydwybod ffraeth rhy gaeth a ges
890 I'm blino 'nawr, heb lonydd nes;
O! na chawn ryw foddion lles,
    Mi fyddwn llon.

Rwy'n teimlo fod, syndod serth,
 Rhy anferth wŷn
895 Yn fy nghalon, rwyddlon rym,
  Yn llym ei llun;
Mae rhyw euogrwydd, dramgwydd drud,
I'm blino i beunydd yn y byd;
Os ceiff Cydwybod wneud ei fryd
900 Caf gaethfyd gwael;
Ow! Rhyfyg Natur ffraethbur ffri,
Hap lwyra tymer, ple'r wyt ti?
'S oes cysur mwyn, O! cais i mi
  Hoff egni heb ffael.   (*Diben*)

Enter RHYFYG NATUR:

905 Ow! f'Arglwydd mwyn, mae ynoch
 Ryw surni, pa sut sy arnoch?
 Rydych yn edrych, oernych wedd,
 Mwy bawedd nag y buoch.

LORD:
 Ow! fy nghydymaith Rhyfyg Natur,
910 Mi ges fy ngosod mewn anghysur;
 Cydwybod noeth a'm rhoes yn awr
 Mewn gwayw mawr a gwewyr.

 Y mae fo'n dweudyd wrtha i'n blaen
 Na thâl fy nghrefydd i mo'r draen,
915 A'm bod yn byw fel hyn o hyd,
 Yn ddyn o'i bwyll heb Dduw yn y byd.

RHYFYG:
 Wel, wfft i Gydwybod, on'd aeth yn waeth na'r ci Dobyn
 Am bwnio'r fath gelwydd – poeth y bo'i golyn!
 Pwy adawe i benbwl, drwsgwl druth,
920 Rhag cwilydd, fyth mo'i galyn?

Os gwrandewch ar dwrw Cydwybod wirion
Yn rhuo ichwi gelwydd, wfft i'ch calon!
Ni chewch ddim parch na chwmni pur,
Na chymeriad, gan wŷr mawrion.

LORD:
925 Chwenychu rwyf i grefydd barod,
Fel caffwy lonydd gan Gydwybod,
A mynd i'r Nefoedd, rwyddfodd rôl,
Heb derfysg ar ôl darfod.

RHYFYG:
Wel, mi a'th ddysgaf i di ar fyrder
930 Yng nghrefydd Eglwys Loeger;
Mae digon yn dweud o'n cwmpas ni
Mai gore ydi'r rheini o'r hanner.

Ond fe fu Eglwys Loeger yn fawr 'i thrallod
Pan oeddynt yn canlyn ffordd Cydwybod;
935 Hwy gawsant eu baetio a'u llywio mewn llid,
Tan erlid a merthyrdod.

Maen nhw rŵan, ynte, bawb, yn dilyn crefydd,
'Run fath â'u cymdogion, oni fydd anlwc yn digwydd;
Os leiciant ddarllain weithie yn tŷ,
940 A mynd i'r llanne, gallant gysgu'n llonydd.

Pwy bynnag fo'n bobl onest ddiwyd,
Ac yn talu i bawb eu heiddo hefyd,
Hwy gânt fynd i'r nefoedd ar eu naid,
Mi glywais fy hen daid yn deudyd.

945 Ac am hynny, Meistr, na cheisiwch mo'r mwstro,
Yfwch un chwertyn rhag ofn ichwi hurtio.
LORD:
Gelwch am ddiod, gydymaith mwyn,
Mi dalaf i ar dwyn amdano.

RHYFYG:

    Dyma atoch yn ddibrin gymysgwin moesgar

950   Babilon Fawr, Mam Butain y Ddaear!

LORD:

    Diolch ichwi'n fwyngu heb feth,

    Fy nglân gydymeth hawddgar.

RHYFYG:

    Yfwch yn *hearty*, ŵr henffel,

    Mi a'ch gwranta' chwi'n iach ddiogel;

955   Mae'r yfed mwya ag alle fod

    Gan bobol ar ddiod Babel.

LORD:

    Wel, gad inni rŵan chwedleua drwy awydd.

RHYFYG:

    Dyna ben! mae'n ffasiwn beunydd;

    Gyda'u diod a'u cymdeithion da

960   Bydd llawer cryfa eu crefydd.

    Llawer gwaith bydd mewn tafarn rai'n gollwng eu tafod

    I sôn am eu crefydd a'u hysgolheictod;

    Bydd lawer oferddyn cynffon wen

    Yn dduwiol uwchben ei ddiod.

LORD:

965   Mae sŵn rhyfeddol am grefydde,

    Ac amryw iawn o bob rhyw secte;

    Anhawdd gwybod yn ddi-gudd

    Pa un yw'r grefydd ore.

RHYFYG:

    Wel, mae iti groeso gwresog

970   I fynd yn Rowndiad neu Gariadog,

    Yn Babist neu Gwacer, neu ryw sect ffri,

    'Ran rydw i â'r rheini yn rhannog.

Nid oes na chwmpeini nac un opinion
Heb ryw ragfarn ac ymryson;
975   Yr ydwyf i, Ryfyg Natur, braidd
Wedi ceulo yng ngwraidd pob calon.

LORD:
Nid af i secte nac opinionach
I drwblo f' emennydd â chael ffyrdd mwynach;
Mae Eglwys Loeger yn ddi-wad
980   Mewn trefniad, rhoddiad rhyddach.

RHYFYG:
Mae yn Eglwys Loeger grefydd burlan,
Marcia di hynny wrth y person ei hunan;
Mae fo'n bwyta ac yn yfed ac yn cadw lol,
On'd aeth ei fol e yn fylan.

985   Ac mae iti rydid, 'nôl dull offeiriade,
Trin ceilioge a chware cardie,
Meddwi ac yswagro, nos a dydd,
A byw'r un ffydd â nhwthe.

A wyt ti'n meddwl pe baen nhw'n barod
990   Yn gwrando ar dabwrdd rhyw ffôl Gydwybod,
Y caen nhw lonydd, mewn tre neu lan,
I wneud eu rhan mor hynod?

Nid yw Cydwybod groes ei chwedle
Ddim yn lwfio meddwi a chware,
995   Nac ymlid puteiniaid na gwneud mewn sblîn
Gamwedd wrth drin degyme.

Pa beth a dale Gydwybod berffeth
I fynd yn ustus neu ŵr o gyfreth?
On'd rhaid i'r rheini, boed union boed cam,
1000   Fod 'n filain am fywolieth?

Nid wrth fod yn gydwybodol
Mae rhai'n casglu golud bydol;
Digon hawdd dirnad hyn bob dydd
Wrth synied y ffydd bresennol.

LORD:

1005   Rwy wrth fy rheswm, gwlwm gwiwlwys,
Yn gweled ganthynt bethe anghymwys,
Yn ôl y Deg Gorchymyn sydd,
Ar oglyd ffydd yr Eglwys.

RHYFYG:

Nid yw'r Deg Gorchymyn ond chydig fater,
1010   Os peidir â lladd, neu ladrata llawer,
Ac ni cheir dim drwg am hynny o dro,
Os bydd gafel ac eiddo ar gyfer.

Ni cheisiwn i fawr sylwedd yn cadw'r Sulie,
Gellir meddwi a chanu, dawnsio a chware;
1015   Os peidir ag aredig, neu ladd gwair,
Fo gedwir y Gair o'r gore.

Nid rhaid dim rhoi anrhydedd rheidiol
I dad nac i fam, nac un o'th bobol;
Ac am dyngu a rhegi, nid oes mo'r hid,
1020   Oni bydd rhai mewn llid o'th lledol.

Ac mae iti groeso, os byddi gwresog,
I chwennych morwyn neu wraig cymydog,
Ei ŷch, neu asyn, neu dir, neu dai,
Ni saif mo'r bai ar gyfoethog.

LORD:

1025   Rwy'n teimlo'r grefydd hon yn burion,
Ac esmwyth iawn wrth fodd fy nghalon.
RHYFYG:
Wel, pam nad elli di leicio'n rhwydd,
'Run digwydd â'r cymdogion!

LORD:

1030
Rwy'n ame hyn yn syn resynol,
Na thâl hoff yrfa o grefydd ffurfiol;
Rhaid cael, heb dwyll, sylfaenu'n deg,
Rhag ofn daw breg dragwyddol.

RHYFYG:

Nid rhaid gofalu am ddim sy'n perthyn,
Gwna dy grefydd 'run fath â chlochdy Rhuthun;
1035
Dechre ar hen rowndwal fydol fost,
Fo sefith iti gost wrth gychwyn.

LORD:

Wel, mae fy nghalon i mewn difri,
Groyw oes hygoel, yn gwresogi;
Nis gwn i rŵan, o ran f'ysgafned,
1040
Ar draed pwy yr ydw i'n cerdded!

RHYFYG:

Wel, mi ddweudais iti gynne,
Drwy gariad y doit ti o'r gore,
Os canlyni di ffasiwn pobl y wlad,
'Run fath â'th dad a'th deidie.

1045
Roedd ganthynt hwy grefydd eglur,
Wrth f'addysg i, Rhyfyg Natur;
Nhw aethont i'r Nefoedd, am wn i,
Mae sôn am eu d'ioni a'u synnwyr.

LORD:

Roedd gen i'n rhydd ar gynnydd gynne
1050
Dri Chydymaith tra diame;
Yn awr rwy'n dirnad mai tydi,
Trwy gariad, ydi'r gore.

RHYFYG:

Y fi ydyw'r gore oddi yma i'r gweryd,
Gofyn, oni choeli, i Neli f'anwylyd;

1055   Edr'wch acw ar y merched yn fy ngwâdd i'r tŷ,
        Mor lliwgar maent yn camu eu llygid!   (*Exit Rhyfyg*)

LORD:
Wel, bellach byddaf bwyllog,
Mewn awchus orchest serchog;
Tyrd, y Cerddor, imi cân!
1060   Rwy heno'n lân galonnog.

Canu ar 'The Bird':

        Ces grefydd ddedwydd iawn, mor llawn o wellhad,
Na thyn anghariad yn fy nghyrredd;
Caf hedd o hyd a'm rhydid yma'n rhydd
Am ddilyn crefydd lonydd fel y wlad;
1065   Mae 'nghalon wedi ymgloi, ymroi mae fy mryd
I ddilyn bywyd hawddfyd heddfawr;
Cysur, fawr swyn, yn fwyn ar dwyn hyd arch,
Caf felly ym mhob rhyw gyfarch barch y byd;
Pa beth a dâl dwys
1070   Ormod pwys ar un peth?
Crefyddau pleidiau pleth
A'u gorchmynion, drymion dreth,
Y rheini'n llwyr a'm lleth.
Mi dro'u blin hylltod oll o'r neilltu,
1075   Ca' i 'myd yn fwyngu heb feth,
Rhwydd swydd, llwydd llon,
Calon radlon rydd,
Gobeithio'r gore heb gudd;
A pheth sydd well na ffydd,
1080   A gwneuthur da'n ddi-brudd?
Dyna ddeunydd pob diddanwch,
Sy'n degwch nos a dydd.   (*Diben*) (*Exit Lord*)

Enter MR. RHYFYG NATUR:

        Wel, bobl, rhag bod neb heb wybod,
Mi ddois yma mewn dewrder i ddweud f'awdurdod,

1085   Fel y byddo ichwi ganfod, bod ag un,
        Heno, 'mod yn ddyn mor hynod.

        Chwi'm clywsoch i gynne'n landeg
        Yn cynghori'r Lord mor lwyrdeg;
        Mae fo rŵan yn caru ac yn mawrhygu ar hyd
1090   Anrhydedd y Byd mor hoywdeg.

        Roedd tri chydymaith ganddo'n dechre,
        Does yrŵan ond Anrhydedd y Byd a minne;
        Ni a daflson Gydwybod tros y wâl,
        Yn gydymaith na thâl mo'r dime.

1095   Ac felly gwelwch, y cwmni gwiwlon,
        Fy mod yn cael 'y ngharu o ran fy nghynghorion;
        Canys rydw i rŵan, trwy'r wlad ar led,
        'Run degwch â'r dysgedigion.

        Ond yn Rhydychen, rwy'n lled achwyn,
1100   Y cododd yn fyrbwyll ryw chwech yn f'erbyn;
        Mae'r cwbwl eraill, oni thrôn,
        Rwy'n coelio'r ymrôn i'm calyn.

        A chan fy mod i yn ddyn mor gywren,
        Mi gana' ichwi gerdd o gyngor llawen
1105   I erchi i bawb, yn ffôl ac yn ffel,
        O'm deiliaid fod fel y dylen.

Canu ar 'Young Watkin's March':

        Dowch i'r unfan, chwi rai ynfyd,
        A diwyd gydwrandewch,
        Mae gen i 'nôl presennol synnwyr
1110   Gysur mawr a gewch:
        Mae rhydid braf i bawb gerbron
        Fynd wrth 'i chwant mewn llwyddiant llon,
        Dyna'r grefydd lle mae'r digrifwch,
        Mewn tegwch trwy'r wlad hon.

1115   Rwy'n rhoddi'n rhwyddion fy nghynghorion,
          Un moddion i fawr a mân:
          Yn ôl eich rheswm, gwnewch â chroeso,
          Fel boch chwi'n leicio'n lân;
          Mae'r ffordd yn deg o flaen pob dyn
1120   I wneud trwy hedd ei chwant ei hun;
          Nid rhaid i undyn, ond ei wendid,
          Ofni odid un.

          Y trecha yw'r gw'cha i gyd,
          Trais gyfyd tros y gwan;
1125   Hon yw'r ffasiwn sydd hoffusol
          A moddol ym mhob man;
          Ymddygiad gweddol fryd,
          A chalon ffals o hyd,
          Dyna'r dynion mwya dawnus,
1130   Parchus yn y byd.

          O, byddwch, bawb, ar hynt,
          Rhag ichwi fynd ar feth,
          Â'ch dull o'ch calon i dwyllo'ch gilydd
          Beunydd ym mhob peth;
1135   Hon ydyw'r arfer wych
          Drwy'r gwledydd grefydd grych;
          Pob ffŵl neu ffolog, mae'i gymydog,
          Wedd rywiog, iddo'n ddrych.

          Chwychwi'r ifieinctid, rydid reidus,
1140   Awchus weddus wŷn,
          Byddwch lawen, gywren gariad,
          A'ch bwriad, gwnewch bob un;
          Pwyth difyr iawn, peth da fu rioed,
          Fawr hoyw chwant, gan rai o'ch oed,
1145   Ymdrin â'r taeraidd flys naturiol
          Yn wreiddiol ichwi roed.

          Mae hynny'n gymwys wiwlwys alwad
          Mewn rhediad i bob rhai,

1150
Tra boch chwi'n ifenc a'ch nwy'n ei ofyn,
Ni ferniff undyn fai;
Mae rhydid rhwydd i anlladrwydd llanc,
A merch un modd, o wirfodd wanc;
Rhyw siawns anfynych i ambell feinir
Yw prifio, er profi'r pranc.

1155
A chan mai siawns yn siŵr
Yw hyn o gyflwr gwan,
Chwi ellwch fentro nofio'n nwyfus,
Mwy moddus ym mhob man;
Na ofned unrhyw un
1160
Mo'r eitha, gwaetha gwŷn;
Mentrwch, gwelwch nad rhaid ich gwilydd
Eich hylwydd blesio'ch hun.

Yn 'r arfer harddber hon,
Llesâd i ddynion sydd,
1165
A mwyfwy fantes i'r ifienctid
Gaffel rhydid rhydd;
Ymwnewch ac ewch i gyd
Hyd berffaith lwybrau'r byd;
Rwyf i'n cyhoeddi Heddwch! Heddwch!
1170
A harddwch i chwi o hyd.   (*Diben*)

Wel dyna gyngor eglur,
Iawn ethol, hawdd ei wneuthur;
Anaml y clywsoch gyngor Ffŵl
Ddim netiach wrth feddwl natur.

1175
Ond gadewais un peth yn ango,
I'r bobl ifenc heb ei lwfio;
Pan gaffoch y fargen mewn rhyw fan,
Cofiwch yn freulan frolio.

Cans tro pur hardd ar lancie
1180
Ydyw sôn mor chwidir byddant efo merchede;

Mae hynny'n llesol i ddysgu ambell un
Fo'n hurtyn o ddyn diddonie.

Mae'n gonffordd mawr i'w ganffod,
Gan ambell hen gob gael gwybod,
1185   Lle bo ferch fraclan, wantan wên,
O gangen burwen barod.

Felly canlynwch, bawb yn lanweth,
I frolio ac i swnio 'nghylch eu gwasaneth;
Fel y caffoch glod mewn gwlad a phlwy,
1190   A mawredd a mwy gymerieth.

Yfwch gwrw, ymleddwch eich gore,
Na 'dewch i ryw chwilod dynnu blew 'ch aelie;
Danghoswch eich hunen yn stowt bob tro,
Ac nid gwrthun ichwi frolio'ch gwyrthie.

1195   Gwych ydyw clywed mewn cwmpeini
Rai'n brolio ymbaffio, rhai'n brolio meddwi,
Rhai'n brolio anlladrwydd ar bob tro,
Rhyw onor fod efo'r rheini.

Dyna'r ffordd, dilynwch hi o'r mwyna,
1200   Ac os digwydd damwen i rai'n y byd yma,
Nid ânt ond i Lanelwy'n dyn,
Neu Ruthun, dyna'r eitha.

Ac ni bydd eich diwedd, henedd hanes,
Ddim pellach nag uffern, wedi'r holl gyffes;
1205   Pan eloch yno chwi gewch ar led
Ddigonedd o gymheiried cynnes.   *(Exit Rhyfyg)*

Enter MR. BLYS Y CWBL:

A glywch chwi f'eneidiau? Mae hi'n fyd annedwydd,
Ni chefais i eto ddim gwastadrwydd

Ynghylch y dyn hwnnw efo'i dir,
1210   Rwy'n diodde'n o hir o'i herwydd.

Roeddwn yn disgwyl er ys ennyd
Y cawswn oddi wrtho ryw newydd hyfryd,
A'i fod ef wedi torri'n lân,
Yn dipie mân mewn munud.

1215   Pe cawn i ef i'm gafel siawns na châi gofio
Â thipyn gwell saffrwydd, mi wnawn iddo syffro;
Mi a'i denwn yn deg ac a'i gwasgwn yn dyn,
Mae fy natur am ei dyddyn eto.

Fy holl ddigrifwch yn fy nghalon
1220   Ydyw gweled baetio pobl dlodion;
Pe'r ymlidid hwy i gyd o wlad a thre,
Heb eiriach, fe fydde burion.

Does dim yn y byd mor drwblus
Â chymydog tlawd anghenus;
1225   'Cheir mymryn o lonydd mewn un man
Lle caffo ddyn gwan ei gynnwys.

Ychydig o fantes sy wrth ymhel â rhyw garpie,
Oni werthan hwy rywbeth yn eu hangen weithie;
Troi cefn oddi wrthynt, yn ddi-wad,
1230   Ac ychydig siarad sy ore.

Enter CARIWR:

Nos dawch, gyda'ch cennad, mi ddois yma mewn cynnwr'.
BLYS:
Corff hanner coron! edr'wch yma lle mae'r Cariwr!
CARIWR:
Beth, chwi yrasoch imi o'r dre,
Gwmpeini annethe neithiwr.

BLYS:

1235
Ni wiw ichwi bicio imi'ch coegni lledwan,
Peth bynnag a yrrais, mi fynnaf i f'arian;
Ai tybed na 'rhosais ddigon o hyd,
A chonsidro'r byd sy rŵan?

CARIWR:

Diolch ichwi am eich cymdogeth,
1240
Tost iawn yw hi arnaf inne, osyweth;
Y wraig yn sâl a'r plant yn weinied,
Mi ges heb gellwer amryw golled.

BLYS:

O, colledion mawr anaele
Fydd y cariwrs yn ei gael o'u cyrre
1245
Wrth yrru a llwytho yn ddiwellhad
Yn eu ffoledd i wneud brad ceffyle.

'Phan ddelont i'r dafarn bydd neb fwy diofal,
Yn yfed ac yn bwyta ac yn meddwi heb atal,
Gan frolio'u ceffyle, na bydd, mewn hoff helynt,
1250
Mo'r ffasiwn dynnwrs â chêr amdanynt.

Ac yna cychwynnant i ffordd ar gerdded,
Ar ôl ysgorio a stripio stripied,
Clecian y chwip a chware *chee bo hwa*,
O! fel y byddant hwy'n cybola.

1255
A phan ddelon nhw adre ar ôl eu gwyrhydri
Bydd rhywyr prysuro i hel gofaint neu seiri,
'Ran odid o siwrne na bydd ar feth
Rywbeth â naturieth torri.

A dyna fel y byddant hwy ar eu trafel,
1260
Yn difa yn o ryfedd rhwng y dafarn a'r efel,
Lladd ambell geffyl a dryllio'r gêr,
A byw'n rhy ofer afel.

Gadel eu tir heb hau na gwrteithio,
Dim ond cerdded a gwybeta, mynd i'r dafarn i botio;
1265 Wele, oes ryfedd, mewn sylwedd syn,
I ffyliaid fel hyn er ffaelio?

CARIWR:
Wel, rydych yn barnu'n galed arnon.
BLYS:
Rwy'n dweud y gwir, mi ddalia' goron,
'Ran ychydig a welais o aur mewn pwrs
1270 Gan 'run o'r cariwrs gwirion.

CARIWR:
Nid oes mo'r help, mae'n rhaid i'w diodde
Pob rhyw gwilyddus fawr gelwydde;
Rwy'n meddwl nad oes neb o ddifri
Yn cymeryd mwy o slafri.

1275 Mae'n rhaid i gariwrs dendio'u gore
Ar bobl coed neu feistryd siope,
A chwedi hyn ni cheir ond coegni
Pan eir i ddisgwyl tâl neu gyfri.

BLYS:
Hw! lol anfuddiol feddw,
1280 Chwi ellwch beidio ymhel ag ynw;
Goganu'r bwyd a'i fwyta'n llawn,
Ai rheswm iawn yw hwnnw?

CARIWR:
Wel, rhaid i bawb, 'nôl trefn rhaglunieth,
Wneud yn deg eu galwedigeth.
BLYS:
1285 Ni chyfrwn i moni'n alwedigaeth dda
Os byddai arna i fyrdra am f'ardreth.

CARIWR:
Wel, os oes arna i rŵan fyrdra,
Gobeithio y trugarhewch chwi wrtha.
BLYS:
Na, nid wrth drugarhau ar hyd
1290   Y dois i yn y byd fel yma.

CARIWR:
Gobeithio y trowch y beilïaid ymeth,
Nad ewch mor filain â thorri 'mywolieth.
BLYS:
Os gwrandawa' i ar dy gŵyn di un tro,
Fo alle ca' i gwyno ganweth.

CARIWR:
1295   Gadewch imi, ertolwg, beth amser i'w talu.
BLYS:
Mi'th glywa' di'n grydwst, ond ni fedra' i fawr gredu;
'Ran o flewyn i flewyn 'r eiff y pen yn foel,
Ni ro' i arnat ddim coel ond hynny.

CARIWR:
Chwi gewch gen i a fynnoch – Ow! gwnewch â m'fi fwyniant;
1300   Mi drof mewn awch moddus y cwbl i'ch meddiant.
BLYS:
Wel, os ca' i fil *sale* ar gymaint ag sy,
Bydd hynny heb gelu yn galant.

CARIWR:
Cewch *fand* a *judgment* pob peth tan fy nwylo,
Os byddwch yn suful tu'g at fy safio.
BLYS:
1305   Dyna ben! Ni cheiff undyn graff,
Os ca' i fod yn saff o'm heiddo.

Ac mi ddweudaf iti'r Cymro,
Pa beth a wna' â th'di eto:

1310

Mi a' yn feichie i'th feistr tir yn ffri
Am ei ardreth, os ca' i ordro.

CARIWR:

Chwi gewch bob ystwythdra gen-i
Er mwyn fy nghludo oddi dan fy nghledi,
Ond rwy'n gobeithio'n bur ddi-nam
Na wnewch mo'r cam â myfi.

BLYS:

1315

Y fi wneud â th'di, 'machgen annwyl!
Mi wnaf â th'di'n well nag rwyt ti'n disgwyl;
Os ca' i fy eiddo fy hun mi safa' iti'n driw,
Heb eiriach, mewn amryw berwyl.

CARIWR:

1320

Wel, mi af i ffordd i wneud ar fyrder
Yr infentóri a'r *fand* trwy fwynder.   (*Exit Cariwr*)

BLYS:

Wel, canlyn arni hi'n bur glós,
A phaid ag aros llawer.

1325

Wel, bobl, mi ddalia' am bibell
'Mod wedi cael gafel ym mhen 'rhen gyfell;
Mi fedrais ei drin yn hyn o fan
Yn w'chol o ran fy nichell.

1330

Gwych gan fy nghalon i er yn hogyn
Gael lle rhywiog i dwyllo rhywun;
Ogystal gen i ymreibio ac ymwthio 'mhob man
I wasgu'r gwan 'ran gwenwyn.

Dyna ichwi'r modd godidog
Yr euthum i yn gyfoethog;
Wrth fod yn gyfrwys ym mhob gwŷn,
Ac yn debyg fy llun i'r llwynog.

1335   Fy sgil i wrth gogio rhywun
Ydyw dweud yn deg i gychwyn,
Ac addo'n glên wneud fy ngore glas
O'r help fo addas iddyn.

Ac ar ôl imi gael gafaelio'n gyfrwysgall,
1340   Mae gen i burion gwyneb arall:
Mi fynna'r fantes i'm llaw, er gwaetha pob llid,
Heb hidio'r addewid ddiwall.

Ni fedrais erioed na wnawn ryw daflied
Rhag sefyll yn fy ngair, os bydde imi golled;
1345   Gwell gen i rai 'ngalw yn gnaf o'm hôl
Nag yr elw i rhy ffôl i ffylied.

Enter MR. RHYFYG NATUR:

Gwaed cebystr, Mr. Blys y Cwbwl,
Oni fu arna i gryn gythrwfwl
Yn setlo pob peth allan ac yn tŷ
1350   I wneud y mater i fyny'n fanwl!

BLYS:
Na hidia ddraen yn hynny,
Fo geiff yr eiddo dalu;
Moes imi'r papure ar dwyn,
Fel darfu iti'n fwyn sgrifennu.

RHYFYG:
1355   Roedd y wraig yn crïo ac yn rhegi,
Ac yn bur annaturiol i wneud infentóri;
Dyma hi a'r fand yn hyn o fan,
Mi wnes i fy rhan, er hynny.

BLYS:
Gad imi eu gweled o ben bwygilydd;
1360   Yn siŵr mae arna i eisie sbectol newydd.

RHYFYG:

> A maint ydyw'ch busnes ym mhob traul,
> Chwi ddylech gael rhag cwilydd.

BLYS:

> Taw â sôn, ni wnawn yn burion,
> Mae'n ddigon hawdd gweled peth blesio'r galon;
1365 > Mi fedraf i ddarllain, yn abl triw,
> Infentóri, neu ryw faterion.

RHYFYG:

> Edr'wch yna ichwi yn y cychwyn,
> Dyma henwe'r pethe a'u pris gyferbyn.

BLYS:

> Wel, rydw i'n dallt, gad imi ar ffrwst,
1370 > Heb ddim o'r trwst, fynd trostyn.

> *There is the kitchen furniture* – O! gnafon uffernol,
> Roedd rhain yn difrodi yn anhyfrydol;
> Dyma lestri *tea* a phob rhiolti,
> Doedd rhyfedd i'r wraig er crïo a rhegi.

1375 > *Here is an account of chamber and butt'ry,*
> Gwlâu a dillad, styntie a phadelli;
> Doedd yma un crwc emenyn, mi wela'n fanwl,
> Y ceffyle cebystr oedd yn pori'r cwbwl.

RHYFYG:

> Dwy hen fyswynog oedd 'u buches heini,
1380 > A'r rheini'n wag hyllig a'u cyrn 'mron colli;
> Ni welodd neb, a phawb yn iach,
> Ddim gwacach, butrach bwtri.

BLYS:

> Gad iddo, gad iddo, mi ddown â'r gore,
> Dyma *account* o'r tai allan a phob tylle,
1385 > Y ceffyle a'r gêrs, a'r drol fawr goch,
> *Altogether*, a'r moch a'r gwydde.

Dyma bris y ceffyl Lïon
Yn bedair onid coron;
Ond cymrwn ni, cyn yr 'rhoson fis,
1390   Am ei geffyl e'r pris a gaffon.

Dyma dair punt ar y gaseg o bris wedi'u gosod,
A phumpunt am Narmon, rwy'n ofni'i fod yn ormod;
Dyma hen geffyl arall wedi'i brisio'n abl oeredd
I *fifteen shillings*, mae hyn yn o saledd.

1395   *One pair of wheels and two chests belonging:*
Price three pound and fourteen shilling;
Ffei! mae yma gymaint o geriach ofer,
Na wiw gen i mo'r henwi'r hanner.

RHYFYG:
Mae hyd yr heolydd yna eto ryw helion,
1400   A llawer o lanastr, a hen ddarne olwynion.
BLYS:
Dyna fel y gwelais, nad elwy fyth i'r Hob,
Gan y cariwrs ym mhob cyrion.

Ond ni wnawn yna ffair yn wisgi,
Ac a werthwn bob peth i'w grogi;
1405   Ni heliwn y cwbwl i'r fan a'r lle,
'N oed y trosol a'r darne tresi.

RHYFYG:
Dyna'r ffordd ichwi, Mr. Blysig,
I ddygyd ei dyddyn e yn ddigon diddig.
BLYS:
O, rydw i fy hun wedi dallt y tro,
1410   Mi a'i rhwydais e yn o garedig.

Nid rhaid imi bellach, mi allaf bwyllo,
Ddim gofal, myn Elian, mae'r gafel yn fy nwylo;
Mi allaf wneud, heb aros yn hwy
Ar gyfer, fel mynnwy ag efo.

RHYFYG:

1415 Wel, roedd ef, pan oeddwn i yn sgrifennu,
Yn lolian ac yn dwlian cae fo amser i dalu.

BLYS:

Mae newid ar siarad ym marn pob dyn,
Gwell gen i fy hun na hynny.

Beth dâl mynd i wrando pob história,
1420 Lle bo rhai yn gweddïo a'r lleill yn rhegi?
Ni chasglwn o arian, ddiddan ddawn,
Mo'r hanner pe gwrandawn y rheini.

RHYFYG:

Gwell un aderyn dygyn diwegi
Mewn llaw'n llonydd na dau hyd y llwyni;
1425 Wrth fentro a llywio efo hwn a'r llall
Mae llawer un call yn colli.

BLYS:

Ni rown i faw am ryw un meddal
Fo'n helpu'r gweiniaid i ymgynnal;
Oni fydd dyn yn ffyrnig ac yn ffast,
1430 Ni wneiff e mo'r cast ddim cystal.

RHYFYG:

Yn boeth y bo gwinedd rhyw garpie gweinied!
Gadewch inni afel mewn peth i'w yfed.

BLYS:

Mae fy safn inne, ar f'engoch fach,
Na fu odid hen sach cyn syched.

RHYFYG:

1435 Rŷm ni yn sefyll ac yn siarad yma ers orie,
Oni fydde'n onestach pe baem ni'n eiste?

BLYS:

Bydde hynny, tra bôm yn ein gwres,
Mwy cyson ar les ein coese.

RHYFYG:
Dyma at ein hiechyd da ni'n hunen,
1440   Pwy bynnag fo'n lliwied, byddwn ni'n llawen!
BLYS:
Dyma at iechyd da'r porthmyn ym mhob lle,
Drwy lawnder, ddŵad adre o Lunden!

A glywaist ddim sŵn ers ennyd
Beth mae'r newydd yn ei ddweudyd?
1445   Pe code'r catal, ac im glywed sôn,
Mi fyddwn ym Môn mewn munud.

RHYFYG:
Porthmyn Llansannan glywais i yn swnio
Dôi bris ar gatal heb atal eto,
Ac y code'r farchnad ym mhob lle,
1450   A bod rhyfel yn dechre rhwyfo.

BLYS:
Oni chlywais y milisia'n gwneud oer leisie,
Yn *sarjeants* ac yn *gorp'rals*, a llawer o garpie
Yn cadw sŵn y bydd raid mynd o'r sir,
Ai tybed mai gwir yw'r geirie?

RHYFYG:
1455   Fe fu bobl Dinbych, drwy danbaid gyfeddach,
Ers talwm yn Wstar, ni bydd odid rai gonestach;
Hwy adawson lawer ynghylch yr un oed
O'u hole, ni bu erioed rai haelach.

BLYS:
Nis gwn i, a deud y gwir yn bendant,
1460   Wneud o'r milisia yma 'rioed fawr lesiant,
Ond rhoi cost ar y wlad a chynnwys rhai i ddiogi,
A'u harwain yn y moddion i hwrio a meddwi.

RHYFYG:

> Wel, cynt y llysg yr odyn na'r sgubor,
> Gadewch inni yfed peth yn rhagor.

BLYS:

1465
> Mae 'nghalon inne, yn hyn o le,
> Megis yn dechre ymagor.

RHYFYG:

> Dyma at ein rhwydeb gael ffair glên
> Ar geriach yr hen Gariwr!

BLYS:

> Mi wranta' bydd o eto'n cwyno'n gaeth
1470
> O ran peth a wnaeth o neithiwr.

RHYFYG:

> Na hidiwn byth mo'r pethe,
> Gadewch inni yfed llond ein bolie.

BLYS:

> Ni waeth gen i pe'r yfwn yn hyn o fan,
> Heb eiriach, dan y bore.

RHYFYG:

1475
> Beth fydde inni yn ein hafiaith llawengu –
> Ydech chi yn chwennych dawnsio a chanu?

BLYS:

> Ni phrisiwn i ddraen, 'delwy byth i ddrwg,
> Mae f'wyllys i heb gilwg felly.

RHYFYG:

> Pa un wnawn ni gyntaf, ai canu ai dawnsio?

BLYS:

1480
> Dawnsio fydd ore, i gael inni ddeffro;
> Gallwn ganu pennill oddi ar ein pen ôl,
> 'N hoffusol, wrth orffwyso.

RHYFYG:

> Dyna ben! Cais ddechre'r Cerddor.

BLYS:
>Poeth y bo'ch rhigwm, 'rhoswch beth rhagor!
1485
>Gadewch imi setlo fy hun gerbron,
>Does wybod a wy'n ddigon sobor.

RHYFYG:
>Dowch yn dra milen, cynhyrfwch gymale!
BLYS:
>Mi wnaf yn odiaethol fel y gwelwyf i dithe;
>Beth nâd imi ddawnsio? Does dim haws,
1490
>Oni stopia' i ar draws fy stepie.

RHYFYG:
>Hyf ati hi'r hen geiliog,
>Dawnsiwch yn rhy gynddeiriog;
>O! iechyd i'r galon – mae digon o dyst
>Fod ganddo fo glust odidog.

BLYS:
1495
>Och fi, mi gollais chwyth fy mhibe!
RHYFYG:
>Wel, 'rhen gorffyn ystwyth, gwell ichwi eiste.
BLYS:
>Ni ddawnsiais i dro, 'rwy'n coelio, cyd
>Ers llawer byd o flwydde.

RHYFYG:
>Ni waeth ichwi p'run, gŵyr pawb ar gyfer
1500
>Eich bod chwi'n ddawnsiwr da yn eich amser.
BLYS:
>Ffei! ni ddawnsiwn i yrŵan yn fy myw'n glên,
>'Ran rydw i'n rhy hen o hanner.

>Mi fûm a ddawnsiwn â'r gore yng Nghymru,
>Oddieithr Peter Graig Lwyd, neu rywun felly.

RHYFYG:

1505   Mae'n hawdd inni ddirnad wrth eich llun
       Ych bod yn hen ddyn ystwythgry.

BLYS:

       Mi fûm pan oeddwn yn fy mlode,
       Doedd waeth gen i'n foddus pa ddyn a'm cyfarfydde;
       Go ffiaidd gen i rŵan glywed ar dro
1510   Lawer erthyl yn brolio'i wyrthie.

RHYFYG:

       Does ame yn y byd nad oeddych yn lysti,
       Dyma atoch, a diolch ichwi am eich cwmpeini!
BLYS:
       Diolch i chwithe un fodde heb feth,
       Ni a gawsom gwmnhïeth ddigri.

1515   Ni ches gymaint â hyn o fod yn llawen
       Er neithor Gaenor ach Iemwnt Owen;
       Dyna lle roedd pobl na welais i â'm clustie
       Erioed mo'r fath ddynion am ganu efo thanne.

RHYFYG:

       Wel, beth fydde i ninne ganu
1520   Ein hymadrodd fel y bôm ni'n medru?
BLYS:
       Dyna'r peth, y Cymro pur,
       Mae f' wllys i wneuthur felly.

RHYFYG:

       Tyrd, y Cerddor, cân, ertolwg,
       Inni *Well Met* neu *Gyfarfod Da* 'n amlwg.
BLYS:
1525   Cymer gê isel, ond e, ar gais
       Fo fydd yma lais maleisddrwg.

Canu bob yn ail odl:

RHYFYG:
Wel dyma, drwy hedd,
Gain hoyw-wedd gwmnhïeth mwyn ufudd mewn afieth,
Teg lanweth ein gwledd, er mawredd a mael.

BLYS:
1530   Hyfrydol wir fryd
A gwynfyd yw ganfod fy mraint a'm hawdurdod;
Ca'n barod trwy'r byd hoff hawddfyd heb ffael.

RHYFYG:
Cewch diroedd, cewch dai, cewch drysor di-drai,
Dro di-fai drwy dwyll.

BLYS:
1535   'Rôl hynny o riwl hoenus mi fyddaf yn foddus
Ŵr parchus mewn pwyll.

RHYFYG:
Cewch fwynder di-feth a'ch parchu ym mhob peth,
Yn berffeth drwy'r byd.

BLYS:
Ca'n wiwlan, chwi welwch, am f'arian ddifyrrwch
1540   A harddwch o hyd.
Yr arian yw'r nerth
A'r anferth wir wynfyd sy'n rhwyddaidd gyrhaeddyd
Dwys hawddfyd di-serth, gwawr brydferth gerbron.

BLYS:
Yr arian o hyd
1545   Yw'r bywyd ysbrydol a'r Manna dymunol
Gan bobol y byd mewn llwyrfryd yn llon.

RHYFYG:
Twyllwch bob dyn lle gweloch mewn gwŷn
Ryw lun ichwi o le.

BLYS:
Rwy'n dallt mai wrth gogio daeth y gwŷr mwya i'w heiddo
1550   Sy'n troedio pob tre.

RHYFYG:
Cogio ydyw'r cast, a delio'n bur ffast,
A gwasgu rhai ffôl.

BLYS:
 Dyna'r ffordd hynod daw braint ac awdurdod
 I'r aerod ar ôl.   *(Diben)*

RHYFYG:
1555 Wel, iechyd i'n calonne ac i bawb a'n canlyno!
 Mi dawaf i â chanu, os peidiwch â chwyno.
BLYS:
 Mae fy mhen inne, ers meitin byd,
 Yn o saledd, mae hi'n bryd noswylio.

 Rwy gwedi rhyw synnu ers ennyd,
1560 Ac yn gweled pob peth yn troi ac yn symud;
 Ni choelie'ch calon fel 'r eis yn bren,
 Ac mor llegach yw fy mhen a'm llygid.

 Ow! na fedrwn gerdded adre –
 Poeth y bo'r cwrw, pwy byth a'i care!   *(Exit Blys)*
RHYFYG:
1565 Pe baech wedi cysgu chwi ddoech i'ch co,
 Ymgroeswch rhag syrthio i'r grisie.

 Wel, rhyfeddol mewn amryw foddion
 Y bydd yr hen gybyddion
 Yn gollwng eu calonne'n glir
1570 I'r eitha pan hir ymrothon.

 Llaweroedd ym mhob cyfylrhi
 A hurtiais i o ddynion *hearty*;
 Yr ydw i, Rhyfyg, mewn llawer rhith,
 Fo fydde chwith fy ngholli.

1575 Y fi yw'r cydymaith tra diame
 Sydd gan yr hen boblach lwyd eu boche;
 Gwych ganddynt hwythau, tan wneud gwên,
 Siarad am yr hen blesere.

Ogystal gan ambell hen ddyn go lydan
1580   Frolio tipyn arno ei hunan,
A sôn fel y bydde fo, yn ei amser gynt,
Yn gwneuthyd helynt hoywlan.

Ymgampio ac ymswagro, curo'r rhai gore,
Â phob gorchestol nerthol wyrthie;
1585   Ac ni chyfrant mo ddynion yr oes hon
Ond rhyw geriach na thalon garre.

A nhwthe'r hen wragedd, oedd gynt yn rhwygo,
Â dillad da amdanynt heb falchder yn 'u dwyno;
Go ffiaidd ganthynt edrych tan y rhod
1590   Ar ffithlenod hynod heno.

Roedden nhw cyn llonned mewn parch a llawenydd,
Yn caru hwn a'r llall a'r trydydd,
Ac yn dawnsio am y fodrwy yn y fan a'r fan,
Ac ni chaen nhw hyd y Llan ddim llonydd.

1595   Fo fydde ymdynnu mawr amdanyn,
Gwŷr o hyn a hyn yn y flwyddyn;
Dyna drwst yr hen bobol a'u lol ddi-lwydd,
Mae celwydd yn eu calyn.

Tyrd tithe'r Cerddor, gwna ryw goeg harddwch,
1600   Rwyt tithe'n un o frodyr y pleser a'r hyfrydwch;
Llawer gwaith y buost yn gu,
Yn trystian i chwalu tristwch.

Fo ddywed rhai am awr geir yn llawen,
Na cheir mo honno yn brudd drachefen;
1605   Felly, canlyned pawb ei chwant,
Ffarwél mewn mwyniant, Meinwen.   (*Exit Rhyfyg*)

Enter LORD ANIMA:

Wel dyma fi'r truenus ddyn,
Lle mae pob gofid cas ynglŷn;
Er maint fy malchder a'm gwychder gynt,
1610   Rwy'n awr fel corsen yn y gwynt.

Mi gefais rybudd diarwybod
I fynd i ympirio â chyfri parod;
Ac am hynny rydw i'n glaf,
Nis gwn i yn wir pa beth a wnaf.

1615   Mae rhyw bigiadau trwydda i yn treiddio
Wrth feddwl am y siwrne honno;
Ac am hynny rydw i'n glaf,
Nis gwn yn wir pa beth a wnaf.

Mi welais gynt y cawn i gysur
1620   Anrhydedd Byd a Rhyfyg Natur;
Ple rwyt ti, Rhyfyg, yn dy wres?
Un tordyn wyt, O! tyrd yn nes.

Enter MR. RHYFYG NATUR:

Gwaed y cwd pwdin! Ni wn i ddo' i ai peidio,
Ni fûm erioed cyn saled, rwy agos â 'swylio;
1625   Fo'm trawodd y cramp fi yn nhrybydd 'y nhin,
Rhaid imi tros dipyn stopio.

LORD:
Tyrd ymlaen a thaw â'th ffoledd.
RHYFYG:
Arhoswch un munud a chymrwch amynedd,
Gadewch imi agor fy llyged ac edrych o'm cwmpas;
1630   A glywch chi? Mae gynnoch chi olwg atgas.

LORD:
Mae achos mawr imi gynhyrfu,
Rhaid imi roi fy nghyfri i fyny,

A sefyll yn y Farn ddi-feth,
Gerbron Gŵr pur a ŵyr bob peth.

1635   Ac am hynny, rwy'n dymuno,
A ddoi di gyda myfi yno?
RHYFYG:
Na ddaw mona i tra bwy [ag] ynwy chwyth
I'w olwg ef, byth, gobeithio!

Ond pedf'asit yn mynd i Gaer neu'r Mwythig,
1640   Neu dŷ dafarn neu blas gŵr bonheddig,
Mi ddaethwn efo thydi'n ddi-gur,
Dan rodio yn bur garedig.

LORD:
Ow! ai ni ddoi di gyda myfi?
RHYFYG:
Ni fedra' i mo'r dŵad, ni waeth iti dewi,
1645   'Ran rydw i yn clywed, synied serth,
Heb ddim cellwer, fy nerth yn colli.

Ond, os aeth dy galon di'n o gwla,
Mi af i yn hwylus (os myn' di) ac y nola
Ddoctor o Gyffylliog, neu rywun felly,
1650   Neu mi geisiaf ryw geriach o siop apothecári.

Neu, os nad oes arnat ond rhyw drymder,
Dos, gwrando ar hoff adlais telyniwr neu ffidler,
Yf gwrw a licers d'ore glas,
Ti elli gael blas ar bleser.

LORD:
1655   O, na! f'aeth gair cyfiawnder dicllon
Yn fwy effeithiol trwy fy nghalon.
RHYFYG:
Wel, nid oes gen i, ynte, ddim i'w ddeud,
Ond, 'Cennad iti wneud d'amcanion'.

LORD :
    Oni ddweudest y dysgaist im grefydd berffeth?
RHYFYG:
1660   Wel, oni ddysgais i yn bur heleth
    Iti'r un grefydd â pherson y plwy,
    A digon trwy'r gymdogeth?

LORD:
    Rwy'n ofni, trwy gerydd, na thâl hi mo'r garre.
RHYFYG:
    Wel, mae llawer, trwy gariad, yn 'i leicio o'r gore;
1665   Ond ni wn yn y diwedd, daeredd dw,
    Faint doethach fyddan nhw na th'dithe.

LORD:
    Wel dyma ddyrys dwyll drwy ymddiried,
    Y ffrind anwyla yn gwneud cyn waeled;
    Fy nghalyn cyd a throi oddi wrtha,
1670   Mewn gwael ateb, yr awr gleta.

RHYFYG:
    Ni waeth iti dewi â'th dwrddan,
    Mi a'th adawaf i di rŵan;
    Mi af ar fy rhedeg i wylmabsant Llanrhydd,
    Caf yno bob dydd le diddan.   (*Exit Rhyfyg*)

LORD:
1675   Wel dyna chwedel mawr i mi,
    Rwy'n ymyl torri 'nghalon;
    Ni cha' i ond hyn o ffarwel ffrom
    Gan y doetha o'm cymdeithion.

    Chi'm gwelsoch gynne, O! mor ffôl,
1680   Yn rhyfaith ganmol Rhyfyg;
    Rhaid imi rŵan droi fy nghân
    Yn gwynfan anian unig.

Canu ar 'Gwêl yr Adeilad':

Wel, heno mewn hwyl hynod
Rwy'n cwynfan ac yn canfod
1685   Fy nod annedwydd;
Wrth ganlyn Rhyfyg Natur
    Nid oes i mi ddim cysur,
Ond llwyr atgasrwydd;
Yn awr i mi mae'n ofid mawr,
1690   Wrth imi ystyried cyflwr f'ened,
A minne'n myned i weled cyfion wawr
Y Barnwr Mawr Tragywydd,
Sy'n Llywydd Nef a Llawr;
Tyn! Tyn! fy llwyddiant aeth fel llyn,
1695 Fy llawen degwch droes yn dristwch;
Mewn galar, gwelwch a theimlwch beth yw hyn,
Gwnâi'r ffrind anwyla 'ngadel,
Yn siŵr, mae'n chwedel syn.

Och! chwi'r rhai sydd yn brysur
1700 Yn canlyn Rhyfyg Natur,
    Yn bur eich bwriad,
Fe a'ch gedy hwn chwi'n ddie,
Pan foch chwi'n chwerw ddiodde
    Eich awr ddiweddiad;
1705 Chwychwi, O! ddynion ffraethlon ffri,
Sy'n awr yn chware yn eich plesere,
Fo fyddwch chwithe'r un fodde â myfi
Pan ddarffo'ch rhyfyg mwynlon,
Bydd creulon iawn eich cri;
1710 Maith, maith dragwyddol ydyw'n gwaith,
Rhaid chwilio o ddifri hen friw'n trueni
Sy'n gwaelod grawni, ni thâl mo in groeni'r graith
Rhag iddi dorri'n daeredd
Pan ddelo'n diwedd daith.   *(Diben)*

Enter ANRHYDEDD BYD:

1715
    Ow! fy hen anwylyd cu,
    Ai chwi sy'n canu cwynion?
    Pa beth yrŵan, freulan friw,
    Awch isel, yw'r achosion?

LORD:
    Achosion mawr yn awr i mi
1720
    I ollawl weiddi allan,
    Onid oes gymorth gennych chwi,
    O'm gofid, imi'n gyfan?

    Trwy wiwlwys ddawn mi weles ddydd
    Y cawn ar gynnydd gennych,
1725
    Ym mhob cyfyngdra, caetha cŵyn,
    Ryw siarad mwyn cysurwych.

ANRHYDEDD:
    Mi wnaf ichwi eto'n awchus
    Bob peth a'r allw i trwy bur wllys;
    Cewch gen i'ch cyfraid, hyd eich bedd,
1730
    O bob anrhydedd rheidus.

LORD:
    Mae hynny'n burion yn ei le,
    Ond llwyr gwae finne am f'enaid;
    Rhaid [?im] fynd at Ŵr di-nam
    I roi cyfri am bob cyfraid.

1735
    Os medrwch chwi, trwy heini hedd,
    Ryw help ddiomedd imi,
    Dymuna'i gael, wir hael fawrhad,
    Cyn mynd o'm gwlad i gledi.

ANRHYDEDD:
    Ni fedra' i fy hun mewn difri,
1740
    Na mynd na chychwyn efo chwychwi;
    Ond dwyn eich cost, hyd at y porth,
    Cewch hynny o gynnorth gen-i.

Pob peth, fel byddo'ch rhaid chwi'n rhedeg,
A gewch chwi gennyf yn ddiatreg;
1745   Nid alla' i roddi un dull o rym,
Na chynnig dim ychwaneg.   (*Exit Anrhydedd*)

LORD:
Ow! Ow! mi welais y cawn yn wiwlon
Gan hon yn siŵr bob rhyw gysuron;
Ni wnaiff hi ond fy ngado'n awr,
1750   Mae galar mawr i'r galon.

A chan fod pawb sy'n edrych arna
I'm gweld fel drych o'r cyflwr yma,
I roi ichwi siampal deg ar dwyn,
Mewn dirfawr gŵyn mi gana'.

Canu ar 'King's Farewell':

1755   Wel dyma'n amlwg olwg waeledd,
O! fel yr hudwyd fi gan Anrhydedd,
Ac yn 'r awr gleta ni ddoe ataf eto,
Cas yw 'nghodwm, ces fy ngado;
O! fel y daliwyd fi mewn hudolieth
1760   I ganlyn twrw fy naturieth,
A'm pen yn rhydd, nos a dydd,
Chwant beunydd fu'n benieth;
Mi es ymlaen heb gen i yn lanweth
Un enw o gyfri yn Nuw na'i gyfreth;
1765   Cyffelyb wyf i frenin Babel,
Ar ôl hir awchus rwysg oruchel;
Fy ynfyd fodd fel clwy a'm clodd,
Fo'm nesodd yn isel;
Am ganlyn Rhyfyg yn fy nhrafel,
1770   Rwy'n fwy anafus nag anifel;
Rwy'n llwyr druenus, boenus bennod,
Wrth gofio 'muchedd, faint fy mhechod;
Cofio 'ngwagedd, lygredd fywyd,
A'm llwybre gwantan, anian ennyd;

1775   Yn awr mi welaf, O! mor waeledd
        Ydyw'r byd a'i holl Anrhydedd;
        Lle cefais gynt gymdeithgar hynt,
        Mewn helynt mwyn haeledd,
        Nid oes yrŵan, egwan agwedd,
1780   Yr un yn dŵad yn y diwedd;
        Ni chawn o'r byd a'i holl hyfrydwch
        Ond arch ac amdo i'n gwylio, gwelwch;
        Ein cario'n fud i'r bedd o'r byd,
        A'n dygyd heb degwch
1785   I dŷ'r hir gartre, die y deuwch,
        Bawb un ddaliad, O! meddyliwch!   (*Diben*)

Enter CYDWYBOD:

        Wel, mi allaf inne fentro ymlaen,
        Mi welaf dy raen di'n waelach;
        Os ces fy nhaflu draw am dro,
1790   Daw 'nhafod eto'n hyfach.

    LORD:
        Ow! Ow! Cydwybod, rwy'n flin dybus
        Yn awr dan ofid aeth anafus;
        Rhaid imi fynd yn brudd gerbron
        Y Barnwr cyfion cofus.

    CYDWYBOD:
1795   Wel, mi ddof i, hoff egni heb ffo,
        Faith adeg, efo thydi;
        Ac mi a fynnaf union dâl,
        Yn wir ddiatal iti.

        Dy holl gyfrifon duon di
1800   Sydd gennyf i'n sgrifenedig,
        A'r modd y buost, hyd yn hyn,
        Yn rhyfaith ganlyn Rhyfyg.

LORD:
O! gwae fi'i ganlyn ef na'i goelio,
Fe ddarfu Anrhydedd ac ynte 'm rhwydo,
1805   Ac yn 'r awr dynna, llawna llid,
Mae'r rhain i gyd i'm gado.

CYDWYBOD:
Y fi, ni adawa' i monot byth,
O ran fy nyth a wneuthum;
Yn dy galon, anrasol wres,
1810   Y cefes achles awchlym.

Er imi gael fy nallu cyd,
A rhwystro 'myd bucheddol,
Mi fyddaf bellach yn dy drin
Yn wyniau blin anianol.

1815   Os ces fy mwydo a'm rhwydo ar hynt
Yn [y] dafarn gynt wrth feddwi,
Mae dy holl bleser dwysber di,
A'th cellwer, wedi colli.

LORD:
Cydwybod erwin, blin yw d'eirie,
1820   Rwyt ti yn fy marnu'n dost anaele;
On'd oes llaweroedd trwy'r byd hwn
Cyn gynddrwg, mi wn, â minne?

CYDWYBOD:
O, paid â'th rhagrith mewn un rhyw,
Ti a dorraist oll orchmynion Duw;
1825   Wrth fyw yn dy wagedd ffôl rhyfygus,
Ni wiw it ddisgwyl bod yn ddiesgus.

LORD:
Ow! Cydwybod, nod niweidiol,
Oes unrhyw foddion imi'n fuddiol,

Rhag imi, wrth deimlo 'nghyflwr gwan,
1830   Fod byth yn anobeithiol?

CYDWYBOD:
    Oes, mae help i'r sawl a geisio,
    Mewn dawn a nodded, mae Duw'n addo;
    Geill fod i tithe help o hyn,
    Ond crefu'n dyn amdano.

1835   Dos fel Naaman, t'wysog Syria,
    At ŵr Duw a thaer weddïa;
    Mae'n digwydd weithie i rai'r un wawr
    Gael ateb yn 'r awr gleta.

    Er blined ydwyf i, Cydwybod,
1840   Mae Gŵr eill ddiffodd fy holl drallod,
    Ond iti geisio hwn yn ffri,
    Cyn iti golli'r diwrnod.

LORD:
    Os rhynga bodd i'r hwn sy'n gyfion
    Roi imi nerth a gole 'nghalon,
1845   Ca' i, fel 'r afradlon, fynd i'r Fro,
    Ond imi geisio'n gyson.   (*Exit Lord*)

CYDWYBOD:
    Edryched pawb ar hyn o ddifri,
    Mae fel yn wrthrych o drueni,
    Y modd mae dynion gwaelion, gwelwch,
1850   Yn oedi'n fawr eu hedifeirwch.

    Peth tost yw gweled pawb ar goedd
    Yn canlyn Rhyfyg flysig floedd,
    Ac heb mo'r hidio ar eu rhediad
    Pa fodd y bydd hi'r dydd diweddiad.

1855   Am hyn, meddylied pawb mewn pwyll,
    Na wiw mo'r dilyn cnawdol dwyll;

Nid oes un cydymaith parod
A sai'n y diwedd ond Cydwybod.

Deliwch sylw ar hyn o sylwedd,
1860   Er cael ei hactio heno'n wannedd,
Gobeithio bydd i rai mor gall
Deimlo'i phwys yn fwy na'i phall.   (*Exit Cydwybod*)

Enter MR. BLYS Y CWBL:

Wale, moliant a gogoniant ac a gato imi geniog,
Mae llawer o rinwedd ar ddyn ariannog;
1865   Ni bydd dim siawns i neb, yn siŵr,
Pedfae leidr yn ŵr goludog.

Mi glywais rai'n brolio ac yn honio'n hynod,
Ac yn canmol mor dordyn eu ffrins a'u hawdurdod;
Ond ni welais i ffrind, mewn unrhyw fan,
1870   Purach nag arian parod.

Nis gwelais i'r cwmni gwiwlan,
Hyd yn hyn o'm hoedran,
Peth bynnag fydde i'w drin mewn gwlad neu dre,
Gwneid popeth o'r gore ag arian.

1875   O, mi ddarfu i mi gymryd heiddiw,
Yn hoenus, y tyddyn hwnnw;
Ond rydw i agos ag ofni y bydd, mewn gwŷn,
Yr hen gariwr yn ddyn garw.

Ond ni waeth gennyf i, 'ran hynny,
1880   Pa beth fyddo fo na'i deulu,
'Ran rydw i rŵan heb hidio neb,
O wir glydwch, gwedi gwynebgledu.

Ni bydda' i'n hidio mymryn
Pa beth a ddeuto undyn;

1885   Rhegan nhw'u gwaetha, drwy daera dull,
        Os ca' i ryw ynnill, ronyn.

Enter CARIWR:

        Ow! pam gwnaethoch â m'fi'r fath droue?
BLYS:
        Rydw i'n abal iach weithan, pa sut rydach chithe?
CARIWR:
        Dim gwell erddoch chwi, hen Iddew uffernol!
BLYS:
1890   Wale, ydi'r wraig a'r plant yn symol?

CARIWR:
        O, hen ffalswr digydwybod!
BLYS:
        Ydi, mae hi'n rhyw hin go hynod.

CARIWR:
        Mi glywn ar fy nghalon dy ladd di'n rhwydd
        Oherwydd dy ddihirwch!
BLYS:
1895   Os eiff hi'n law mi wrantaf i
        Y bydd digon o weiddi am degwch.

CARIWR:
        Cymryd arnat fod yn fyddar, pa be' ti'n ei feddwl?
BLYS:
        Pa beth, ai 'nghuro i wneiff y catffwl?
        Witness ohonoch, bod ag un!
1900   Mi fynna' i dy drin di'n fanwl!

CARIWR:
        Ai tybied na thriniasoch fi o'r trefnusa?
        Difetha f'eiddo i trwy gnafeidd-dra,
        Dwyn fy nhyddyn a'm hysbeilio –
        A theced roeddech imi'n addo!

BLYS:

1905   Ni waeth iti dewi â phregethu dy brygowthen,
    Nid ydw i'n hidio yn dy sŵn di'r un haden;
    Pam roedd raid imi fynd yn ffôl
    I fod yn ôl o'm bargen?

CARIWR:

    On'd oeddech yn addo y gwnaech chi gyfiawnder?

BLYS:

1910   Peth bynnag addewes, nid oes gen i fater;
    Ni wiw ichwi, imi, mewn taerni tost,
    Mo'r lliwiad – on'd yn gost 'r aeth llawer?

CARIWR:

    Ai tybed na cha' i mo'm tyddyn eto?

BLYS:

    No, I can't possibly – mae'r mater wedi pasio.

CARIWR:

1915   Y mae'n chwedl mawr os chwi 'i cymerodd.

BLYS:

    Ti elli goelio â sad reswm yn siŵr, mae'r sioe drosodd.

CARIWR:

    Ai nid oes ar eich calon ddim cwilydd o'ch gweithred?

BLYS:

    Nid wrth gwilyddio daw neb yn ddigolled.

CARIWR:

    Ow! gadewch imi gael fy nhir yn ddistaw.

BLYS:

1920   Ni choelia' i, ar f'engoch, yr a' i byth mor fangaw.

CARIWR:

    Nis gwn i yn ddiatal pa beth i droi ato.

BLYS:

    Wel, on'd ydych yn ddigon lysti i weithio?

CARIWR:

    Pa sut y cadwa' i 'ngwraig a'm teulu?

BLYS:

Os ydynt heb fod yn gryfion, ân allan i grefu.

CARIWR:

1925 Mi wranta' na chânt gynnoch chi mo'r pethe.

BLYS:

Gwir a ddeudest, ar f'einioes mi wrantaf inne;
'Ran nid wrth daflu f'eiddo tros garreg y garn
Y cesglais i yn gadarn gode.

CARIWR:

Rwy'n deuall yn y diwedd, ni waeth imi dewi,
1930 Fo alle daw Duw â digon imi;
Ond ni fedra' i byth wrth gofio'ch bai,
Ŵr hagar, lai na rhegi. (*Exit Cariwr*)

BLYS:

Ni waeth gen i o nodwydd, ac nid ydw i'n hidio,
Ped faet ti'n rhegi oni bydde'r ddaear yn rhwygo;
1935 Gan gael ohona i'r tir i'm llaw,
Di gei sefyll draw neu dreio!

Nage, welwch chi mor atgas
Roedd e'n taflu ei dafod diflas!
Mae'n rhywyr imi yrru yno un neu ddau
1940 I ddechre cau o gwmpas.

Mae yno hefyd, rydw i'n credu,
Un erw o waith branaru;
Rhaid imi drefnu ar fyr o dro,
'N ddi'feredd, fynd yno fory.

1945 Mae acw'r hen waith hwylio,
Cyn y ceir na threfn nac ordor arno;
Py cawn i fo unwaith wrth fy meddwl fy hun,
Fo dale, ŵyr dyn, amdano.

Enter CYDWYBOD:

Wel, rydych chwi'n ymledu'n ddie
1950 I drin eich tiroedd a'ch meddianne;
Os ŷch yn disgwyl mynd i'r ne,
Ow! mynnwch le i minne.

BLYS:

Mynnu i ti le! a fedri di weithio?
Mae gen i beth cwilyddus o waith cloddio,
1955 A gwaith iti i gau ag erwydd a pholion,
Pe medrit 'u dygyd nhw o gaue'r cymdogion.

CYDWYBOD:

Ni fedra' i wneud mo'r ffasiwn bethe,
Pe cawn i 'ngair, ni fedrech chwithe.
BLYS:
O, ni wiw iti aros yma i gadw noes,
1960 Os tynni di ryw groes gwestiwne.

CYDWYBOD:

Gadewch imi aros efo chwychwi,
Myfi yw Cydwybod, i'm hynod henwi.
BLYS:
O, mae digon hawdd gwybod wrth dy lun
Nad oes ynddot ti'r dyn ddim d'ioni.

CYDWYBOD:

1965 Mi fûm gynt yn gyfaill tirion,
Mewn da alwad, i'r hen dduwolion.
BLYS:
Mi allaf i wybod wrth dy wawr
Na thalet ti fawr yn borthmon.

Am hynny, Cydwybod, cais fynd heibio,
1970 Ni rown i gyngor i undyn fyth dy wrando,
'Ran na cheiff dyn na rhoi llw na rheg,
Nac agor mo'i geg i gogio.

CYDWYBOD:
    Wel, chwi dwyllasoch y Cariwr anghenus,
    Gan ddwyn ei dyddyn ef mor wradwyddus;
1975   On'd ydoedd hyn, mewn dygyn daith,
    Trwy anair, yn waith truenus?

BLYS:
    A glywi di, Cydwybod, mi fydda' i yn o debyg,
    Oni thewi di â'th chwedel cyn pen ychydig,
    Â rhoi dy fennydd di am ben dy draed,
1980   A'th curo oni bo'th waed hyd y cerrig!

    Dos, furgyn gwrthun gwarthus,
    O'm golwg i yn sydyn â'th geirie arswydus;
    Ond e, yn ddi-ffael, os deil y ffon,
    Mi dala' iti yn ddigon dilys.

CYDWYBOD:
1985   Wel, wel, nid oes mo'r help am hyn,
    Er cael fy nghuro a'm dwrdio'n dyn,
    Mi fydda' yn d'erbyn di eto'n dost
    Pan fych d' ar farw, yn wael dy fost.   (Exit Cydwybod)

BLYS:
    Hw! lolyn gorun-wirion,
1990   Cyn y gwelych d' fi'n farw, bydd dy ddannedd di'n fyrion;
    'Ran ni fydd neb farw ar fater bach,
    A goelia' i, mor iach ei galon.

    Rydw i'n fy nghlywed fy hun mor lysti rŵan
    Â phan oeddwn i yn ddeg-ar-hugian oedran;
1995   Mi fwyta', ac mi yfa', ac a gysga'n ddidrwbwl,
    [   ].

    A chan fy mod i felly yn fy iechyd mor hoyw,
    Nid ydyw ond oferedd imi feddwl am farw,
    Os cymera' i ofal wrth drafaelio'n ffri
2000   Rhag boddi neu dorri 'ngwddw.

Mae'n rheitiach imi edrych ar ôl fy meddianne
Nag ymlid rhyw ddiles wag feddylie;
By gwrandawn i ar Gydwybod yn cadw truth,
Ni wnawn i byth mo'r pethe.

Enter MR. CLEFYD MARWOL:

2005   Myfi, Clefyd Marwol, sy yn dy gymeryd.
     BLYS:
         A glywch chi, oni ddarfu i mi chwsu'n oerllyd?
         Mae iase yn 'y nghefn, a rhyw huchen glós
         Wedi dŵad tros fy llygid.

     CLEFYD:
         Mae'n rhaid iti farw, er cymaint dy fawredd.
     BLYS:
2010   Ti ddeudi gelwydd yn dy ddannedd;
         Ni fydda' i ddim farw, mi wrantaf i,
         Os ca' i apothecári i'm cyrredd.

         Ymhle mae'r llancie yma? Ceisiwch brysuro!
         Cipied un ohonoch chi geffyl dano
2015   I nôl y doctor ac i ddeud 'mod i'n sâl,
         Fo geiff gen i'r tâl a fynno.

     CLEFYD:
         Na chadw mo'r twrw ynghylch dy ddoctoried,
         Ni wiw iti weiddi, fe ddaeth dy ddiweddied.
     BLYS:
         Haro, mi wranta' do' i ata fy hun
2020   Yn lled hylaw, py cawn boteled.

     CLEFYD:
         Fel hyn rwyf i, Clefyd, yn clwyfo d'allu,
         Mi a drawa' yn greulon dy galon heb gelu.   (*Exit Clefyd*)
     BLYS:
         A glywch, oni chefais i ddyrnod blin?
         Dyma fi ar fy nhin, mi wn hynny.

2025 Ow! fy 'neidie, dyma helynt annedwydd,
Os rhaid imi farw ar cyn fyrred o rybudd,
A minne fel hyn oddi cartre cyn belled,
Rwy'n ofni'n ddigellwair y bydd imi golled.

A maint oedd fy meddwl i, Huw fo madde,
2030 Ddŵ'd adre'n hoff wrol trwy lawer o ffeirie,
Rhai'n Sir Fôn, rhai'n Arfon hefyd,
Yn lle hynny dyma finne'n methu symud.

Ow! 'ngheffyl annwyl inne,
Fydde'n 'nghario'n dra phur i ffeirie,
2035 Ow! 'nefaid a'm gwartheg – os rhaid imi'n fain
Farw, bydd i'r rhain oer fore.

Os rhaid imi adel fy holl lawndra,
A gado 'mhwrs melyn o'm hôl mor smala,
Fy ŷd a'm gwair, fy moch a'm gwydde,
2040 B'ase arw gen i feddwl mai dyma fel fydde.

O, ffei ddiawl! roedd anlwc a cholled
Imi fynd yn sâl a'r amser cyn brysured;
Nid oes fymryn o ofal ar un o'r llancie,
Mae arna i ofn 'r eiff y catal allan o'r coetie.

2045 Holo! Robin, Sionyn, yn lle chwerthin a swnio,
Ewch i edrych am y catal – y cythrel a'ch cato!
Mi fydd y lloue gyda'u mame wedi sugno gormod,
Ar ôl imi eu prynu f'eiff eu pyrse'n lliprynnod.

Enter DOCTOR:

What place do you find the sickness troubling?
BLYS:
2050 Rydw i, Meistr, er neithiwr, heb gysgu mo'r *nothing.*
DOCTOR:
Your pulse does work very fast.

BLYS:
> Iechyd i'r galon os ca' i help trwy ryw gast.

DOCTOR:
> *I must look to Aristotles,*
> *His Book of Aggrievánces.*

BLYS:
2055
> 'Min y nos neithiwr, yn ymyl Cae'r Llech,
> Mi roesym rech bur iachus.

DOCTOR:
> *Here's for you one bottle of pleasant water.*

BLYS:
> [A] raid imi yfed hon, fy meister?

DOCTOR:
> Yes, byddwch siŵr o gadw deied.

BLYS:
2060
> Mi wna' fel peroch chwi ym mhob darparied.

DOCTOR:
> Ffarwel *now, I'll come tomorrow.*   (*Exit Doctor*)

BLYS:
> Cofiwch ymorol rhag ofn y bydda' i marw.
> Mae'r ffisig yn f' ngherdded o'm sowdl i'm corun –
> Yn boeth y bo'i winedd, ni wn i a roes imi wenwyn!

2065
> Mae rhyw iase'n 'y ngherdded – roedd diawl fy nghorddi
> Pan wnawn i ar gynnydd gymaint o ddrygioni;
> Ymlid Cydwybod – mae honno'n awr
> Mewn penyd mawr i'm poeni.

> Och! fel y twylles i mewn chwant hollol
2070
> Bawb a'r fedrais i, mae 'nrwg i yn anfeidrol;
> Ni hidiais i 'rioed na dyn na Duw
> Mewn awydd, ond byw'n annuwiol.

> Tyngu a rhegi'r celwydd digwilyddia
> I dwyllo pobl wrth farchnata;

2075   O, faint heliais dan fy llaw
        Drwy gamwedd draw ac yma!

        O'r cerdded a'r swlian y byddwn i'r Sulie
        I chwilio am fargeinion, fel y clywsoch chi gynne,
        Heb fymryn o barch i ddarlleniaid yn y byd,
2080   Oddieithr rhyw fowlyd filie!

        Mi fydde arna i flys, ynte, yn fy nghalon,
        Bob peth a welwn gan 'y nghymdogion;
        Os bydde ganthynt rywbeth gwell na m'fi ryw dro,
        Mi fyddwn yn ymwenwyno'n union.

2085   Ac felly rwy'n cyfadde ar ôl pob cyfeddach,
        Os oes Uffern, nid oes dim saffach,
        Oni ddaw drugaredd rhyfedd i'm rhan,
        Nid oes i mi fan gyfiownach.

        O! chwi y rhai sy'n chwerthin a gwawdio,
2090   Fo ddaw'r amser annedwydd y byddwch chi yn ochneidio!
        Nid yw hyn ond rhyw gyff'lybiaeth fer,
        Gwelwch 'i bod yn amser gwylio.   (*Exit Blys*)

Enter MR. RHYFYG NATUR:

        Wel, bobl annwyl Babel enwog,
        Dyma Mr. Blys y Cwbl, oedd gynt yn ŵr cobog,
2095   Heb feddu dim mewn awchlym nod,
        Yn y diwedd, ond cydwybod euog.

        Chwi a'i gwelsoch ef gynt yn brysur
        Yn fy nghanlyn i, Rhyfyg Natur;
        Ni chadd e yr awron, am fyw'n ddi-ras,
2100   Ond ymado'n gas ddigysur.

        Ac felly, ystyried pawb ei dreigliad,
        Ar ôl pob ffoledd, does fawr gaffaeliad;

Bid tlawd, bid cyfoethog, ar dir neu ddŵr,
Mae'i ddiwedd e yn siŵr o ddywad.

2105   Nid oes yma neb yn hidio un haden,
Mwy na'r rhai fu'n lladrata dan y crocbren;
Nid oedd y rheini ar hynny o dro,
Mae'n debyg, fawr gofio eu diben.

Felly, ni waeth i minne'n wisgi
2110   Droi talcen ar fy stori;
Nid ydyw sôn am farw, oni bydd rhywun pur sâl,
Ond chwedl na thâl mo'i chodi.

'Ran mae wllys pob dyn am allo
I bellhau'r dydd drwg oddi wrtho,
2115   Trwy beidio ag ofni, na phrofi'n ffres,
Naws dialedd nes y delo.

Mae llawer ohonoch yn llwyr heini,
Yn chwerthin trwy anhap am ben eu trueni,
Fel pe na bydde rhyw esample syn,
2120   Un achos, yn perthyn ichwi.

Pan glywo ambell un ryw eirie pigog,
Fo'u cynhwysiff ynte nhw i'w gymydog,
Gan farnu ar arall y beiau a'r wŷn
Y bo fo'i hun yn euog.

2125   Felly, gwych gan ofer ddyn diddeunydd
Gael clywed cablu a lladd ar y Cybydd,
A gwych gan hwnnw ladd, ei hun,
Ar yr ofer, heb un gair ufudd.

Gwych gan y balchddyn llidiog
2130   Anadwys a lladd ar y diog,
A gwych gan y diog swrth tylawd,
Gael lladd ar ei frawd cyfoethog.

Ac felly gosododd Satan
Bawb ar ei fwyd ei hunan;
2135   Nid yr un abwyd a garan nhw oll,
Ac ni chw'rant â'r un digoll degan.

Er nad yw pawb un orchwyl,
Mae'u bwriad nhw at yr un berwyl;
Pob un â'i naws tan y bwystfil a'i nod,
2140   A'i dyniad at ei bechod annwyl.

Ni waeth imi hyn o ddwndro,
Ni cheiff chwedl Ffŵl mo'i choelio;
Ond mae ei Gydwybod yn ddigon o dyst
I'r neb sydd â chlust i wrando.

2145   Cofiwch, bawb ar gyfer,
A bernwch fel na'ch barner;
Gobeithio na ddigiwch wrtha i'n glir
Am dannu ichwi'r gwir mor dyner.

Ond mi wrantaf am 'r ifienctid,
2150   Na welan nhw arnom ni fawr o lendid;
Eisie mwy o ddigrifwch yn 'r *interlute*,
Bydd y dadl a'r disbiwt, ond odid.

Fo ddywed rhai mai gwell ei hagwedd,
A mwy llawenach, oedd honno'r llynedd,
2155   Bod hwn gerllaw i blesio pob llu,
Yn ei waelod, yn rhy dduwioledd.

Fo ddaw ambell wenwyngi mawr ei ogan,
Ac a ddywed yn wallgofus nad ydyw'r holl gyfan
Ond rhyw ddyfais ffôl, afreidiol frad,
2160   I dwyllo'r wlad am arian.

Er bod ambell un mor donnog
Yn gwneud gwefle fod inni ormod o gyflog

Gobeithio nad oes yma neb mor ffôl
Ag y cwynant ar ôl eu ceniog.

2165   Ni waeth ichwi dewi â'ch gwawd a'ch absen,
Goganu'r bwyd a'i fwyta drachefen;
Nid oes yn eich denu at Dwm o'r Nant
Ddim chwaneg na'ch chwant eich hunen.

Gan hynny'r cwmni hynod,
2170   Dyma hyn o derfysg braidd â darfod,
Oni ddawnsia' i ryw chydig yn hyn o fan
Yn wenieithus o ran genethod.

Pwy bynnag nad oedd yn ein leicio,
Na ddoed ddim atom eto;
2175   Nid a' i ddawnsio ac i ledu 'ngheg
Ddim chwaneg. Nos dawch heno.

Y Diweddglo, neu'r Epilog:

Y cwmni mwynion, rwyddion roddiad,
Fu'n rhoddi diwael fwyn wrandawiad,
Gobeithio bod rhyw rai'n ystyriaeth
2180   Hyn i'w threio fel athrawiaeth:
Chwi welsoch ddiffyg dyn llygredig
Am ganlyn Rhyfyg rhwydd;
Nid oedd i'w galyn ynte i'r gwaelod
Ond ei Gydwybod, syndod swydd.

2185   *Duw cadw'r Brenin, fyddin foddus,*
A pharchus deulu'r ffydd,
Yn Eglwys Loeger, iawnder undeb,
Mewn gwir ddisgleirdeb, rhwydeb rhydd.

Mae achos mawr i bawb ystyried
2190   Pa fodd bydd diwedd eu 'madawied;
Cydwybod bur, drwy Grist a'i rinwedd,
A fydd y cyfaill yn y diwedd;

Am hynny, gwelwn, gwyliwn goledd
Anrhydedd, balchder ben;
2195   Mewn glân Gydwybod, barod buredd,
Mae gore mawredd, gwir, Amen.

Duw cadw'r Brenin, fyddin foddus,
A pharchus deulu'r ffydd,
Yn Eglwys Loeger, iawnder undeb,
2200   *Mewn gwir ddisgleirdeb, rhwydeb rhydd.*

DIWEDD

Byrfoddau

AHJL	A. Cynfael Lake, gol., *Anterliwtiau Huw Jones o Langwm* (2000)
ALB	John Davies, *Antiquae Linguae Britannicae ... Rudimenta* (1621)
arg. gwr.	yr argraffiad gwreiddiol
BB	*Bannau y Byd*
BBCS	*Bulletin of the Board of Celtic Studies*
CaTh	*Cyfoeth a Thlodi*
Cf, cf	cymharer *neu* cymharer â
CIGE	Henry Lewis *et al.*, *Cywyddau Iolo Goch ac Eraill* (1937)
CFG	Melville Richards, *Cystrawen y Frawddeg Gymraeg* (1938)
d.a.	dim argraffnod
d.d.	dim dyddiad
d.g.	dan y gair
DNB	*The Dictionary of National Biography*
FF	*Y Farddoneg Fabilonaidd*
GCC	D. Simon Evans, *Gramadeg Cymraeg Canol* (1951)
GDG	Thomas Parry, *Gwaith Dafydd ap Gwilym* (1952)
G-EM	Bruce Griffiths, gol., *Gwerin-Eiriau Maldwyn* (1981)
G-ESG	John Jones (Myrddin Fardd), *Gwerin-Eiriau Sir Gaernarfon* (1907); adarg. gyda nodiadau gan Bruce Griffiths (1979)
GPC	*Geiriadur Prifysgol Cymru*
GTE	Isaac Foulkes, *Gwaith Thomas Edwards (Twm o'r Nant)* (1874)
JM-J	John Morris-Jones
ll.	llinell
ML	J.H. Davies, gol., *The Letters of Lewis, Richard, William and John Morris of Anglesey* I, II (1907-9)
OED	*The Oxford English Dictionary*
PCG	*Pedair Colofn Gwladwriaeth*
PG	*Pleser a Gofid*
TCHSDd	*Trafodion Cymdeithas Hanes Sir Ddinbych*
TCHSG	*Trafodion Cymdeithas Hanes Sir Gaernarfon*
TChB	*Tri Chryfion Byd*
TChD	*Tri Chydymaith Dyn*
WGS	Edward Anwyl, *A Welsh Grammar for Schools*
WS	John Morris-Jones, *Welsh Syntax*
WVBD	O.H. Fynes-Clinton, *The Welsh Vocabulary of the Bangor District* (1913); adarg. yn cynnwys *Appendix* (1995)

Nodiadau ar *Cyfoeth a Thlodi*

3 bod ag un. Gw. Nodiadau Ifor Williams yn *Armes Prydein*, tt. 38-9. Wrth drin datblygiad *amygant* > *namwyn* > *namyn* dwg i fewn enghraifft o ddatblygiad gair neu ymadrodd a oedd eto ar lafar naturiol cyffredin yn y gogledd (fel yn wir yr oedd *namyn* yntau): heb ado un > bado un > bod ag un. 'Bob un' yw'r ystyr, ac mae'n ymadrodd cyffredin yn yr anterliwtiau.

8 Y byddwch fel finne'n fwynion. Y mae *mwyn* yn air a geir yn bur aml yn rhyddiaith a barddoniaeth yr oes – yn sicr, y mae'n frith trwy'r anterliwtiau (ystyrier poblogrwydd y dôn a elwir *Glan Medd-dod Mwyn*). Pan fo cymdeithas, neu genedl gyfan i bob pwrpas, dan ormes gyffredinol o osodiad arni oddi allan, gall ymddygiad hawddgar ei haelodau unigol tuag at ei gilydd fod yn fodd, o bosibl, i liniaru a thyneru peth ar y caledi byd hwnnw.

Yr oedd lluosogi ansoddair a thrin y lluosogiad hwnnw wedyn fel enw yn un o deithi mwyaf defnyddiol yr iaith iach, ac yr oedd yr un peth yn wir am y ffurf unigol gysefin i raddau llai; o anterliwtiau Twm o'r Nant yn unig, digoned y pedair enghraifft hyn: 'Ymgaledu a byw'n *glydion*, 'run moddion â m'fi.' – CaTh, ll.764; 'Ni fyddwn yn *lewion* pan êl hi i lawio.' – CaTh, ll.1213; 'Roedd tenantied yn byw'n *glydion*.' – TChD, ll.465; '('R hen faeddod) yn rhy *feddwon*.' – PCG; heb anghofio wrth gwrs deitl anterliwt arall gan yr un awdur, sef 'Tri *Chryfion* Byd'. Bu'n nodwedd ar yr iaith o'r cychwyn, o'r Cynfeirdd ymlaen, lle gwelir lluosogrwydd mawr o enghreifftiau.

Gwanhaodd y nodwedd hon ar y cyfan gyda'r duedd ar hyd yr ugeinfed ganrif i gaethiwo'r iaith yn llawforwyn i'r Saesneg a'i theithi hithau. (Dylid cofio mai efelychiad yw'r cyfenwi a geir ym myd chwaraeon y dyddiau hyn – y Cochion, y Duon, &c. – ar ochrau pêl-droed neu rygbi; oni bai digwydd bod yr arfer yn un 'gynhyrchiol' yn y Saesneg, y mae'n anodd credu, ac edrych yn ben oer – neu'n wrthrychol – ar dueddiadau'r iaith ar hyd yr ugeinfed ganrif, y'i gwelid o hyd yn y Gymraeg.)

11 Heb ddim ond dau Ffŵl, ar hyn o dro: sef Twm ei hun, yng nghymeriad y Ffŵl, a'i gyd-actor. Sonia Twm yn yr Hunangofiant am wneud yr anterliwt hon, yn ogystal â'r un a ysgrifennodd ac a ganlynodd ar ei hôl, sef *Tri Chydymaith Dyn*, ar gyfer dau, yn lle'r pedwar a gafodd rannau (gan ei gynnwys ei hun) yn y *Farddonaeg*. Gw. ll.15, TChD a'r nodyn arni.

13-4 Rŷm 'run fath â *sign* y ddau bendefig/Sydd ar y ffordd rhwng Rhuthun a'r Wyddgrug. Gw. nodyn 19-22 isod.

16   Mae **hwyrfrydig** yma'n cyfeirio at y sawl sydd am aros yn hir yng nghwmpeini 'dau Ffŵl' yr anterliwt. Hirymarhous, amyneddgar.

19-22   *'Here's a company of loggerheads in this place,*
                 My brother's face, good morrow!'//
                 Gwaed calon gwrthwyneb cusars!
                 Ond rŵan y gwela' i fy nghyd-ysgolars.

(Cynrychiola'r arwydd [//] yma wahaniad rhwng diwedd un pennill a dechrau'r nesaf.) Ni ŵyr gwybodusion ieithyddol y Saeson darddiad yn eu hiaith yr elfen *logger* yn y gair *'loggerhead'*, ond dyfalant ei bod yn cynrychioli'r syniad yn ôl ei sain o *drwch mewn peth* neu *dewdwr pen* gan mai dyna a awgrymir yn ystyron cyffredinol pan ddigwydd. Ni wyddys dim chwaith, fe ymddengys, ynghylch tarddiad yr ymadrodd *we three loggerheads*, ond fe geir cydsyniad fod cyfeiriad ato gan Shakespeare yn *Twelfth Night* – Act II, Gol. 3:

    'How now my harts: Did you never see the Picture of we three?'

Edmund Malone o feirniaid y Saeson a'i gwelodd gyntaf. Gw. nodyn H.H. Furness yn ei argraffiad o *Twelfth Night or What You Will* (1911), t.108.
    Ymddengys mai yn sgîl cweryl a gododd rhwng rheithor y plwyf ac un o berchnogion tir yr ardal y rhoed arwydd o'r enw *We Three Loggerheads* o'r tu allan i dafarn gerllaw Tafarn y Celyn ym mhlwyf Llanferres am y tro cyntaf – dyna'r 'ddau bendefig' uchod, a'r trydydd *loggerhead*, mae'n debyg, yw'r edrychydd am iddo fod mor hurt â rhoi ei sylw i'r ddau gecryn. Fel yr awgrymwyd uchod, buasai eisoes yn hen arwydd ar dafarndai yn Lloegr ers canrifoedd lawer. Y mae traddodiad mai'r arlunydd enwog Richard Wilson a baentiodd arwydd y dafarn yn Llanferres, ond go brin bod hyn yn gywir. Yn y flwyddyn 2001 aeth perchennog y dafarn â'r llun i ffwrdd gydag ef i Loegr, gan achosi cryn ffrae – sydd yn eironig a dweud y lleiaf! (Gweler yr adroddiadau yn y *Daily* Post, 22.6.00 a 5.7.02.) Yn y llun mae'r ddau yn llythrennol *wrthwyneb* â'i gilydd. Defnyddir y gair Saesneg *kisser* am *wyneb* weithiau yn yr iaith honno (gwrthwyneb *cusars*).

29   Gw. nodyn 279-316, TChD ar yr arferiad o enwi merched oddi ar y 'llwyfan' a thynnu arnynt fel modd i godi hwyl gwrando a gwylio ar y dorf.

36 A'r bwtog fwyn gan Beti. Ceir yma hen gystrawen awdurol a gofnodir gan John Davies, Mallwyd, yn ei *Antiquae Linguae Britannicae*, t.155. Y mae 'Beti' mewn cwmpeini enwog – un o enghreifftiau'r Dr. Davies yw 'y milwr gan Arthur'. Cf. TChD, ll.136 : *A'r cene gan Mr. Cynnen*; a ll.142 : *A'r hen remwth gan Mr. Amwyll*. Fe ellir meddwl ar y cyntaf nad yw'r ystyr yn newid dim o dynnu *gan* ymaith – fe all ymddangos felly i ni yn yr oes hon o leiaf. Ond eto, mae yma *ddannod* i'w ganfod, a *choegni* hefyd. Ceir enghreifftiau o'r un gystrawen yn *Morris Letters*. II, t.522 : '...'r hen globen gan y fygfa.' A dyma'r coegni yn y ddwy enghraifft ganlynol o'r un ffynhonnell : '... hi'r gymdeith'rag gan y frech wen,' I, t.234; '... o'r gwr gonest gan Lan Gwm,' II, t.541. Ceir cystrawen debyg yn ddigon cyffredin o hyd yn defnyddio'r arddodiad *i* yn lle *gan* a rhagenw yn lle enw ('yr hen gena iddo fo'). Yn ll.1343-4 yn yr anterliwt hon ceir *Mi ddawnsiaf i beth heb hidio mo'r bin/Yn 'rhen leidr gin Dylodi*.

39-40 Fe eiff hon acw i chware pwt,/Mae drwg yn ei smwt hi ers meitin. Dyry Isaac Foulkes (GTE) 'adre'n dwt' yn lle *i chware pwt*, gan awgrymu o bosibl ei fod yn deall ystyr aflednais i'r ymadrodd. O'r Saesneg *'put'* y daw'r gair a'i ystyr yma yn 'rhoi llaw ar (gorff merch).' Gan hynny, dwg *smwt* yntau yn y llinell nesaf ystyr o'r un natur yn ei sgîl. Mae ll.44 – *A'r lleill yn fydol fudur* – i'w chymhwyso at y frawddeg hon.

49-50 Traethydd: Wel, dos i lawr a phaid â'th cyffro./Ffŵl: Cymerwch yn dender, peidiwch â dondio. Nid y Saesneg *'taunt'* fel y dyfelir yn GPC ('[?bnth. S. (to) taunt]') a roddodd *dondio* yn y Gymraeg, ond *'don't '* – fel y dangosir yn amlwg iawn yn y cwpled hwn. Digwydd y diffyg treiglad, *a'th cyffro*, rai troeon yn yr anterliwtiau.

59-60 Ond taro'r ddynes acw a wnawn,/ Yn ei gaflach, pe cawn i gyfle. Troes Foulkes *ddynes* yn 'ddynan' a *gaflach* yn 'aflach' i dynnu ymaith yr elfen fasweddol (gw. uchod) gan ddifetha'r gynghanedd i'r fargen.

62 Os cewch chwithe gyfleustra, chwi fedrwch gynichio. Dihangodd y ll. hon yn ddianaf rhag sensoriaeth y Llyfrbryf gan fod ystyr arall i'r gair, mae'n debyg. Mae ystyr o *ddryll o gig* i'r enw 'cnuch' yn ogystal â'r un rywiol fwy hysbys. A oedd, tybed, ferf o'r enw hwnnw, sef *cnuchio* = *cyn(h)ichio*, a'r ystyr iddi o *darnio, dryllio, llarpio*, &c.?

67 a 69 Pe cae rai hynny ... /A phe cae lawer llencyn... . Dyma ddwy enghraifft yn hwylus o agos i'w gilydd i ddangos yr hen arferiad gynt o dreiglo cytsain gyntaf y goddrych ar ôl ffurf amherffaith ar y ferf.

71 Mi wrantaf y byddent hyd at y bôn. Newidiodd Foulkes hon i 'Mae llawer un oddi yma i Fôn'.

76 cenhioge. Gw. y Rhagymadrodd.

80   Gan fyned o ddisgwrs mor fanwl. O'r Saesneg 'discourse' y daeth *disgwrs/dysgwrs* wrth gwrs, a rhoes y ffurf honno yn ei thro y ffurf fwy cyfarwydd heddiw, sef *sgwrs*. Mae wedi hen ennill ei phlwy yn yr iaith, ond fe aed i'w hystyried yn anharddwch annheilwng arni yn ystod y cyfnod hwnnw o lengarwch mawr a ddilynodd dranc yr anterliwt. Y llengarwch mawr hwn, a gododd o blith gwerin ddeallus yn union linach torfeydd yr anterliwt, a'i gwnaeth yn bosibl esgor maes o law ar y mudiad colegol y cysylltir enw John Morris-Jones yn bennaf ag ef erbyn hyn. Rhoed parch newydd i'r gair gyda '*sgyrsiau* radio' mawrion fel Ifor Williams o'r cyfnod cyn yr Ail Ryfel Byd ymlaen. Y mae'n dueddd erbyn hyn, er gwell neu er gwaeth, i 'fenthyciadau' o'r Saesneg, unwaith y caffont sêl bendith 'yr iaith gyhoeddus' fynd yn rhemp ynddi ar draul tlodi'r geirfaoedd cynhenid. Gosododd Cyngor Sir Gwynedd arwyddion strydoedd newydd yn ddiweddar, yn lle'r hen rai cyfarwydd, yn darllen DIM GEMAU PÊL.

81-96 Bu'n Nimbych yn actio'n hynod ... Ei dible i chw'ryddion Dublin. Daeth cwmpeini o actorion o'r enw Company of Comedians o Theatre Royal Dulyn dros y dŵr i Gymru ac 'agor' ar y cyntaf o fis Hydref yn Neuadd y Dref, Dinbych yn y flwyddyn 1766; ac yno y buont ar hyd y mis yn mwynhau addoliant pobl y dref; gw. Cecil Price, *The English Theatre in Wales*, tt.32-5 a phennod ix.

94   Am yr *actors* mewn awydd ar fynd yn iwin. Camraniad ymadrodd a geir yn **yn iwin**. 'Diwyn' – yn niwyn > yn iwyn/iwin = gwyllt, gorffwyll. Y mae'n brifo Twm druan i'r byw fod y 'rhyw deg' yn colli'u pennau'n lân ar y thesbiaid estron.

99-100 Ped faed yn cyrchu ond calie o bell,/Mae'r rheini yn well o'r hanner. 'Chwar'yddion' a geir gan Foulkes yn y cwpled hwn yn lle 'calie'. Mae'r enghraifft fechan hon o sensoriaeth yn dangos yn gryno yr effaith y mae'n medru ei chael ar feirniadaeth lenyddol; gall, yn wir, arwain at ysgrifennu pethau chwerthinllyd mewn anwybodaeth. Yn *Twm o'r Nant*, D.D.Williams, t.267, dyfynnir y cwpled yn hollol ddiniwed fel y'i ceir gan Foulkes dan y pen *Doniau o bell*!

101-2 Wel, dos i lawr, gad i mi le/I roi testun y chware allan. Y drydedd waith mae coel – yma mae'r Traethydd yn llwyddo o'r diwedd i hel Iemwnt Wamal (Twm yn rhan y Ffŵl) oddi ar y llwyfan.

106 Dymuno'ch gosteg fwynlan. Cf. *begio'ch pardwn* (heb redeg y ferf).

112 Maith lydan, a Thylodi. Deil JM-J (*Orgraff yr Iaith Gymraeg*, t.50) nad oes sain i'r *y* yn *t*[*y*]*lawd* – nad llafariad ymwthiol mohoni, ac nad yw'n troi'r gair yn ddeusill. Mae'n amlwg fodd bynnag fod sain yn aml iddi yn y gair hwn yn ogystal ag yn *tylodi* – sydd, wrth gwrs, yn deirsill – yn yr anterliwtiau ac mae'r mesur yn gofyn ei dodi yma, fel mewn mannau eraill am yr un rheswm.

128 I ddweud ei dyniad annoeth. O ll.893 ymlaen ceir pedwar pennill o lefaru gan Cyfoeth yn diweddu â'r llinell *I ddweud beth ydw i mewn gwirionedd,* sef gwrthrych cyfoeth, a chanu wedyn ar *Merionethshire March* ganddo. Rhybudd ar gân ydyw i'r rhai a gafodd gyfoeth beidio â'u twyllo eu hunain i feddwl nad o ragluniaeth Duw y daeth. Cf. 'Y sawl a gadd gyfoeth, mae'n annoeth y nod/Na roe fo i Dduw'n bendant iach lwyddiant a chlod,/Yn lle ymfalchïo a chwyddo mewn chwant.' – ll.925-7.

151 Ac ynte sy'n ei dynnu'n wâr: sef trwy deg, trwy weniaith. Cofier mai twyll a chast yw hoff arfau'r Cybydd, yn ôl ei ymffrost ei hun. Y mae'n bleser ganddo 'drin y byd'.

152 I roi judgment ar ei eiddo. Rhydd yr OED, ymhlith diffiniadau eraill, y diffiniad cyfreithiol hwn o *judgement*: '*An assignment of chattels or chattel-interests made by judgement or decree of court; the certificate of such judgement as a security or form of property.*'

163-4 Ymadewiff ynte o'r clwyfe a'i clodd,/Mewn gwaraidd fodd, i'r gweryd. O fysg diffiniadau GPC d.g. *cloaf*, ceir 'rhwymo'n gaeth', sydd fwyaf addas yma o'r cynigion. Mae hefyd flas cryf yr ystyr a gyfleir gan y gair Saesneg 'incapacitated' i'w glywed arno, ac o adael i'r meddwl weithio ar y gair fe ellir cynnig syniadau fel *o'r clwyfau a'i hanalluogodd, a'i cyffiodd (yn ddiymadferth), a'i diymadferthodd, a'i diffrwythodd,* a barodd ddarfod amdano. Cf. o un o gerddi Twm yn gofyn berwig dros ryw Siôn tlawd druan a fwriwyd (ar gam, mae'n bur debyg) i garchar Rhuthun ac a gollodd ei wallt yno o ddychryn, CTN, t. 134:

> Uwch hynny rwy'n eich annog,
> Wŷr enwog ryddion rodd,
> I 'styried mewn tosturi
> Y cledi mawr a'i clodd.

169–72   Ac felly, pawb sy'n gwrando,
                Gwnewch brofi pob peth drwyddo,
                Gan ddal yn ddoeth ar 'r hyn sy dda,
                'N wahanol yma heno.

Cf. pennill olaf 'Mynegiad y Chware' yn FF:

> Mae geiriau'r Apostol hapusdeg ddi-feth,
> Yn dweudyd heb ryfyg, am brofi pob peth,
> A dal 'r hyn sy dda, dan odfa ddi-nych:
> Ni wêl neb wrth gau'i lygad mo'i droead mewn drych.

'Geiriau'r Apostol': I Thesaloniaid 5: 21. Ystyr ''n wahanol' yw 'pawb drosto'i hun'.

180 Cafodd Foulkes hwyl ar droi **gal** yn 'golau' yn y llinell hon gan gadw ystyr a chynghanedd heb yn wybod i'w ddarllenwyr am unrhyw ymyrraeth ar y gwreiddiol.

184 Yn lle **cêr**, 'byd' sydd gan Foulkes yn y llinell hon.

186 Yn lle **tin-lipa**, 'ynfyta' sydd gan Foulkes. (Dyry WVBD *tin llipa* – heb dreiglo'r *ll* ar ôl *n* – cf. *cynllun, cynllwyn, tanllwyth,* &c.)

191   cadw leb. Newidiodd Foulkes hyn i 'cadw clep', sydd yn ymddangos fel cyfystyr dda (er ei fod yn difetha'r odl). Tybed a welodd anwedduster yn *leb*? Gw. yr Eirfa d.g. *leb*. Cadwodd y llinell nesaf heb ei sensro, fodd bynnag: *'Mod i yn hagr heb fy nhegan.*

196   Fawr orffwys yng ngwaith yr arffed. Cafodd y llinell hon hefyd lonydd gan y Llyfrbryf.

198   Na phery'r wialenffust ddim cyd â'r llawr dyrnu. Tynnodd Foulkes yr elfen *wialen* ymaith, er ei bod yn rhan o'r ddihareb, oherwydd yr ieithwedd awgrymiadol rywiol bwrpasol sy'n rhagflaenu'r llinell a'i dilyn. (Pen rhydd y ffust yw *gwialenffust*, ac aeth yn *lemffust* ar lafar, gan roi'r ferf *lemffustio*.)

203 Ceir 'helynt flin' gan Foulkes yn lle **foel ei din**.

205-8   Mae ffasiwn gan rai merched
         Wneuthur peth o felfed;
         Mae honno yn fwy trefnus i wneud y tro
         Na rhyw ffwlach fo 'nwylo ffylied.

Hepgora Foulkes y pennill hwn yn ei grynswth. Mae *ffwlach* yma yn disgrifio'r *gal* (neu'r *ffalws*, fel y'i gelwir mewn rhai ysgrifau ar anterliwtiau fel gair y tybir ei fod yn fwy chwaethus a llenyddol ar gyfer *symbol* nad ydyw, bellach o leiaf, yno), fel peth gwael, annheilwng o'r enw, rhyw *sothach o beth*; cf. sôn yn FF am ei rhagorach o ran ei heffeithiolrwydd ar y merched:

        Mi wneuthum fy hun ei llun hi'r llynedd,
        O wlân ag o leder yn rholyn go wladedd;
        Roedd honno wrth ei herio'n gweithio gwŷn,
        Er nad oedd hi ond rhyw geryn gwaredd.

213-6   Bydd llawer Ffŵl yn brolio,
         Yn codi rhyw dincod wrth sôn am doncio;
         Ni rown i am siarad felly faw,
         Rhwng llaw a llaw mae llywio.

'Ac yn moedro ei goryn wrth sôn am a garo' a geir gan Foulkes am yr ail linell yn y pennill hwn. Cf. FF:

        Fo fydd llawer Ffŵl yn herio,
        Yn codi'r dincod wrth sôn am doncio;
        Ond ni rown i am siarad felly faw,
        Rhwng llaw a llaw mae llywio.

Gŵr ymarferol – gŵr y dwylo – yw Iemwnt Wamal; mynd i'r afael â pheth yn yr ystyr lythrennol sydd orau bob tro yn ei dyb ef: y mae'r llygad yn twyllo. Gw. ll. 219-20: *Wrth ei theimlo mae barnu'r hoel, / Ni rown i fawr goel o'i gweled.* Diddorol yw gweld mai 'Yn codi'r yswildod wrth son ac yswelio' a geir gan Foulkes am ail linell y pennill uchod (nad ydyw i ni yn yr oes hon, efallai, yn ein byd Saesneg, fawr lai awgrymiadol rywiol na'r gwreiddiol).

221-4   Mi ddois o'ch blaene'r cwmni gwiwddoeth,
         Dan enw cofus y Capten Cyfoeth,
         Er fy hunan na fedda' i heno,
         Drwy ferw hynod, fawr ohono.

Y mae cyd-actor Twm yma yn ei gyflwyno'i hun i'r cwmni fel un sydd am chwarae bod yn Gapten Cyfoeth; gwahaniaetha'n amlwg rhyngddo ef ei hun a'r cymeriad hwnnw y mae'n ei gynrychioli yn ystod yr 'act'. Dyma nodwedd gyson yn yr anterliwtiau, gyda chymeriad yn pwysleisio ei fod 'dan enw' rhywun arall, neu yn 'deip' o ryw ddosbarth.

226 Gan ddynion cnawdol y byd yma. Gadewir *cnawdol* allan o'r llinell hon gan Foulkes.

234 Mewn cymaint mawredd a chymeriad. Mae'n amlwg fod ystyr lawer ehangach i'r gair olaf nag a ddeellir yn gyffredinol iddo bellach, sef *bri, parch, anrhydedd*, &c.

250 Y Cyfoeth ffraeth, cu afiaith ffri. Yma diwygiwyd *afiaeth*, y ffurf a ddigwydd gan amlaf yn yr arg. gwreiddiol.

281 Sylwer ar yr anadliad caled ar flaen 'hegni', er mai gwrywaidd yw cenedl y goddrych (*ambell ddiogyn*); fe'i dodwyd, mae'n debyg, er mwyn cyseinedd, ond cf. (*h)elw* a (*h)enw*.

285 Yn y penillion hyn sy'n dilyn cerdd ymffrostgar Capten Cyfoeth a'i ymosodiad dideimlad ar y tlodion ceir y Ffŵl yn eu hamddiffyn hwy rhag ei lach i ddechrau, ac o ddifri calon hefyd, ond wedyn â yn ei flaen i gyfiawnhau'r byd sydd ohoni mewn darluniau gwawdlyd: pwy ond rhyw *slyfen hyll* a wnâi *i slafio*, ac ni wiw edrych ar *dwrne â bol mawr yn dyrnu* mwy na *marchog yn cau neu'n palu*.

331-2 Mae'r blwydd o'r rheini, rwyddgry radd,/Nod aflan, yn lladd y dwyflwydd. Coel gwerin sydd yma. Gw. yr hyn a ddywed Bruce Griffiths, golygydd ail argraffiad *Gwerin Eiriau Sir Gaernarfon* (1979), ynghylch ei darddiad, sef bod y gwryw yn llai na'r fenyw ac o'r herwydd, pan welir paru, tybir mai gweld cyw yr ydys yn ymosod ar anifail yn ei faint.

340 'R tân trwy'ch perfedd. Cf. *tân dan ei berfedd, tân i'w berfedd.* Cf. hefyd yr un math o ymadrodd mewn dywediadau cyffredin yn yr anterliwtiau fel *celwydd yn dy ddannedd/ar draws dy ddannedd/yn dy wyneb*, &c.

351-2 Oni ddweudodd Solomon nad gweddus rhoi gwawd,/Nac amarch, i dlawd synhwyrol. Gair i ganlyn Capten Cyfoeth oddi ar y llwyfan sydd yma. Fe'n hysbysir fod Solomon wedi llefaru tair mil o ddiarhebion: I Brenhinoedd 4: 32.

357 Ac mi adwaen wrth fy natur. Cf. 'Neut atwen ar vy awen' (Ifor Williams, *Canu Llywarch Hen*, t.1).

390 Chwi fyddwch yn grair yn eich gwres: hynny yw, byddwch yn *annwyl* yn eich gwres, *wrth eich bodd, yn eich elfen* ynddo.

401-12 Hepgora Foulkes y pennill eithaf lliwgar hwn yn ei grynswth. Gw. y Rhagymadrodd.

403-4 Fo ddaw tan ymsitrach, mwy hyfach o hyd,/Ei chwantau clau enbyd a'i clodd. Nid oedd modd iddo beidio bellach, fe'i *hanalluogwyd* ef gan ei **chwantau clau**, fe'i *diymadferthwyd*, &c., i beidio. Gw. nodyn 163-4. Nid yw *ymsitrach* yn ymddangos yn GPC gan mai'r enghraifft hon o'r gair, fe ymddengys, yw'r unig un ar glawr. Mae'r ystyr yn amlwg. *Dernynnu, mwydo, racsio, malu pen peth, sathru* neu *gwasgu* yw ystyr *sitrachu*.

407 Gan ddygyn ymddigwd â'i ffrwgwd yn ffri. Dyma gynigion GPC ar gyfer **ymddigwd**: *ymdrechu, llafurio, bod yn brysur, ymryson, ymgiprys, ysgarmesu.*

421-4 Oherwydd peth hyn mae'n digwydd yn dyn,
I ferched a llancie, ryw siample rhy syn,
Bob dygyn dylodi, blaen gyni, blin gur,
Am fynd yn ôl gwewyr eu gwŷn.

Mae'n eithaf posibl mai *gwyn* (= hoff beth), yn odli â *syn*, yw'r gair olaf yn y darn olaf hwn o gân y Ffŵl ar *Gonsêt Lord Wheelberry* er mai fel 'gwŷn' y'i sillefir yn yr arg. gwr. 'Gweld eich gwyn ar rywbeth'; gweld eich mantais ynddo, ei ffansïo, ei gymryd.

425-8 Wel, y merched mwyngu,
Ni waeth imi hyn o ganu
Na phed fawn, yn hyn o fan,
'N ymleferydd dan yfory.

Tyb y Ffŵl (meddai) nad oedd diben iddo ganu rhybudd i'r merched, wedi'r cwbl, mwy na phe bai'n siarad ag ef ei hun tan yfory – ond nid yw hynny'n ei rwystro rhag *llefaru* tri phennill rhybuddiol arall iddynt. Yn ofer bob gafael y cynigir cyngor i feibion a merched, yn enwedig i ferched, yn ôl yr anterliwtiwr. Cf. (o PCG, Foulkes, t. 322):

> Nid yw cynghori merched, archied erchyll,
> Ond 'run fath â dwfr yn myn'd hyd gafn pistyll;
> Trwy un pen i mewn, ac allan trwy'r llall,
> Ac felly mae'r gwall yn sefyll.

Ond hefyd i'r ddau ryw fel ei gilydd, FF:

> Nid ydi cynghori merched na meibion,
> Ond fel mynd â'r gogr dellt i'r afon,
> A hwnnw ni ddeil ef ddafn o ddŵr,
> Fo'i cyll o'n siŵr yn union.

431-2 Na rotho'r un llanc, a'i gêr yn syth,/Law tanoch byth ond hynny. *Stori* a geir gan Foulkes yma am y gair (mwys) tramgwyddus.

441 Dyma ymddangosiad cyntaf y Cybydd; gw. nodyn 317-20, TChD ar y confensiwn o geryddu'r dorf am eu twrw a'u hoferedd yn ymgasglu i'r fan a'r lle.

445-6 Arwydd y gyfarwydd, 'delwy byth i Lanferras,/Ond oes yma ddynion a lanwe ddinas. Am enghraifft gan awdur arall o'r ymadrodd hwn wrth i'r Ffŵl gymryd arno synnu gweld torf wedi ymgynnull i'r fan, cf. Geiriau'r Ffŵl yn *Cwymp Dyn*, Edward Thomas:

> Wale, Arwydd y Gyfarwydd fal ag arferol,
> Mae yma lawer byd o Bobol,
> A ddaeth i edrych amdana'i bod ag un,
> A minneu yn Ddyn diddanol.

449 Ond mi a'i gwelais fi hi ers dyddie. Cf. ll.571: *Wel, mi wn fi pwy arall sy'n bur wan;* ll.1484: *Mi adwaenwn fi hon ers pan wy'n cofio.*

459 pymtheg swllt: pymtheg ceiniog a thrigain (75 c.) yn arian heddiw (ond nid yn gyfwerth wrth reswm).

464 Ond hi ymgrogodd yn lân yleni. Cf. *wedi mynd i'w grogi*, am ryw gyflwr anobeithiol ar rywun neu rywbeth.

470 rhyw geglyn. Enw o *cagl+yn*. 'Bu gennyf ddafad wirion/A chagal dan ei chynffon' – Talhaiarn. Fe'i cymhwysir at ddillad budr hefyd, a'r baw wedi caledu'n dolchaidd, neu wedi trigo, arnynt; *pais gaglog*, er enghraifft.

471 'Mod i yn gofyn saith geniog, afrywiog fryd. Clywir ffurfiau fel *ciniog, ceniog, cinog*, yng ngwahanol barthau'r wlad o hyd wrth gwrs.

472 'ffylyn. Talfyriad o *ceffylyn*.

473 Ac dyma fel mae pob ceriach. Oni bai ei bod yn digwydd mor aml yn yr anterliwtiau, gellid dweud ei bod hi'n anodd gwybod hyd sicrwydd p'run ai llythyren grwydrad o waith yr argraffydd yw'r c o flaen *dyma* mewn llinellau fel hyn neu ynteu, fel y mae'r dystiolaeth yn awgrymu, a ydyw'n cynrychioli ynganiad naturiol – boed â 'dilysrwydd' iddo neu beidio.

475 Ni wiw gen i ond hynny dramwy i'r dre: sef, ... *gan hynny dramwy*.

477-80 Wrth gadw'i flawd a'i ydau (sef pob math o rawn neu lafur), gobaith y Cybydd, fel llawer o'i gyd-faelwyr, yw codi'r pris drwy achosi prinder; yna ei allforio, mynd ag ef 'i'r dŵr yn dyrrau' pan fydd y prisiau'n ddigon uchel. Dyma brif achos 'terfysgoedd ŷd' y cyfnod. Gweler: J. Glyn Parry, 'Terfysgoedd Ŷd yng Ngogledd Cymru', TCHSG, 39 (1978), t. 74; W.Lloyd Davies, 'The Riot at Denbigh in 1795 – Home Office Correspondence', BBCS IV (1927-29), t. 61.

484 oddi wrth barseli: mewn mesurau mawrion yma.

495 ei stopio fo i'r dŵr. Cyfeirir at ddeddfau'n gwahardd allforio.

496 yn ŵr aneiri: sef yn ddyn go arw, yn gefnog iawn.

497-500 Dengys y pennill hwn fod allforio yn digwydd er gwaetha'r deddfau. Ofn cael ei ddal a'i gosbi sydd ar y Cybydd, nid parch i'r gyfraith sy'n ei rwystro.

501-4   Mae'r wraig yma wedi mynd i'r dre er y bore,
                   Ar gefn y gaseg i ryw fân negese;
                   Mi debygwn y daw hi toc i'r tŷ –
                   Mi'i clywa hi'n rhegi'r hogie … !

Mae'r pennill uchod o enau'r Cybydd yn rhagfynegi dyfodiad ei wraig i'r
llwyfan. Gellir cymryd yn bur ddiogel fod y Cybydd yn dal ei law wrth ei
glust wrth lefaru'r ddwy linell olaf, fel y byddai Blys y Cwbwl, er enghraifft,
yn TChD, yn cymryd arno edrych draw dros bennau'r dorf wrth ddweud,
ll.515-6 : *'Ran dyma'r porthmyn mwya yma ar 'y ngair;/Nhw ddôn ata i bob ffair
yn wastad.*

       Unwaith y caiff gwraig y Cybydd ei chyflwyno fel hyn y mae ef a hithau
yn canmol ei gilydd – ar ôl iddi hi ddechrau wrth ei gyhuddo yn ysgafn o fod
wedi bod yn llaesu dwylo ac yntau yn ei sicrhau hi nad ydyw wedi sefyll yn
llonydd er pan welsai hi efo ddiwethaf (ll.507-8, gw. nodyn isod). Mae hi'n
wraig dda (gw. nodyn 727-36) meddai ef wrth y dorf. Fe geir yma yn y darn
sylweddol hwn (ll. 505-740) rhwng y ddau, yn ogystal â'r cyd-ganmol ar ei
gilydd, gyd-gwyno hefyd am ddiogi, balchder ac anfoesgarwch gweision a
morynion a chymdogion; ymosodant ar bawb yn ddiarbed ac yn ddidrugaredd.
Mynegant syndod at hyfdra cymdogion yn disgwyl cael prynu ganddynt ar
goel, a chwerthin am ben a dirmygu bargeinwyr gwael. Amlygir hefyd yn y
darn hwn awydd y Cybydd am gael gwybod sut brisiau a safai yn y farchnad
ac awydd y wraig hithau i adrodd y drwg diweddaraf a glywsai yno am bobl
y cylch. Cf. Siân Ddefosionol yn *Pleser a Gofid,* yn dychwelyd o'r capel at
Rondol Rowndyn wedi bod 'yn gwrando rhyw berson'.

506   Heb wneuthur fawr helynt heiddiw. Clywir *heiddiw* byth, wrth
gwrs.

**507-8   Na, rydw i, Esther, er pan eist ti i'r dre,/'N ddigellwer ar
ore gallw.** Cywasgiad o 'ar y gorau y gallwyf' (dibynnol), a chymharer 'ar fy
ngorau'; ond ystyrier *gorau gallw* fel ymadrodd 'clwm'.

509   Os ydach chwi'ch hunan yn ystuno. Er bod *ystyn* yn amrywiad llafar
rhai ardaloedd ar *estyn*, gair gwahanol yw *ystuno*, yn golygu ymysgwyd, ysgogi,
ysbarduno.

**511-2   Roedd Wil y llanc yn y Werglodd Gron,/Efo Nedi'n ymryson
neidio.** Darlun digri a geir yma o'r 'gwas gwirion' yn ymryson neidio â mul.
Yn aml yn yr anterliwtiau, bydd y gweision a'r morynion (a chofiwn na

byddent fawr mwy na phlant) yn mynd i chwarae a gwamalu y munud y try'r Cybydd ei gefn.

519 Dibynnol yw **drotho**, cf. *botho* am *byddo, rhotho* am *roddo,* &c., a hefyd dreigladau ar *bod gan – gantho, genthynt* &c. Trwy gamgydweddiad a'r rhain y caed *trotho* a ffurfiau tebyg, a buont yn fyw ar lafar o fewn y blynyddoedd diweddar, os nad ydynt o hyd mewn rhai parthau. Am dreiglo goddrych ffurf amherffaith, gw. nodyn 67 a 69.

521 Os cae fy ... sydd yn yr arg. gwr. ond mae'n amlwg mai'r presennol neu'r dyfodol mynegol (caf i) a fwriedir.

556 Yn ôl ei 'ddewid ddiwall. Cf. *Heb hidio'r addewid ddiwall*, TChD, ll.1342.

567 Y gŵr y gwerthasoch yr hen geffyl Jac. Hepgorir yn ddidrafferth yma'r arddodiad *iddo*. Am esiamplau o hepgor yr arddodiad fel hyn mewn cymal perthynol afrywiog, gw. Melville Richards, *Cystrawen y Frawddeg Gymraeg*, t. 93, a chymharer y nodyn ar TChD, ll. 317-20.

568 un brac wrth brynu: un rhy barod i brynu, sef bargeiniwr gwael. Dirmyga'r Cybydd ei fath.

571 Wel, mi wn fi pwy arall sy'n bur wan; cf. ll. 449 : *Ond mi a'i gwelais fi hi ers dyddie*.

572 yn llunio, h.y. yn rhaffu celwyddau.

581 Pe torren nhw i'w crogi'n gregin. Gw. nodyn 464. Arferid *yn gregin* yn yr un modd ag *yn deilchion, yn dipiau, yn ulw* &c.

595 Ffair y Blodie. *Blode* sydd yn yr arg. gwr., ond *blodie* (lluosog *blawd*) a ddisgwylid; ffair i brynu a gwerthu gwahanol fathau o flawd.

597-600   Iechyd i'th galon di, Esther gryno,
Na choelia neb byth oni bydd ganthynt eiddo;
Os coeli di'r rheini am wythnos neu fis,
Myn chwaneg o bris amdano.

('Coelio' yw'r gair yn y drydedd linell yn yr arg. gwr.) Yr ystyr yw 'rhoi coel, neu gredyd'. Mae hwn yn bennill a rydd i'r dim yr hen egwyddor o ofyn eiddo cyfystlys (*collateral*) yn wystl dros echwyn. Felly erioed y cadwyd tlawd iach gonest yn *dlawd*, os nad yn *iach* – *i'r pant y rhed y dŵr*.

611 Ac yn mynd i'w priodi ar draws ac ar hyd. Gw. nodyn 7, TChD. Yma, priodi heb ymorol am y pethau angenrheidiol a olygir – cartref, wrth gwrs, a dodrefn ac offer cegin a gwaith, heb sôn am gael plentyn siawns. Ar air, yn anhrefnus, yn ôl y Cybydd.

613 rydach chi'n. Yn yr arg. gwr. *rydach i'n* a argraffwyd. Y ffurf *chwi* a ddefnyddia Twm ran amlaf o ddigon, ond amlwg mai *chi* yr oedd yn ei chlywed mewn ambell enghraifft fel hon.

621 O'r cebystr i'r geriach, wariach wirion. Saesneg *ware* >*wâr*+*iach*. Ystyr wael wrth gwrs a roir i enw wrth ychwanegu'r terfyniad -(i)ach. Cf. *dynionach*, *gwrageddach*, *ysterniach* &c. Mae *wâr* a *wariach* yn gyffredin yn yr anterliwtiau a cherddi'r cyfnod am daclau gwael, diwerth, yn llythrennol a ffigurol.

622 yn bwys ar y plwyf a'r holl gymdogion. Yr oedd gwarafun cyffredinol i dalu treth a ddarparai gymorth i'r tlodion. Rhaid cofio bod disgwyl i rai nad oeddent fawr cefnocach na thlodion eu hunain ei thalu a bod yn anochel gamddefnyddio ar drefn mor anghyfiawn; gw. *Bannau y Byd* am y dystiolaeth fwyaf amlwg o hyn o fysg tystiolaethau'r anterliwtiau. Gw. nodyn 1375-6.

628 britho'u cynffonne. Cf. y ddihareb *brith yn ieuanc, carpiog yn hen* (T.O. Jones, *Diarhebion y Cymry*, t.63); cofnoda Myrddin Fardd (*Gwerin-Eiriau Sir Gaernarfon*, t.100) *dillyn ieuaingc, carpiog hen*. 'Trwsiadus, taclus, gwych,' gan hynny yw *brith* yma. Ymharddu yw'r tramgwydd, ac ymddwyn fel petaent 'yn rhywun'. Diddorol o ran defnydd o'r gair *brith* yw gweld cyfystyr Saesneg a roir gan Gweirydd ap Rhys yn ei eiriadur i'r gair *brithyn*: '*a gay man, macaroni*'. Fe gofir efallai rai o eiriau'r gân a genir yn y ffilm *Yankee Doodle Dandy* gan yr actor James Cagney : '*stick a feather in my hat and call me Macaroni.*' Awgryma *britho'u cynffonne* yr arfer o addurno cynffon march â rhubanau.

631 Het siag. Clywid 'hen siagan o het', ac efallai ei fod i'w glywed o hyd..

632 'run siwt: 'run sut.

639 ryw gydafael. Dylid cofio fod Cadafael yn hen enw priod o dras. Bu fyw yn yr hen oesoedd un o'r enw Cadafael Cadomedd ac fe fuasai ei enw

yn wybyddus i'r beirdd ac i'r bobl trwy'r dosbarth cymdeithasol hwnnw am
ganrifoedd lawer ar ôl ei farw. Gw. Rachel Bromwich, *Trioedd Ynys Prydein*,
t.289, a P.C. Bartrum, *A Welsh Classical Dictionary*, t.72.

640 ac mynd arnynt. Gall mai amryfusedd yr argraffydd yw'r *ac*.

654 Lawer hafne geglom, yn ddible ac yn gagle. Gwraig fudr, slwt yw
hafne neu *hafnai*. Gair am odreon gwisg yw *diblau* fel arfer, ond yma cyfystyron
yw *yn ddible* ac *yn gagle* (lluosog *cagl*).

659 Ac yn lle sgidie pinc a hosane cwircie. Gw. yr Eirfa d.g. *cwirc* (yr
hanner-Cymreigiad *quirkie* sydd yn yr arg. gwr.). Yr oedd yn enw hefyd, mae'n
amlwg, ar batrymau ar esgidiau (cyfeirio at *pumps* y mae'r llinell gyntaf isod
– esgidiau i'w gwisgo yn y tŷ oedd y rhain yn wreiddiol ond fe aeth yn ffasiwn
gryfhau tipyn ar eu gwneuthuriad a'u gwisgo allan o'r tŷ) :

> Mae ganddi esgidiau a sodlau meinion
> Gin glysed a sane gleision;
> Ag hi fydd pan elo i lan neu dre,
> Ymron cachu am gwircie cochion.

Madog Chwanog, y Cybydd, sydd yn siarad uchod, am ei ferch, yn Y *Brenin
Dafydd* gan Huw Jones a Siôn Cadwaladr.

660 Clocs tin egored a hen facsie: sef, cadachau neu garpiau a fyddid yn
eu lapio am y traed.

669 *Gwas* a olygir wrth *gweinidog*.

677-8 Rhaid cael het *garline* yn fuan,/Cryse meinion, cadache sidan.
Het fawr feddal rwysgfawr ei golwg, gellir meddwl, fel y rhai a wisgid gan y
'*Cavaliers*' neu wŷr y brenin Charles yng nghyfnod y Rhyfel Cartref, yw *het
garline*.

679 A choler felfed ar eu cotie. '*Coatieu*' yw'r gair olaf yn yr arg. gwr., i'w
seinio'n *cwatie* efallai; fe'i Cymreigiwyd er mwyn dwyn yr odl yn amlycach i
lygad y darllenydd. *Cwat* yw'r gair a geir yn yr *Hunangofiant* am y dilledyn a
elwir ac a seinir bellach *côt* yn y gogledd a *cót* yn y de.

681-2 Rhaid cael clôs *buff* mewn munud,/A *phumps* teneuon hefyd.

Nid y lliw 'buff', neu *buff* fel y mae'r gair yn hysbys inni heddiw sydd yma, ond lledr meddal o groen llo â lliw melyn budr iddo. O'r gair Saesneg *clothes* y daw *clôs*, wrth gwrs. Ynghylch *pumps* gw. nodyn 659 uchod.

699 y bwth bach. Cf. o TChB, o enau Gwiddanes Dlodi:

> A'r merched mwyn gymen â'r llyged main gwamal,
> Sydd heddiw mor sosi yn canu ac yn sisial,
> Pan ddeloch i'r bwth bach, yn gwla'ch gwely,
> Chwi fyddwch yn llafar na thalwch mo'ch llyfu.

Mae'n amlwg mai lle tlawd truenus yw'r 'bwth bach'.

711 brwchan Sir Fôn. Bwyd llwy oedd brwchan, fel llawer o fwydydd y bobl gyffredin. Mae yma ryw awgrym fod y brwchan a fwyteid yn y sir honno yn salach ymborth na'r cyffredin. Gw. Hugh Evans, *Cwm Eithin*, t.49, am 'hanes' digri a gylchdrôi yn ardal yr awdur ynghylch y gwahanol fwydydd llwy a fwyteid yno.

719 cig hallt o'r nen. Yr oeddid yn dal i halltu a hongian cig o'r nenbren i'w gadw dros y gaeaf, hen arfer a barhaodd yn un gyffredinol ymhell i'r bedwaredd ganrif ar bymtheg. Nid oeddid eto wedi gweld lledu'r arfer o dyfu cnydau o faip &c. at fwydo anifeiliaid dros yr hirlwm ar y ddaear. Ymddengys mai ym 1765 y tyfwyd maip gyntaf yn Sir Ddinbych a hynny gan Henry Newcombe, Ficer Gresffordd.

727-36 Brolio y mae'r Cybydd yma ei wraig wrth y dorf. Mae hi wrth fodd ei galon, *ar ei gore glas am gasglu arian* ac ymlafnio ei gorau drosto ef a hithau ar draul lles y gweision a'r morynion. Gwna ymborth gwael fel bara *sound* (sef bara caled sâl) a chig hallt yn burion i'r rheini, yn wahanol i'r wraig dda yn llyfr y Diarhebion, 31: 20: 'Hi a egyr ei llaw i'r tlawd, ac a estyn ei dwylaw i'r anghenus'.

752 A rhedeg ar ôl pob rhoden. Cf. y defnydd o'r gair *cangen* am ferch ifanc ystwyth ei chorff.

761 mae'r nod iach hynod i chwi/ I ofalu. Cf. ll.798.

768 Inni dreio'n hymdrawieth, yn berffeth bob un. Gweld sut y gallwn ymdaro, treio'n gorau, ymdrechu ymdrech deg &c.

778 Ni rydd llawer dragwm fawr gotwm i'w gefn. Amrywiad ar *dragwn*, sef *arwr, gwron, arweinydd*, &c. yw dragwm, ond ag ystyr goeglyd yma.

798 bu'r egrwch. Cf. ll.761 uchod. Ond tybed nad camargraffu am *n* sydd yn y ddau achos?

805 O'r iechyd ichwi 'rhen rychor! Gwawd neu goegni sydd yma eto, fel yn *dragwm* uchod. Yr ych gorau, neu gryfaf, fel rheol oedd y *rhychor*; gweler Huw Jones, *Cydymaith Byd Amaeth*, Cyf. 3, t. 416.

818 Yn brysur goethi ar draws y caue. Cf. ll. 944 - *A phawb yn fyrbwyll godi yn f'erbyn.* O ran ystyr, cf. 'Fe goethai'n gethin, arfog erwin,/ Rhag ofn y gwaetha wrth goed ac eithin' (CTN, t. 115). Sonnir mewn rhai parthau o hyd am gŵn yn *coethi*. Colli'r gwynt wrth redeg a feddylir yma a'r frest yn 'crecian' a gwneud sŵn fel cyfarth ci.

824 A miloedd o gardotwrs melin: pobl dlodion yn mynd i'r felin i ofyn cardod o flawd.

827 aerod y plwy: rhai wedi eu magu ar y plwy, heb ddim ond arian y plwy i'w etifeddu.

829-70 Penillion yw'r rhain a ddengys galon galed y Cybydd wrth y tlodion a'r ofn hefyd sydd arno yr ysbeiliant hwy ef o'i eiddo, a chan hynny y mae'n gwarafun iddynt hyd yn oed eu bodolaeth druenus – cyffelyba hwynt i gŵn i'w gyrru *i'w cenel* ac ni waeth fai ganddo *mewn llid pe'u tynnid nhw i gyd i'r tennyn*.

839-40 Yn lle bod rhyw garpiau drwg eu naws/Yn ymgludo ar draws y gwledydd. 'Maleisus', 'drwg eu bwriad' yw ystyr 'drwg eu naws'. Mynegir, gellir deall, trwy eiriau'r Cybydd, ryw fygythiad y teimlai'r rhai mwyaf cysurus eu byd eu hunain o dano o du'r tlodion a'u trueni mor amlwg o'u cwmpas – ond dim dig, fe ymddengys, o du'r tlodion, gan fod syniadau'r werin yn dal yn ymostyngol neu daeogaidd ynghylch iawnderau dyn. (Os oedd y fath 'feddwl' ag 'iawnderau' bydol yn bosibl hefyd ymhlith pobl neu genedl a gyflyresid ers canrifoedd lawer i dybied mai peth digon naturiol a normal oedd llywodraethu ei bywyd ar y ddaear gan genedl arall trwy ei chyfraith anghyfiaith hithau Yn wir, gwreiddiodd y dybiaeth hon mor ddwfn yn ymenyddiaeth ac ymenyddwaith cenedl y Cymry nes ei bod yn parhau fel maen tramgwydd ar ddechrau'r unfed ganrif ar hugain i unrhyw obaith am ddyfodol iddi.)

841-2 Yn wir, nid alla' i aros gwrando/Ar bobl grefu, yn nadu ac yn udo. Ystwytho neu aberthu gramadeg y mae Twm yma er mwyn cyseinedd neu gynghanedd. Yn ramadegol, buasai gofyn ... *[yn c]refu, yn nadu ac yn udo.*

869 Ni choelia' i mai nid wrth rannu. Ceir enghraifft gynnar yma o *mai nid* yn lle *nad* mewn cystrawen fel hyn. Fe geir negyddu dwbl gyda'r ferf *coelio* wrth gwrs.

871-2 Wel, ni hidiwn i mo'r llawer, er maint eich llwydd,/Pedfae'n digwydd ichwi dagu. Gair i ganlyn y Cybydd oddi ar y llwyfan a geir yma – i gymeradwyaeth y dorf yn ddigon sicr. Mae wedi gwrthod tamaid i'r Ffŵl.

933-4 Pob enaid sy'n byw raid ateb i Dduw/Am bob rhyw dalente a rodde yn ei ryw. O Ddameg y Talentau, Mathew 25: 14-30, y daw'r syniad hwn.

944 A phawb yn fyrbwyll godi yn f'erbyn. Mae'r gynghanedd yma yn gofyn peidio ag ymyrryd yn nhreiglad cytsain gyntaf ansoddair o flaen berfenw yn dilyn yr *yn*, gan droi'r ansoddair yn elfen flaen iddo i bob pwrpas. O ran geiriad cf. TChD, ll.1100 : *Y cododd yn fyrbwyll ryw chwech yn f'erbyn.*

949-1052 Traethir yma ar athroniaeth hynafol, Roegaidd yn ei bôn, y 'pedair elfen', sef dŵr, tân, daear ac awyr, ar ffurf ymgom cyd-rhwng Cyfoeth a Thlodi. Am ymdriniaeth â'r pwnc gw. Saunders Lewis, *Meistri'r Canrifoedd* (1973), tt. 289-91.

1008 A'r lleuad hithe'n oer ei nhatur. O ran yr anadliad caled yn nhreiglad *n*, cf. *'i nhain, 'i mham* ar lafar cyffredin iawn ar un adeg.

1041 gan weddeiddiad: cyn weddeiddied, neu gan mor weddaidd.

1122 A llafn o gelwydd yn fy ngheg. 'Clamp', 'rhywbeth mawr' yw ystyr *llafn* fel trosiad mewn cyswllt fel hwn. Cf. *Roedd ei gŵr hi'n porthmoneth, draw ac yma,/A llafn o bwrs melyn, ac yn walch pur ysmala* (PCG); ac *A gwerthfawr ddilladau, cotiau a gwasgodau,/A llafnau o glosau hyd at eu bogeiliau* (BB).

1142 Dyrnu'n fudr. Hanner gwneud rhywbeth, neu wneud peth yn aflêr, yn anniben, yn esgeulus ddi-falio-dim, gwneud *'smonach* o beth a feddylir. Dyna ystyr yr ansoddair *budr* pan y'i defnyddir i ddisgrifio gweithred berf yn y gogledd; gwneud peth *rywsut-rywsut*; sonnir am *ryw fudr garu* (caru heb fod yn selog), *budr fwrw* (bwrw glaw mân), &c. Gellir hefyd *olchi'n fudr* neu *budr olchi*. Mae'n ddiddorol mai ystyr ddymunol oedd, neu sydd iddo fel ansoddair ar ôl enw ym mharthau'r de: bachan budr (neu *bidir*, yn hytrach), er enghraifft.

1155 ar waith fath honno. *Faith* sydd yn yr arg. gwr, ond tebyg mai llithriad dan ddylanwad *waith* yw hyn, ac mai'r ystyr yw 'y math hwnnw o waith'.

1156 Ffaeliodd gennyf byth mo'r peidio. Cf. yr hen gystrawen *methodd gennyf*. Y berfenw (*peidio* yma) yw'r goddrych, ac fe ddaw hwnnw ar ôl ffurf ragenwol ar yr arddodiad *gan* (*gennyf* yma, ond gellid y person a fynnid).

1166 yn rhesymol y Sul. Tybed nad ydyw peidio â phrintio'r anadliad caled yn yr arg. gwr. (*resymol*) yn cynrychioli'r stad o ansefydlogrwydd ar y gair eisoes ar lafar yn y ffurf a ddeuai maes o law yn air yn ei fraint ei hun, sef *symol*?

1167-8 Gwrthodwn fy mwyd pan fae 'mam yn ei gynnig,/Ond, troe hi 'chefn – bwytawn yn ddiawledig. Yr ystyr wrth gwrs yw *ond i'w fam droi ei chefn, byddai Diogyn yn bwyta* ... .

1177-8 A thoc dyma'r *warden* yn teithio'n gywirdeg,/A'r *constable*, i'm rhwydo, nid oedd wiw rhedeg. Un o'r dyletswyddau ar warden plwyf oedd sicrhau bod tad i fab llwyn a pherth, neu blentyn siawns, yn ymgymryd â'i gyfrifoldebau tuag ato ef a'r fam.

1186-7 A disgwyl mewn mwynder y gwne'm ni ymendio;/Ro'em ni i drin rhyw gloryn o dir bychan. Dealler *gwne'm* fel talfyriad o *gwnelem* yn hytrach na chamgysodiad gan yr argraffydd am *gwnaem*. 'Rhoem' a geir yn yr arg. gwr. ar ddechrau'r ail linell, a'r rheswm am yr anadliad caled efallai i'w briodoli i achub y blaen ar sain yr anadliad yn *rhyw* yn yr un llinell. Yr ystyr: *Yr oeddem i drin* ... , sef *bwriedid inni drin*.

1188 yn tŷ ac allan. Ymadrodd yw hwn sy'n golygu'r tŷ a'r hyn – yn dir ac yn adeiladau – sy'n perthyn iddo. Barnai Myrddin Fardd (G-ESG) ef yn ddigon arwyddocaol i haeddu ei gofnodi yn y ffurf *drwy'r tŷ ac allan*.

1194 Pob peth bendro-mwnwg wedi myned. Diddorol yw gweld mai *bendro* a welai'r argraffydd, o leiaf, yn yr ymadrodd hwn yn hytrach na *bendra* (= ben dros) *mwnwg(l)*.

1201 ymorol am dŷ a gardd. Gw. nodyn 1188. Trigle llai yw hwn na'r un blaenorol. Y mae *tŷ a gardd* hefyd i'w ddeall fel gair neu ymadrodd cyflawn, cf. *gast a chŵn, buwch a llo, caseg a chyw*, a'r acen yn disgyn ar yr ail enw gan dueddu i ddiacennu'r enw cyntaf. Cf. *Morris Letters* I, t.78: '... rhaid fase mynd i dy a gardd.' Mae'n cynnig y drefn dra rhesymol, fferm > tyddyn > tŷ a gardd > tŷ moel − os ar i waered yw cyfeiriad tynged dyn, ond fe aiff weithiau ar i fyny hefyd wrth gwrs, a hyn yn eithaf thema gan Twm o'r Nant: *Mae weithie'r tlawd yn derchafu, / Neu gyfoethogion yn gwaethygu* (TChB). Yn ôl y drefn hon, mae'r syniad 'yn tŷ ac allan' yn gweddu i'r dim i *dyddyn*.

1205 ystuno'n enbyd. *Hwylio* neu *annog* ei wraig a'i blant i hel eu tamaid y mae Diogyn Trwstan. Cf. ll.509 : *Os ydach chwi'ch hunan yn ystuno*.

1207 cadw'r âl. Nid gwarchod plant gartref a olygir yma, er y ceir *y* gair *ael* am dyaid o blant yn ogystal ag am epil y mochyn, neu dorraid neu dorllwyth o foch, gan wneud yr ystyr yn bosibl, ond nid priodol hynny gan fod y wraig a'r plant eisoes wedi'u 'hystuno' allan − wedi'u gyrru allan. Y mae yn *gwarchod*, ond gwarchod y tŷ y mae, ac nid y plant. Gw. GPC d.g. *iâl* (2) a d.g. *gâl*, sydd, mae'n debyg, o'r un tarddiad â *gôl*.

1212 A phe gwelech y tŷ chwi a'i barnech yn hardd. 'A phei gwelech …' medd yr arg. gwr.

1217 Mi lechais ryw amser (i ochel oerni). Cf. *'mochel* (glaw) ar lafar o hyd. O ran hen ddefnydd o *gochel* am gysgodi rhag elfennau'r tywydd (heulwen gref neu wres yr haul yma): 'wrth ochel y tes hirddydd haf' − Gruffydd Robert.

1225 Wele dyna ichwi. Dyma gystrawen Gymraeg bur y collwyd golwg arni erbyn hyn fel y cyfryw oherwydd y defnydd helaeth o'r Saesneg *well* a thebygrwydd y gair hwnnw i **wele**. Pan welir *wel dyna* neu *wel dyma* yn yr anterliwtiau, y gystrawen hon a welir, er gwaetha'r hanner atalnod a geir yn aml rhwng y ddau air yn yr argraffiadau gwreiddiol. Dengys hyn fod y ffurf wreiddiol *wele* (a'r amrywiad *wela*) yn dal yn cyd-fyw â'r ffurf ddiweddarach, fwy ymddangosiadol amwys ei tharddiad, *wel*. Am ymdriniaeth ar ddatblygiad y gystrawen, gw. nodiadau Ifor Williams, *Cyfranc Lludd a Llevelys*, t.9. Gw. 2093-4, TChD (gyda nodyn) am enghraifft o'r gystrawen hon gyda thrychiad rhwng y ddau air. Cf. hefyd darddiad tebyg y gair Ffrangeg *voila*.

1227-8 Pe bawn yn ddiocach beth nag ydw, /Mi gana' ichwi bennill cyn fy marw. Myn ganu er gwaethaf ei ddiogi. Am ddilyn modd dibynnol gan un mynegol presennol/dyfodol, cf., o Salm 23: 'Ie, pe rhodiwn ar hyd glyn cysgod angau, nid ofnaf niwed.' *Pe'i* a geir ar ddechrau'r cwpled; gw. nodyn 1212 uchod.

1279 Mr. Balchder-heb-droed. Balchder heb sail a berthyn i hwn.

1287 Mr. Hwsmon-tafod. Un sydd yn rhoi gormod o waith i'w dafod yw hwn. Cf. *Gweledigaethau y Bardd Cwsc*: 'Cybyddion', eb ef, 'gan mwyaf, ond y mae yna rai'n perthyn i segurwyr a hwsmyn-tafod, ac eraill, tlawd ymhob peth ond yr ysbryd, oedd well ganddynt newynu na gofyn.'

1323-4 Tan law Mr. Angen, nos a dydd,/Oer gerydd, ar eu gore. Mewn dybryd angen yw ystyr ar eu gore, cf. y Saesneg *'on their uppers'*.

1329-32 Mae'r arg. gwr. yn odli *di Order, Twrner* ac *ansobor*. Gwelir argraffiadau diweddarach yn cysoni'n *di-ordor* a *turnor* er mwyn gwell odl. Ond o ran 'egwyddor y mwyafrif', y peth diogelaf yw darllen *ansyber*.

1333-4 Twm o'r Nant a Thwm Bancar, wedi'r holl ymbincio,/ Oedd gynt yn cadw trwpers, maent hwy i gyd wedi tripio. Mae blas gwir ddigwyddiadau, neu hanes a fuasai'n hysbys i bobl y cymdogaethau, yn y pennill hwn. Cofier mai'r Ffŵl sy'n llefaru'r geiriau, a chan hynny cyfeirio ato'i hun ac un arall y mae Twm yma – ei gyd-actor yn yr anterliwt, tybed? Gall *bancar* fod yn dwyn cysylltiadau â phorthmonaeth trwy ei swydd fel ariannwr ac y mae *ymbincio*, a *trwpers* hefyd, o bosibl, os nad yw'n cyfeirio at filisia neu fyddin, yn awgrymu chwarae'r llwyfan, tra mai blas merch yn cael plentyn siawns sydd i'r gair *tripio*. Ond tybed nad *tripio* = 'methu talu' yw, gan fod Twm yn tystio yn yr *Hunangofiant* iddo fynd i'r cyflwr hwnnw? Mae'r ddau Dwm yn eu cael eu hunain yma, ymhlith y rhai sy dan law Angen yn dilyn buddugoliaeth Capten Tlodi yn ei ryfel yn erbyn Capten Cyfoeth.

1343-4 Mi ddawnsiaf i beth heb hidio mo'r bin/Yn 'rhen leidr gin Dylodi. Gw. nodyn 36 yn y Nodiadau hyn a nodyn 136/142 yn Nodiadau TChD.

1349 Hai how. Tystia'r Dr. John Davies (*Antiquae Linguae Britannicae*, t.146) mai 'taflodiaid' y gelwid yr ebychiadau hyn gan wŷr cyfarwydd ei oes ef. Y mae'n rhestru *ha, hys, ho, he, hai, hwi, o, och, ochan, w, wb, wban, wbwb, waw, wew, ffw, ffei, wbw, wi, haihow, haihw, haha, hoho, gwae, wfft, hw, ust, oio, wichwach, huw.* Ar nodyn ysgafnach, fe gofir efallai gân *Seven Dwarves* Disney: '*Hey ho, hey ho, it's off to work we go!*'

1355-6 Yn gwneud Act a'i throi hi yma a thraw,/Yn gastiog, heblaw'r hen gostwm. (Gall *heblaw* yma olygu *heibio i*, neu yr ystyr ddiweddar o *yn ychwanegol at*.) Cyfeirir at 'ddeddf' y Degwm a'r ystumio arni hyd yr ormes olaf gan offeiriaid Eglwys Loegr. Ar hen arferiad (*hen gostwm*) Moesenaidd y seiliwyd yr hawl i gymhwyso'r dreth ddadleuol hon. Gorthrwm oedd a fu'n asgwrn cynnen a dreuliodd lawer o nerth ac egni cenedlaethol a gwleidyddol Cymru y gellid bod wedi eu treulio'n fwy proffidiol i'r wlad mewn ffordd arall, a dweud y lleiaf.

1359-60 A degwm bytatws o bob pen tir,/Daer amod, a godir yma. Am gyfeiriad arall at y 'degwm bytatws' gw. cân Richard Jones, Llanwnda, a wnaed ar ôl 1817, yn Dewi Jones, *Cynghanedd, Cerdd a Thelyn yn Arfon*, tt.73-5. Awgryma awdur y llyfr diddorol hwn mai un a aeth i'r plwyf hwnnw o Feirionnydd oedd yr offeiriad newydd a'i gwnaeth ei hun yn destun dirmyg a gwawd y gân wrth arddel ei hawliau degymu, yn gam neu'n gymwys, hyd yr eithaf, yn y flwyddyn honno. Y mae'n debyg bod gwanc yr eglwyswyr yn fwy digywilydd mewn rhai parthau na'i gilydd ac wedi cyrraedd y stad honno ynghynt mewn rhai siroedd na'i gilydd. Gw. hefyd yn FF (1768)) sôn am godi am 'bytatws' a 'carots' a 'cabaits'.

1361-2 A gwaeth gen i'r person aeth mor filen/Â chymryd y porchell gore oedd i'm perchen. Dyma gystrawen a gollwyd yn ei ffurf bendant neu gadarnhaol fel y'i ceir yma, ond a gadwyd yn ei ffurf negyddol – y *mae*'n malio, y *mae* gwahaniaeth ganddo, y *mae*'n digio.

1367-73 Gwelir yma fod glaw mawr yn yr ucheldiroedd wedi peri i'r afonydd dorri eu glennydd yn y blynyddoedd hyn.

1374 Y bydd yleni dreth chwarter greulon. O hon yr oeddid i dalu am ailgodi'r pontydd yn sgîl y difrod mawr a wnaed gan y llifogydd ac fe fyddai'n drom o'r herwydd.

1375-6 Ond ni bydda' i'n ymadel ag odid beth/Mor lidiog â threth dylodion. Hon oedd y dreth y gwarafunid ei thalu fwyaf. Gwelir yn yr ymgom rhwng y Cybydd a Lowri Dlawd, sydd ar fin dechrau, pa mor gas yw gan y Cybydd ei fod, nid yn unig yn gorfod talu'r dreth hon at gadw tlodion y plwyf, ond hefyd fod y rheini mor hyf, yn ôl ei ddyb ef, â disgwyl iddo rannu cardod iddynt wrth ddrws ei gartref, neu yn ei fuarth. Yr oedd meddwl am dalu treth i gadw rhai a oedd â'u lle yn ôl yn eu plwyfi eu hunain yn dân ar groen rhai fel y Cybydd. Gadawodd Matthew Owen (Llanrhwydrys a Llandygái) ar ei ôl mewn llawysgrif ddisgrifiad personol cyfoes o beth a olygai 'ennill plwy', sef *Hunan Hanes.* Fe'i golygwyd gan Llew Tegid i'w gyhoeddi yn *Cymru* XXXIV (1908), t. 253. Mae ei dôn yn swnio'n bryderus, y gellid am ryw reswm amau hawl ci wraig a'i fab i'r gynhaliaeth a gynigiai ar ôl iddo ef farw:

> *Pe digwyddai i'm gwraig neu fy mab fod mewn achos am blwyf wedi fy*
> *marw, nid oes iddynt ond plwyf Llandegai i'w gael, ac fel hyn yr enillais*
> *i y plwyf. Mi a ddeuais yn brentis at un Josiah Mills i'r Penrhyn, ac mi*
> *gytunais ag ef am fy mwyd y flwyddyn gyntaf, a hanner gini o gyflog*
> *bob blwyddyn wedyn. Felly mi a'i gwasanaethais ef dair blynedd, ac*
> *a dderbyniais fy nghyflog bob dimai, yr hyn beth y gall rhai o'm teulu*
> *wneud llw os bydd achos, ond gobeithiaf na bydd.*

Os oedd yn bryderus, yr oedd ganddo reswm. Ystyrier y darn a ganlyn o BB:

> A'r ffarmwr mawr tordyn â chwech neu saith tyddyn,
> Lle buasai yn sefyllfod i gael bwyd a cherdod;
> Ni cheid dim o'r fath bethau ganddo fo na hwythau,
> Ond eu hymlid o'r buarth, a'r cŵn mawr yn cyfarth,
> A'r gŵr mor atgas, yn taflu'r gêr o'i gwmpas,
> Ac yn ordro iddynt fyned i'r *meeting* ustusiaid,
> I gael cywir ymorol am eu plwyf cartrefol.

1377-8 Wale, gyda'ch cennad, rhad Huw ar a feddoch,/A wiw imi ofyn cerdod gynnoch. O hyd ei thin, megis, y mae Lowri yn dynesu at y Cybydd i ofyn cardod, a dargenfydd yn ddigon buan fod sail i'w phryder (gw. uchod). Cf. Gwenhwyfar Ddiog yn mynd at Arthur Drafferthus yn PCG : *Wele, nosdawch, gyda'ch cennad,/Rhad Huw yma, a rowch chwi damad?* Er ei holl ymbil ar y Cybydd am drugaredd wrth ei chyflwr, nid ydyw hi'n gallu ysgogi dim ar ei galon − ei diogi ei hun a barodd ei thrueni, ac mae'n eithaf ysmygwraig tobaco i'r fargen! Cafwyd eisoes esiampl Diogyn Trwstan yn yr anterliwt hon ac yn awr atgyfnerthir y neges trwy stad Lowri Dlawd, sydd yn cynrychioli'r 'pen ymdrechgar' gwrthwyneb i Esther, y wraig dda ddarbodus.

1389 er doe'r bore. Chwithig fuasai gan 'y man glyttwyr dyrïau,' chwedl Goronwy Owen am faledwyr ac anterliwtwyr, glywed y ffurf *ers* yn lle *er* mewn cystrawen fel hon. Heblaw nad oeddid yn treiglo *doe* ar ôl y naill ffurf na'r llall, mae 'r bore yn cymhwyso *doe* fel amser pendant sy'n gofyn y ffurf *er* o'i flaen.

1397 Na dda gen i ladd ar neb o'r gymdogeth. Dyma'r hen ffurf (na dda) a roes y treiglad *'dda* gan (heb y negydd) ar lafar heddiw. Cf. *'wiw* (*fiw* fynychaf) o *ni wiw/na wiw*.

1399 y Grîn. Enw lle yn y cyffiniau. Cf. Lixum Green (yn Sir y Fflint) a *Green* Dinbych. Grîn y Bala efallai yw'r enwocaf o *greens* trefi a phentrefi'r gogledd i'r llengarwr.

1400   Robin Cricieth. Gŵr oedd hwn y mae'n amlwg a ddaeth i'r gymdogaeth o (weddol) bell. Cyfenwid rhai felly yn ôl enw eu tref neu eu bro enedigol, a rhai cynhenid i'r cymdogaethau yn ôl enwau ffermydd, tyddynnod, &c. Cyfenwyd un taid i awdur y nodiadau hyn yn 'Bob Rhuthun' am yr un rheswm pan ddaeth i dref Bangor ar ddiwedd y bedwaredd ganrif ar bymtheg neu ddechrau'r ugeinfed.

1408 ymcwest. Cf. *ympirio*, &c.

1415 Mae llawer o boblach ar eu gore glas: sef, '*on their uppers*'. Gw. nodyn 1323-4 uchod.

1418 Rydach chwi'n un bicwarch os cewch ddybaco: sef, mae cyn 'dorsythed' â phicwarch.

1436 Cychwynnwch i'ch plwy'ch hunan. Gw. nodyn ll.1375-6.

1443 mwy na cheffyl clafr. *Clâf* sydd yn yr arg. gwr., ond *clafr* sy'n rhoi'r odl gyrch.

1450 Roi tamad yn drws. Cf. *sefyll yn (y) drws*. Â dorau y caeir drysau mewn gwirionedd ac amhosibl fuasai bod *mewn* un o'r rheini.

1459-60 Mae'n frwnt gen i daro'r garpes ffôl,/Anwybodol, ond pwy beidie. Wrth y dorf y dywed y Cybydd y cwpled hwn, wedi i Lowri (anniolchgar yn ei ddyb ef) ei gynhyrfu i'w daro. Gair i ganlyn yr actor arall oddi ar y llwyfan ydyw, wrth gwrs, fel y gwelwyd o'r blaen.

1461 Hai whw! *Murder!* Gw. nodyn ll.1349 ar yr ebychiadau. Ystyrier yr ymadrodd llafar cyfoes *gweiddi mwrdwr*: tyfodd hwn wrth reswm o'r arfer o wneud hynny'n llythrennol.

1464   Bridewell. Enw ar garchar i ferched gynt yn Blackfriars, Llundain,
oedd hwn. Bygwth triniaeth galed dan gyfraith Loegr i Lowri Dlawd y mae'r
Cybydd yma. Aeth yn derm cyffredinol ar garchar i'r ddau ryw. Fe geir y gair
yn *Morris Letters* I, t.100, gan y brawd William: 'had opened a letter of yours
for which he had been two months in Bridewell'. Cf. 'gwallgofdy' Bedlem,
ffurf lafar Saesneg ar Bethlehem, yn Llundain yn mynd yn ddiarhebol ar y
ffurf honno yng Nghymru yn ogystal ag yn Lloegr am wallgofrwydd. Mewn
blynyddoedd diweddarach, aeth *Asylum* Dinbych ar y ffurf *seilam* yn ddychryn
trwy siroedd y gogledd, ac anfon rhywun 'i Gaerfyrddin' yn y de.

1476   Beth, ai ni wnaiff y clap mo'r clepian. Achub y blaen a geir yma
ar ll.1478 lle ceir cymhwysiad ar *cadw ci a chyfarth fy hunan.* Digwydd y ddyfais
hon yn aml iawn a'i diben, neu un o'i dibenion, yn amlwg oedd dwysáu pleser
y dorf wrth geisio dyfalu beth a ddywedid nesaf.

1480   Teigr, burion tegan. Gw. WVBD, t.527, d.g. *tegan:* '(3) *a good hit,
blow:* "hen dsiap yn rhoi tegan i rwin ag yn cal tegan i hun yn y diwadd."'

1489   Mi adwaenwn fi hon ers pan wy'n cofio. Er a ddywedwyd yn
nodyn 1384, *er* a ddisgwylid yma yn hytrach nag *ers.* O ran *fi,* cf. ll. 449: *Ond
mi a'i gwelais fi hi ers dyddiau;* ll.571: *Wel, mi wn fi pwy arall sy'n bur wan.*

1505   Ymddengys Mr. Ystyriol yn awr ar ymadawiad y Cybydd i draethu
ychydig ar ragluniaeth Duw nes i'r cyd-actor ailymddangos yng nghymeriad
Mr. Gwirionedd, a cheir cyd-bregeth rhwng y ddau ar y Cwymp.

1522   dy'dawch heiddiw. Brawd i *nos dawch* oedd *dy'dawch* ond fe gollodd
y dydd yn llwyr bellach. Fe'i cadwyd ar y ffurf *'dawch,* fe ymddengys, yn bell
i'r ugeinfed ganrif yn siroedd y gogledd ddwyrain, o leiaf. Erys *heiddiw* yn ffurf
fyw o hyd wrth gwrs, fel y sylwyd o'r blaen.

1549-52   Yng ngenau Tlodi y rhoir y pennill hwn yn yr arg. gwr., ond
Ystyriol sydd i fod yn llefaru.

**1555-6   Ysbryd ydyw Duw'r goleuni,/Ac mewn gwir ysbryd rhaid 'i
addoli.** Ioan 4: 24.

1568   Er y tyf post aur yn nrws annuwiol. Rhydd William Hay, *Diarhebion
Cymru,* y geiriau hyn fel dihareb, 'Fe dyf post aur wrth ddrws yr annuwiol',

ond gan roi Twm o'r Nant fel ei ffynhonnell. Yr ystyr, wrth gwrs, yw y caiff yr annuwiol lwyddiant yn y byd sydd ohoni.

1588 Ond rhai sy'n wir dylawd o ysbryd. Mathew 5: 3: 'Gwyn eu byd y tlodion yn yr ysbryd : canys eiddynt yw teyrnas nefoedd.'

1608 Dan leisio cân i'r glân ragluniaeth. Gadawyd heibio dreiglo *glân* yma gan yr awdur er mwyn y gynghanedd.

1610 Duw Celi. Ymadrodd hoff iawn gan yr hen feirdd dros ganrifoedd, yn golygu 'Duw'r nefoedd '. Ffurf isel ar gyflwr meddiannol y Lladin *caelum* (nefoedd) oedd *celi*, a thyfodd hefyd arfer o feddwl ei fod yn gyfystyr â Duw ei hun, gan gymryd *Duw Celi* fel dau enw mewn cyfosodiad.

1621-4 Genesis 37: 23-28.

1633-6 Llyfrau Esther, yn yr HD a'r Apocryffa. Esther (HD) 7:10: 'Felly hwy a grogasant Haman ar y pren a barasai efe ei ddarparu i Mordecai. Ac yna dicllonedd y brenin a lonyddodd.'

1643-4 Dameg y Talentau, Mathew 25: 14-30.

1687-8 Wel, pam na ddondiwch y rheini â maint y roch/A choethi fydd arnoch chwithe? Hynny yw, pam na ddondia yntau, Siôn Dafarnwr, ei ddyledwyr yr un mor ffyrnig ag y mae'r Cybydd yn ei ddondio ef? Gellir cymharu anogaeth Arthur Drafferthus (Cybydd eto), i Wenhwyfar Ddiog yn *Pedair Colofn Gwladwriaeth.* Cwyna hi fod y byd yn gwasgu arni, ac etyb Arthur: 'Pe b'asech chwi ers meitin yn ei wasgu fe'n llym/Nid aethech chi ddim fel yna.'

1711-2 yn dal her/Ar ddannedd rhyw ofer ddynion. Eu pryfocio, eu poeni, yma.

1731 Mi af at ŵr o gyfraith tu draw i'r Hand. Sonnir am dafarn o'r enw hwn yn Rhuthun yn yr *Hunangofiant*, ac yn un o'i gerddi sonia Twm am Hand yn Ninbych, a gedwid gan Robert Salusbury (CTN, t. 118).

1741-2 Mae llawer ffordd, mewn difri,/I ladd ci heblaw ei grogi. Deil hyn ei gymharu â'r Saesneg, '*There's more than one way to skin a cat.*'

1761 Wel dyma henw'r dreser. Mae *henw* yn ffurf a glywir o hyd, yn sicr.

1770 a'r *tea-kettle*. Diddorol yw sylwi bod yr un deddfau, fe ymddengys, a oedd ar waith yn rhoi benthyciadau o'r Lladin yn gartrefol yn yr iaith mor bell yn ôl yn ei hanes yn dal yn eu nerth naturiol yn y ddeunawfed ganrif; sef, meddalu cytsain fewnol (k > g), a hroi -*tl* yn *ll* (tea-cettle > tegell). Dyfala GPC mai o ryw ffurf dafodieithol Saesneg y daeth y ffurf Gymraeg. Go brin.

1771 a llwyau pres: *llywiau* a geir yn yr arg. gwr.

1785 Pe gwyddwn yn ddewredd nad allwn ymddiried,/Ni hidiwn i flewyn er rhoi yn feilïed. Hynny yw: er (= â) rhoi (rhai) yn feilïaid (ar yr ysbail). Ni fyddai diwygio *er* i *eu* (sydd yn bosibilrwydd i'w ystyried wrth gwrs), ddim yn help i ddwyn eglurder i'r gystrawen.

1787-8 Ple mae Siôn Roberts o'r [Raven]? Fe fydde fo/A gwŷr Dinbych yn o danbed. 'Or Avne' sydd yn yr arg. gwr. 'O'r *Raven*' a rydd yr holl argraffiadau diweddarach, yn cynnwys un Foulkes, ac mae'n bur debyg eu bod yn iawn. Wrth iawn ddeall y cyd-destun gwelir mai beili oedd y gŵr a enwir, a oedd bellach wedi mynd i'w 'haeddiant'. Yr oedd bod yn dafarnwr ac yn feili yn gyfuniad cyffredin yn yr oes. Mae'r Cybydd am gael hwn a 'gwŷr Dinbych' i ofalu am yr ysbail a dwyllodd o groen Siôn Dafarnwr. Rhai 'tanbed' ydynt, hynny yw y maent yn eitha parod i falu tipyn ar gyrff pobl er mwyn diogelu lladrad y Cybydd, yn enwedig, efallai, y 'pedwar *barrel* llawn o gwrw'. Ond clywsai'r Ffŵl,

> Mae ohonynt hwy bac ers dyddie
> Wedi sengyd Brenhinllys Ange,
> Yn cadw cwrt ac yn siarad yn is,
> A phawb yn cael y *fees* a haedde.

(Deunydd o'r *Bardd Cwsc* sydd yma, wrth gwrs, fel mewn llawer man arall.)

1841 Fo'i gaf'odd yn fy nghefn rhyw bricied blin. *Gafaelodd* yw'r gair – *gafaelodd rhyw bricied blin yn fy nghefn*. Ni fyddai ystyr i 'Fo gafodd yn fy nghefn ...' fel sydd yn yr arg. gwr.

1879-82
> O! chwi'r rhai sy'n chwerthin yn eich dyrne,
> Ceisiwch feddwl am eich siwrne;
> Ni cheiff y balcha, gwycha eu gwedd,
> Ddihengyd o ewinedd Ange.

Cyfeirir y geiriau hyn at y rhai yn y dorf a fuasai'n chwerthin am ben y rhybuddion. Ond dechrau mynd yn weddol ychydig yr oedd y rheini erbyn ysgrifennu'r anterliwt hon, gellir meddwl, a mynd yn llai byth y buasent tua diwedd y ganrif a diwedd oes yr anterliwt hithau fel adloniant i'r bobl. Roedd bygythiad angau yn wastad 'fel rhyw swmer yno'n symud' – a dyfynnu o un o gerddi Twm o'r Nant am ŵr ifanc o garwr trwstan a ddychmygai, wrth fynd i gwrdd â'i gariad dros ryw gaeau anial fin nos, fod ysbryd drwg neu fwgan yn ei ymlid (gw. CTN, t. 115). Dyma'r syniad a geir yn y Saesneg wrth ddefnyddio'r gair 'looming' pan fo hwnnw'n cyfleu bygythiad. Fe gyfleir y braw hwn fel peth anochel ac ofnadwy yn yr hen gerdd anhysbys ei hawduriaeth – canoloesaidd iawn yw'r naws:

> Ar ryw nosweth yn fy ngwely,
> Ar hyd y nos yn ffaelu cysgu,
> Gan fod fy meddwl yn ddiame,
> Yn consarnio am fy siwrne.
> Galw am gawg a dŵr i 'molchi,
> Gan dybio hynny i'm sirioli;
> Ond cyn rhoi deigryn ar fy ngruddie,
> Ar fin y cawg mi welwn Ange.
>
> Mynd i'r eglwys i weddïo,
> Gan dybio'n siŵr na ddeue yno;
> Ond cyn im godi oddi ar fy nglinie,
> Ar gefn y fainc mi welwn Ange.
>
> Mynd i'r siambar glós i 'mguddio,
> Gan dybio'n siŵr na ddeue yno;
> Ond er cyn glosied oedd y siambar,
> Ange ddaeth o dan y ddaear.
>
> Mynd i'r môr a dechre ymrwyfo,
> Gan dybio'n siŵr na fedre nofio;
> Ond cyn im gyrredd dyfnion donne,
> Ange oedd y capten llonge.

1893-4 Llyfr y Pregethwr 1:2, a throeon wedyn.

Nodiadau ar *Tri Chydymaith Dyn*

6 'run wacdd â pharsel o wyddau. Cf. *parsel* [o wartheg] *eisie llenwi pyrse* – ll.626 (yr anterliwt hon); *A pharsel o hogiau ar y llawr yn chwareu* – BB, &c. O'r Saesneg y daw wrth gwrs, a dyma enghraifft o'i ddefnyddio ynddi gan gyfoeswr i Twm o'r Nant yn yr Alban : 'We're bought and sold for English gold:/Such a parcel of rogues in a nation!' – Robert Burns, o 'Fareweel to a' our Scottish Fame'. Fe geir llawer enghraifft o'i ddefnyddio yn yr un oes ac yn yr un iaith gan y Morrisiaid yn eu llythyrau, ac fe glywir 'passle' o hyd yn ddigon aml mewn *Westerns* ar ffurf ymadroddion fel *passle of hosses* a *passle of guns*. Yn y term cyfreithiol '*a parcel of land*' yr ydys yn fwyaf cyfarwydd â'r defnydd erbyn hyn, ynghyd â'i gyfieithiad i'r Gymraeg, *parsel o dir*.

7 ar draws ac ar hyd. Nid damweiniol yn yr oesoedd uniaith Gymraeg a aeth heibio fuasai arfer yr ymadrodd hwn yn y drefn sydd iddo yma. Hynny yw, nid yw'n ffurf gyfnewidiol gyfystyr ag *ar ei hyd ac ar ei draws/thraws*. Yr oedd y meddwl Cymraeg gynt yn dirnad ar ei union yr ystyr a gyfleid wrth beidio â defnyddio'r rhagenwau meddiannol blaen neu droi'r ymadrodd ôl ymlaen. O ystyried y geiriau am dwrw a dwndwr sy'n ei ragflaenu – a'i ddilyn hefyd – *traws gwestiwn, bugad, ('run) waedd (â pharsel o wyddau)* a *dwndro*, daw'r ystyr yn amlwg. Gw. WVBD, t. 217, d.g. *hyd* : 'ar hyd ag ar draws, *in all directions, anyhow*'; t.540 d.g. *traws* : 'peth ar draws ag ar hyd, *a muddled composition*'.

15 Mae dau o chw'ryddion mwynion, Mal. Dau a actiai'r anterliwt hon, fel yr un a'i rhagflaenai yng ngyrfa anterliwtiol Twm sef *Cyfoeth a Thlodi*. Yn honno, gw. ll.11: *Heb ddim ond dau Ffŵl, ar hyn o dro*. Golygai hyn gryn brysurdeb iddo ef a'i gyd-actor a hwyl i'r dorf wrth weld yr un rhai yn chwarae rhannau cymeriadau digon croes i'w gilydd. Buasai hyn yn rhan o'r miri; cf. ymddangosiad Ystyriol (sydd hefyd yn chwarae'r Ffŵl – Twm, wrth gwrs) yn CaTh (ll.1500) ar ymadawiad y Cybydd, ac actor y rhan honno yn ailymddangos ymhen ychydig yng nghymeriad Mr. Gwirionedd – a'r ddau ynghyd wedyn yn pregethu ar y Cwymp. Mae'n werth cofio, serch hynny, fod dau actor yn ennill cymaint ddwywaith yr arian bob un ag y byddent pe baent yn bedwar, dyweder. Fe gofir bod Twm yn yr *Hunangofiant* yn sôn am un o'r enw Mostyn o Galcoed yn peri ei ddal gan feilïaid am ei fod yn ddyledus iddo am 'beth rhent porfa' pan oedd ar ganol chwarae y *Farddonaeg* yn un o bedwar.

18 Yn boeth y bo'u procsi wirion. Y lled-Gymreigiad *proxi* sydd yn yr arg.
gwr. Term cyfreithiol yw *proxy*, yn golygu hawl neu drwydded i weithredu
dros arall. Yn ddifriol, golyga ryw esgus neu beth ail-law, rhywbeth yn lle
rhywbeth arall. Yr awgrym yma yw ailadrodd sothach neu lol.

**19-20 Ffit fydde i rywun eu gyrru o'r wlad/I wneud cuwch mewn
dillad cochion:** sef eu gorfodi i fynd i'r fyddin, eu listio – *Redcoats*, wrth gwrs,
y gelwid gwŷr traed byddin Lloegr yr oes.

22 Gwaed y gwcw. Am yr ymadrodd hwn yn 'foel' (fel y mae yma), gw.
John Jones (Myrddin Fardd), G-ESG, t.67. Fe gofnodir ei ddefnyddio â thipyn
o liw iddo, sef 'gwaed y gwcw goch', gan David Thomas yn 'Geiriau Llafar
Dwyrain Maldwyn', *Cymru* LI, tt.279-80 (un o gyfres o gyfraniadau gan y
casglwr a gyhoeddwyd yn ôl trefn yr wyddor yn yr un cylchgrawn rhwng 1916
a 1918; fe'i ceir wedi ei chasglu'n hwylus at ei gilydd yn bennod gan Bruce
Griffiths yn *Gwerin-Eiriau Maldwyn*), a chofnoda R.W.Jones (Erfyl Fychan)
'gwaed y gwcw las' yn 'Gwerineiriau Llanerfyl', BBCS V, tt.112-4. Awgryma
David Thomas mai *gwae* oedd y gair yn yr hen ebychiadau chwareus hyn yn
wreiddiol, ond cf. ymadroddion Saesneg fel *God's blood*, &c.

24 Dan awyr. Mae hwn yn ymadrodd tra chyffredin yn yr anterliwtiau. Ceir
ymadroddion cyfystyr yn *ar dir, dan y rhod, dan sêr, ar dwyn*, &c. Yr ystyr yw *ar
goedd, yn gyhoeddus.*

29 saith wrthunach. Mae WVBD, tt. 471-2, yn cofnodi treiglo c, t a p, ond
nid g, d a b, yn feddal ar ôl *saith* ar lafar naturiol yn ardal Bangor yn ail ddegawd
yr ugeinfed ganrif.

**35-6 Mi'u gwelwn yn ymgroesi'n fawr eu gwrid,/Gan edrych rhag
llid o'u lledol**. Mae'r Ffŵl (heb fod eto wedi llawn 'ymddihatru' o berson
Twm mae'n debyg) yn ei ddisgrifio'i hun yn dod i gwrdd â dwy o ferched ar y
ffordd yn agos i gyrraedd y fan lle mae'r sioe i'w pherfformio yn poeth ddadlau
â'i gilydd ynghylch ei gwerth a'i lles neu fel arall. Yr oedd ef wedi llamu i'w
canol yn bwrpasol i'w dychryn ac maent yn awr yn eu cywilydd yn mynd
o'i flaen ar y ffordd gan edrych yn ôl yn ddig arno. Bu un o blaid a'r llall yn
erbyn ac yr oedd honno a wrthwynebai yn euog ei hun o'r beiau a briodolai
i'r anterliwtwyr. Arweiniai hyn yn hwylus i'r Ffŵl gael traethu yn erbyn twyll
a ffalster a rhagrith y byd. Gw. ll. 43-6 isod.

    O ran dechrau anterliwt gan awdur arall fel hyn, gyda'r Ffŵl yn sôn
am ddychryn merched a welsai yn ffraeo ynghylch anterliwt cyn dechrau ei

chwarae mewn lle neilltuol, cf. o *Y Brenin Dafydd*. Cecryn sy'n siarad :

> Mi glywes rai o'r merchede
> Yn dweud wrth eu gilydd gyne,
> Y rwan cofies eu Dyspiwt,
> Fod ymma ENTERLUT i'w chware.

Â'n 'ymguro' rhwng dwy ferch ar ôl sawl pennill, a Checryn sy'n siarad eto:

> Mi eis inne yno yn sydyn,
> A'm cleddyf, i sefyll rhwngddyn;
> Nid oes o'm bath i yn y Fro,
> Lle bytho ffraeo am ffrywyn.

37-40   Mi a'u clywn hwy'n dweud yn ddistaw ddifri,
'Dyma un o'r chw'ryddion puredig – 'delwy byth i'm priodi!
A minne'n lladd arnynt hyd y lôn,
Taw di â'th sôn, da Siani.'

Ni cheir dim diffiniadau neu ystyron annisgwyl i *puredig* yn GPC. Coeglyd yw'r deunydd yma, yn ddigon amlwg. Mae'r pennill hwn yn amlygu agweddau pobl tuag at chwaraeyddion anterliwtiau. Cymysgfa o edmygedd ac eilunaddoliaeth ar y naill law, efallai, a dirmyg a dicter wrthynt ar y llall am eu 'hoferedd'. Mae *'delwy byth* (i'r fan a'r fan, neu i gyflawni rhyw weithred – *priodi* yma) yn ymadrodd tra chyffredin yn yr anterliwtiau ac yn adlewyrchiad wrth gwrs o iaith lafar naturiol gwerin yr oes. O'r anterliwt hon, ll.407 – *nad elwy o'm co*; ll.1401 – *nad elwy fyth i'r Hob;* o CaTh, ll.287 – *Nad elw i byth i Bont y Go*; ll.445 – *'delwy byth i Lanferras*; ll.1887 – *Nad elwyf byth i Bant y Chwilod*. Sonnir weithiau am fannau digon anghyraeddadwy *nad elwy' fyth i Ben-y-gribyn*. – FF.

43-6   Gw. 35-6 uchod.

49   Tyrd ti'r hen Gerddor gwag ei urddas. Ceir pennill neu benillion yn gwahodd y Cerddor i ddod â thôn ar ei offeryn (ffidl gan amlaf os nad bob tro; fe ymddengys mai yn ystod y ganrif flaenorol y daethai'r offeryn i'r Ynysoedd hyn). Bwrir anfri arno – *gwag ei urddas* ydyw yma – gan y Ffŵl. Twm a chwaraeai hwnnw yn ei weithiau ei hun a gwnâi'r awduron eraill yr un modd y mae'n bur debyg; hon oedd y rhan orau, y rhan y cerid, mae'n amlwg, ei hactio fwyaf.

60   Mi brygetha' ichwi ryw brygowthen. Maes o law a olygir, yng nghorff y chwarae. Gyda'r geiriau hyn ymedy'r Ffŵl â'r llwyfan i'r Traethydd (anghofiwyd hysbysu ei ddyfodiad a'i ymadawiad yn yr arg. gwr.) gael rhoi Mynegiad y Chwarae, a chyda'r Mynegiad hwnnw y daw ymddifrifoli, neu sufulo, ac arfer gair nodweddiadol o iaith lafar yr oes, a newid cywair o'r hwyliog neu'r llon i'r athronyddol ddwys neu'r lleddf; o'r ysgafn i'r trwm os mynnir. *Dameg* sydd yma, i'w chyflwyno gerbron y cwmni, yn ôl y Traethydd, fel pe bai am adrodd hanes y Mab Afradlon neu ddysgu gwers y Gronyn Mwstard. Am yr ymadrodd ei hun fe'i ceir yn cael ei ddyfynnu o waith dau o'r Cywyddwyr gan Thomas Richards yn ei eiriadur d.g. *Brygawthan, Brygawthen, Brygowthen*: 'Wrth y bwrdd o nerth ei ben,/ A bregetha brygawthen – S.Br. [Siôn Brwynog]'; 'Methodd fe bylodd ei ben,/ I bregethu brygowthen – W. Kynwal'. Dipyn nes adref megis, dyma enghreifftiau o *brygowthen* heb *bregethu*, fel petai, yn *Morris Letters* II, t.70: 'Mi wranta eich bod wedi blinaw ar fy mhrygowthen i, oni bae ei bod hi'n gwlychu yn drwm drwm allan ...' ; t.213: 'Rhaid rhoi rhyw brygowthen etto i orphen yr awr allan, oblegid 3 o'r gloch y mae fy ngwreigyn i yn mynd ar llythyr ...' ; t.577: 'onid oes yna ddigon o brygowthen eisoes?' Ceir yr ymadrodd yn yr anterliwt hon drachefn yn ll.1905: (y Cybydd sy'n siarad) *Ni waeth iti dewi â phregethu dy brygowthen.*

65-8   Sef dangos y trueni,
             Fel y mae pob dyn yn hoffi
             Ffyrdd twyllwch, fawrdrwch fâr,
             Mwy glanwaith na'r goleuni.

Mae'n amlwg fod Twm wedi parhau'n hoff iawn ar hyd ei oes o'r gwrthgyferbyniad hwn rhwng y goleuni a'r tywyllwch, sef geiriau Ioan 3: 9. Gw., er enghraifft, eiriau Rhinallt mewn dadl â Tom Tell Truth yn *Tri Chryfion Byd*, wedi iddo gael tröedigaeth:

             Dyna ydyw'r ddamnedigeth,
             Ddyfod goleuni i'r byd mor heleth,
             A dynion yn caru y tywyllwch ffri
             Yn fwy na'r goleuni glanweth.

79   droi'n frau'r un fryd. Mae Lord Anima yn glai yn nwylo Rhyfyg Natur. Ychydig o waith argyhoeddi arno sydd ei angen. Yn sicr, nid oedd angen ei *ddarbwyllo* – roedd eisoes â'i fryd ar ymroddi i bleserau'r cnawd; am drwydded yn unig i gael gwneud yr oedd. Yn yr anterliwt hon mae Cydwybod, un o'r *Tri Chymdeithion*, yn llwyddo i achub Lord Anima yn y diwedd o grafangau

Rhyfyg Natur ac Anrhydedd y Byd, ond y mae'r Cybydd druan yn rhy fydol
i dderbyn ei rybuddio!

81-4   Ac at Anrhydedd yma
                Fe ddaw y Lord Anima;
                A hithe'n dawnsio'n deg ei llun,
                A'r Lord mewn gwŷn a gana.

Gw. y sylw ar ll.1751-4. Twm yw Anrhydedd a thipyn o ddillad merch
amdano dros ei rai ei hun – golwg eithaf doniol, gellid meddwl. Ond siomi
Lord Anima, ysywaeth, mae'r Gymdeithreg hardd hon!

91-2 I'w ddysgu i ganlyn dull y byd/Mewn hyfryd oglyd eglur. Mynd
ar ôl y byd a'i bethau, cymryd ffordd y cnawd, &c. a olygir wrth *canlyn dull y
byd*. O ran yr ail linell, cf. ll.281: Y fi yw'r cydymaith *eglur*; ll.650 : I ddweud fy
eglur oglyd; ll.841 : Wel, wel, os yw cymdogion *eglur*; ll.1008 : Ar *oglyd* ffydd yr
Eglwys; ll.1045 : Roedd ganthynt hwy grefydd *eglur*. Agored, gonest, plaen yw
eglur yn yr enghreifftiau uchod, a *goglyd* yn golygu ffydd, ymddiried, gofal.

94 Daw'r Cybydd, sef Blys i'r Cwbwl. Nid anghofiodd Twm yr enw a
roes ar ei Gybydd yn yr anterliwt hon ymhen y blynyddoedd. *Pleser a Gofid:*
'Pleser Cybydd Blys i'r Cwbl,/Gweled mwyniant golud manwl.'

97 Ar eiddo hwn mae'r cerlyn. Mae *cerlyn* yn aml iawn yn air arall am
gybydd, ac fe'i ceir yn un ystyr iddo yn hen eiriaduron y bedwaredd ganrif ar
bymtheg.

100 Nod eiddig. Ceir *nod* (hyn a hyn, neu gyda gair o'i flaen) yn air cyson
yn yr anterliwtiau (gw. ll. 884 – *dig nod*, a ll.1827 - *nod niweidiol*, er enghraifft,
yn hon). Dwg yn aml gysylltiad annymunol. Heblaw'r enghreifftiau uchod, cf.
Pleser a Gofid, lle dywedir am Gofid, fod arno 'nod y Dafarn a'r Efel'.

**129-30 Fy [mam] yw Chwant Cnawd Naturiol,/Hen ddynes bur
ddiddanol**. 'Nhaid' sydd yn yr arg. gwr. Mae'n bosibilrwydd cryf iawn mai
mam yw'r gair a fwriedid, a hynny ar y sail bod RhN yn hysbysu ynghylch ei
dad yn y pennill blaenorol ac ynghylch ei daid a'i nain yn y canlynol.

136 A'r cene gan Mr Cynnen. Gw. nodyn 36, CaTh.

142 A'r hen remwth gan Mr Amwyll. Eto.

156 Fwy geraint, mi ddalia' goron. O ran treiglo ar ôl *mwy* ar lafar naturiol gynt gw. WVBD, Appendix, t.629, d.g. *plyciog* '(2) '*jerkily*': "peidiwch â tynnu mor blyciog, triwch dynnu mwy (yn fwy) wastad".'

161 Yn rhodd, = os gweli di'n dda.

166 Gymaint anrhydedd ag sy'n rhodio, – sef yr hyn o anrhydedd ag a geir, sydd ar gael neu sy'n bod yn y byd. Cf. *Ond mi welais ers talwm y bydde ar gerdded/Hen ddiod gre mewn tai tenantied*. – 461-2, TChD. Cf. y Saesneg, 'that's going'.

173-6   LORD:
          Tref Dewisiad, pa beth yw honno?
          RHYFYG:
          Ewyllys rhydd i sefyll neu syrthio;
          Ac fe glywodd y rhan fwya, mi wn yn dda,
          O gwmpas, fod i Adda gwympo.

Cyfeirir yma at y dewis i ddyn yng Ngardd Eden, un ai bwyta neu beidio o ffrwyth Pren Gwybodaeth Da a Drwg (Genesis 2: 17). Wedi gwarth y bwyta a'r Cwymp y ganed RhN, yn ôl ei gyffes ei hun. Tref Dewisiad yw gardd Eden, a *Tref* i'w ddeall efallai yn yr hen ystyr o *cartref*. Ond cymharer pennill o bregeth Arbitrius Liber (Rhydd Ewyllysiwr) yn *Theomemphus* (Gomer M. Roberts, *Gweithiau William Williams, Pantycelyn*. Cyf. I, t. 236):

          Nid ydyw dyn heb allu, er iddo fynd ar ŵyr,
          Mae ei 'wyllys a'i resymu heb eto eu llygru'n llwyr,
          Ei ddeall yw ei reswm, fe gadwodd hwn ei le,
          Pan gollodd ei frenhiniaeth o fewn i deyrnas ne'.

184 'Mod efo thi'r dyn cyn d'eni. Parheir yma'r sôn am y pechod gwreiddiol, syniad sydd yn cyniwair trwy feddwl Twm o'r Nant byth a beunydd, ac y gwelir ei amlygu mor hollol ddiosgoi ym mhob un o'i anterliwtiau. Dyna'r cam cyntaf sydd raid wrtho cyn y gellir gobeithio cael achubiaeth, sef cydnabod yr hunan yn bechadur o'r waedd gyntaf yn y byd hwn. Cymerer, yn un enghraifft yn unig, o *Pleser a Gofid*, ugain mlynedd yn ddiweddarach:

          PLESER:
          Dywed y gwir drwy Gariad,
          Pa le cefaist ti ddechreuad?

GOFID:
> Ymysg y prennau, siwrnau saeth,
> Gydag Adda, pan aeth i ymguddiad.

Os dywedodd rhai wrth sgrifennu am Twm o'r Nant yn yr ugeinfed ganrif mai gŵr garw ydoedd, efallai y dywed hynny fwy amdanynt hwy eu hunain a'u breintiau nag amdano ef. Byd garw ydyw'r byd hwn o hyd wrth gwrs i'r rhan fwyaf o blant dynion.

206 I fod yn bennaeth rheol buchedd. Ystyrier *Rheol Buchedd Sanctaidd*, teitl Ellis Wynne i'w gyfieithiad o *The Rule and Exercise of Holy Living*, Jeremy Taylor.

209-12   Wel, nid wyt yrŵan eto,
>   **Wedi'r holl gwbwl, ond rhyw ddallgeibio;**
>   **Ffasiwn newydd sy'n mynd ymlaen,**
>   **Mae'r hen, a'i graen, yn crino.**

RhN yn 'ceryddu' LA a geir yma am enwi 'Cydwybod weddedd' fel cystal cydymaith ag Anrhydedd ac yntau! Mae dydd Cydwybod yn prysur fynd heibio, meddai. Nid *yn digwydd*, ond '*is proceeding*', a olygir wrth *sy'n mynd ymlaen*. Mae'r gair *dallgeibio* yn ei esbonio ei hun yn ardderchog (serch hynny, fe'i cynhwysir yn yr Eirfa).

232 Fwy rhediad a mawrhydi. Gw. diffiniadau GPC o *rhediad*, eithr mae'n amlwg fod ystyr nas cynigir yn hwnnw i'r gair. Derbynier wrth gwrs *hynt, cwrs, llwybr*, ond ychwaneger *bri, clod, anrhydedd, teyrnasiad, llwyddiant* &c. Mae'n air cyson yn yr anterliwtiau.

241-4 Wedi i Rhyfyg Natur wahodd y Cerddor, 'mwynlan' (y tro hwn), i daro tant, dechreuant ganu yma, y Lord a RhN ynghyd, ddeuawd fach ar yr alaw *Consêt Gruffydd ap Cynan*, a'r Lord yn cael yn RhN gwmpeini wrth fodd ei galon. Yn y pennill cyntaf yma trewir y darllenydd gan y deunydd esmwyth hollol ddiymdrech o ansoddeiriau cyfansawdd; mae'r hen gelfyddyd hon yn nodwedd gyson yng ngherddi'r anterliwtiau ar eu gorau:

> **Mi luniaf gân, lawena gwaith,**
> **O! annwyl iaith, mwyniant maith;**
> **Dyma'r daith, yn lanwaith lonwych,**
> **Sy'n ogoneddwych iawn gen i.**

247 Amrywiad ar dyfod/dŵad yw **dywad**.

253 Mi a'th canlyna. Ni threiglir ar ôl y rhagenw mewnol ail unigol yma, ond fe wneir hynny mewn mannau eraill, e.e. ll.380 : *Cais dewi'n fyr â'th ferw*; ll.257: *diame y'th gês*. Mae'n amlwg fod a wnelo posibiliadau cyseinedd neu gynghanedd â hyn weithiau, os nad yn amlach na pheidio.

279-316 Mae Rhyfyg Natur yma'n brolio ei ddoniau caru. Os nad oedd 'Nani, a Siani, a Sioned' yn ferched o gig a gwaed a adwaenid gan Twm, yna mae'n bur sicr y buasai rhai o'r un enwau ymysg y dorf, a hawdd y gellir dychmygu'r rheini un ai'n gwrido neu ynteu'n chwerthin yn iach o flaen ystumiau neu amneidiau pen cyhuddgar gellweirus cyfeillion neu gydnabod. Ceir yr un tri enw merch gyda'i gilydd, ond mewn gwahanol drefn, o enau Caswir yn FF : 'O *dear*, lle mae Nani,/Sioned, a nghyfnither Siani?' Ac yn 'Yr Anterliwt Goll' o waith 'Poeta', *Barn, ar Egwyddorion y Llywodraeth*, yn yr un drefn o enau'r Ffŵl yn honno: 'Wel Nani Siani a Sioned/Par fodd rych chwi'n ymglywed'. Rhan o rialtwch yr anterliwt oedd hyn wrth gwrs, a dyfais yw a geir o hyd mewn adloniant i beri bod y rhai a ddaw i gael eu difyrru yn gyfranogion yn y 'gweithgareddau'.

301-4   A dyna ichwi'r hynod ddefod ddyfal,
                   Mae dysgeidiaeth Rhyfyg Natur wamal;
                   Nid oes yr un mewn gwlad na thre
                   Yn medru pob castie cystal.

Gall rhediad brawddeg y pennill hwn edrych a swnio o'i ddarllen yn chwithig. Ond enghraifft ydyw o hepgor yr arddodiad mewn cymal perthynol afrywiog. Deellir rhywbeth fel 'mae *ynddi/wrthi*'. Tebyg yw cystrawen Iolo Goch wrth ganu i Lys Owain Glyndŵr: 'Llyna'r modd a'r llun y mae/Mewn eurgylch dwfr mewn argae'. Cf. y nodyn ar CaTh, ll. 567.

317-20   Wale'n wir, mi wela'
                    Fod yma gwmni lled ysmala;
                    Ai tybed y byddwch yn ymhel
                    Yn amal fel hyn yma?

Yn ôl ei swydd a'i arfer mae'r Cybydd ar ei ymddangosiad cyntaf ar y llwyfan yn ceryddu'r dorf am ei segurdod a'i hoferedd yn ymgynnull i'r llecyn; ni ŵyr ef wrth gwrs ei fod yn rhan o'r chwarae, neu fe gymer arno nas gŵyr! Hanfod swyn chwarae – neu ddrama os mynnir – yw'r ymrithio hwn, y camu i mewn ac allan o grwyn cymeriadau. Fel y dywedwyd uchod (nodyn 94), nid anghofiodd Twm yn y blynyddoedd i ddod yr enw a roes ar ei Gybydd yn yr anterliwt hon.

324 Yn ddrwg fy noes. Mae *noes* (< *noise*) yn un o hoff fenthyciadau'r anterliwtwyr o'r Saesneg.

325-8   **Ond rydw i'n dallt fod llawer yn treulio'u bywyd**
                     'Run faint ar y cogail ag ar y werthyd;
                     Cadw'r nodwydd ddur yn siŵr,
                     A cholli'r cwlltwr hefyd.

Cf. *cadw'r nodwydd ddur a cholli'r trosol haearn*, hynny yw, cadw'r lleiaf ei werth o ddau beth ar draul colli'r llall, y gwerthfawrocaf. Cf. pennill Tom Tell Truth, yn TChB:

> Mae treiglad y byd yn troi ac yn symud;
> Ni wiw i'r cogel fod yn ddig wrth y werthyd.
> Helynt flin yw pobi heb flawd,
> Chwarae teg i'r tlawd am ei fywyd.

Cydweithrediad rhwng pawb, pawb â'i swydd a'i werth ei hun, ni ellir y naill heb y llall, yw'r ddysgeidiaeth y tro hwn.

330 A'u bryd ar gynhilo, nhw aethon yn heles. Mae gair olaf y llinell yn edrych fel *beles* yn yr arg. gw. ond mae'r anadliad caled yn *cynhilo* yn gofyn sain yr *h*, a hynny heblaw'r anhawster ystyr a geid o dderbyn *peles* (cyn ei dreiglo o flaen yr *yn* traethiadol). Mae *hyles* yn bosibilrwydd. O blaid *heles,* gellir ei dderbyn efallai fel ffurf fenthyg ar y Saesneg *'heedless'* a'r *d* yn colli.

342 myned i borthmonaeth. Cf. *marchogaeth, ymyrraeth, ymdrawiaeth,* &c. fel enghreifftiau eraill o ddefnyddio enw haniaethol fel berfenw.

348 I ffeirie Môn a manne. Mae'n debyg mai *mannau* = *lleoedd* a olygir wrth y gair olaf, h.y. 'Môn a mannau eraill'. Mae'n wir mai llythyren fawr sydd iddo yn yr arg. gwr. ond ni ellir pwyso ar hynny bob tro mewn anterliwt.

351-2 Pwllheli, Cricieth, Penmorfa a'r Bâs,/Ac 'run moddion i Ddinas Mawddwy. Mae'r lleoedd eraill a enwir yn y cwpled hwn yn awgrymu mai lle, un ai ym Meirionnydd neu yn Eifionydd, y collwyd pob hanes amdano bellach oedd 'y Bâs', a chan hynny nid afresymol fuasai cynnig cysylltiad â'r arfordir yn y parthau hynny cyn codi'r Cob gan Madocks. Gw. map Lewis Morris (a wnaed, neu a dynnwyd, rhwng 1737 a 1744) lle amlygir y 'feisdon' tua'r Traeth Mawr. Mae'n bosibilrwydd fodd bynnag mai *ar bas* sydd i'w ddarllen, a *pas* i'w ddeall yn ei ystyr o 'twyll', a derbyn bod y llythyren fawr a'r hirnod yn yr arg. gwr. yn gamarweiniol (gw. y sylw yn y nodyn yn union uchod). Mae'n bwysig cofio, fodd bynnag, nad annerbyniol yw cael trwm ac ysgafn mewn cyrch-odl anterliwtiol.

360 Tan siarad a llyswyra. Adrodd llaswyrau, h.y. adrodd paderau, yw ystyr briodol 'llyswyra'. Cf. ffurfiau fel *brygowtha, brygowthen, parablu, paldaruo* &c. yn crwydro oddi wrth eu hystyron crefyddol gwreiddiol i olygu *gwag siarad*. Gw. nodyn 495.

363 hefyd, = yn golygu *(y)chwaith*. Defnydd byw iawn o hyd ym Morgannwg a Sir Gâr.

365-6 Pe medrwn gael dialedd o dir i'm dwylo,/Yn borfeydd ac adlodd, mi awn i brynu ac i godlo. Cf. 'y tâl am borfa ac adlodd', sef yr *herp'baed's* ('herbage') yr â Gwas y Person (Caswir y Ffŵl) yn FF at y Cybydd i'w gasglu dros ei feistr.

374 Ac a'u gwerthwn yn jobie i borthmyn: sef, eu cyfanwerthu, eu gwerthu yn '*job-lots*'. Cf. hefyd y defnydd o'r gair *parsel(i)*.

379-80 Ie, mae arna i eisie lle i droi ambell ŷr,/Cais dewi ar fyr â'th ferw. Mae RhN yn camu i'r llwyfan wedi bod yn clustfeinio megis ar ddymuniadau calon y Cybydd am ragor o dir pori i 'ymendio a graenio gronyn' ar ei wartheg cyn eu gwerthu i borthmyn, ond mae hwnnw'n awr yn bur ddiamynedd gydag ef ac yn ddifater ohono i ddechrau – sydd yn peri doniolwch mawr i'r dorf, wrth gwrs.

382 Un o'ch ceraint sy yn eich cyrredd. Sylwer nad yw RhN yn enwi Cybydd-dod fel un o'i geraint yn ei restr achau, ond y mae'n enwi Mr. Twyll a Mr. Cogio – sydd yn dwyn enwau dwy o nodweddion y Cybydd. Gwgan *Gogiwr* yw'r enw a rydd Huw Jones o Langwm ar ei Gybydd ef yn *Protestant a Neilltuwr*.

Dan ddylanwad y Saesneg yn ystod hanner olaf yr ugeinfed ganrif, mae'n debyg, y caed mor amlwg erbyn hyn *o fewn cyrraedd* ac *allan o gyrraedd* fel ffurfiau i ddisodli *yng nghyrraedd* ac *o gyrraedd*. Wedi dweud hynny, ceir enghreifftiau o *allan o gyrraedd* yn llenyddiaeth yr oes – gan Jonathan Hughes, er enghraifft, yn *Bardd a Byrddau* (1778), er y cofir mai rhan o'i gŵyn ef ydyw distadledd, yn ei olwg ei hun, ei Gymraeg, fel brodor o'r parthau cyfnesaf i Loegr. Yr oedd yr ystyr hefyd yn ehangach nag ydyw'n gyffredinol erbyn hyn: *ar gael ichwi, at eich gwasanaeth* sydd yma.

395-6 Mi ddyga' dyddyn y gwan yn siŵr,/Ac a'i gwthiaf i'r gŵr cywaethog. Adleisiau o Siôn Cent, 'I wagedd ac oferedd y byd':

> Ymofyn am dyddyn da
> Ei ddau ardreth, oedd ddirdra,
> Gan ostwng gwan i'w eiste
> Dan ei law, a dwyn ei le;
> A dwyn tyddyn y dyn dall,
> A dwyn erw y dyn arall.

404 Mi'th garwn di yn [?an]hepgorus (sef yn anad dim/neb). *Yn hepcorus* a rydd yr arg. gwr., ond oherwydd yr odl gyrch mae bron yn sicr mai *an-* a fwriedid. Ni threiglir y ferf ar ôl y rhagenw mewnol *-th* yma chwaith (gw. nodyn 253), ond rhesymol oedd diwygio i gyd-fynd â'r gynghanedd, a chan mai diweddaru heb ddangos bachau petryal yw'r polisi golygu ynglŷn ag achosion mor gyffredin.

409-12
> Ac mi ddof ddiwrnod neu ddau'n wyllysgar
> I gario glo neu fawn i'th feistar,
> Ac mi gadwa' iddo'n gefnog geiliog neu gi,
> Ac mi wnaf â th'di'n bur hawddgar.

Yr oedd moddion heblaw arian treigl i dalu am yr hyn a ddymunid ei gael neu a oedd yn rhaid wrtho. Cf. yr hen bennill (*Hen Benillion*, gol. T.H. Parry-Williams, rhif 168):

> Os bûm mi ysmala, mi weithia'r cynhaea',
> Pan ddelo'r ha' nesa' mi dala' i chwi'n deg.
> Rhof wythnos i lyfnu a deuddydd o fedi
> A diwrnod o chwynnu'n ychwaneg.

425-8
> Dyna'r ffordd ichwi'n ddigon gloyw,
> Beth fyddo gyrredd im *gwart* o gwrw?
> Galw di mewn difri'r dyn,
> Mi dala' i fy hun am hwnnw.

Yn ôl y fformiwla (neu'r 'cyfansoddiad rhagdrefniadawl') y mae'r Ffŵl weithiau
un ai yn ysgogi'r Cybydd o'i wirfodd i wario'i arian ar gwrw iddynt ill dau ac
ymfeddwi, neu'n cynnig talu ei hun ac yn diflannu cyn i'r tafarnwr ddod â'r bil
(cf. defnydd y Cybydd o'r gair *herio* wrth sôn am addo talu am ei bryniadau a
pheidio â gwneud wedyn; gw. nodyn ar ll.611-2 isod).

**443-4 Peth bynnag a'r allw i ichwi'r gŵr da,/Am ych rheswm, mi
gwnaf o â chroeso.** Mae *a'r* (neu *ar*, fel y'i ceir yn yr arg. gwr.) yn gyfuniad
o'r arddodiad *a* (*o* gynt) a'r rhagenw dangosol *'r* (*ar* yn llawn) fel rhagflaenydd
mewn cymal perthynol i'r rhagenw perthynol *a* (nas dangosir yma) gan achosi
treiglad ar y ferf. Gw. CFG, tt. 83 a 87 yn enwedig, ond hefyd tt.75-6, 89, 95.
Gw. hefyd JM-J, WS, tt.101-2 ac E. Anwyl, WGS, *Part 2*, tt.170-1. Buddiol
hefyd yw D.S. Evans, GCC, tt. 43-7.

453 Meddiennwch, mi'ch gwranta' chwi, f'ewyrth cryno. Mae Rhyfyg
yma yn tystio i addasrwydd ei enw wrth iddo annog y Cybydd yn ei flys i
wneud ei waethaf. Yr oedd *ewythr* a *modryb* fel cyfenwau 'annwyl' ar y ffarmwr
a'i wraig yn dechrau cael eu disodli eisoes gan y cyfenwau mwy oeraidd *meistr*
a *meistres*.

459-92 Mae'r Cybydd yma yn ei gwrw a'i gas yn dannod i'r genhedlaeth
newydd ei throad oddi ar yr hen ffordd o fyw. Er bod hyn yn hen gŵyn oesol
gan yr hen do am y to a fydd yn codi ar y pryd, mae cyfnod yr anterliwt yn
ei hanterth yn sefyll megis ar ranfa holl-dyngedfennol yn hanes Cymru ym
mhob ffordd bosibl. Mae geiriau pen hanesydd Cymru, John Davies, yn werth
eu dyfynnu yma; dywed (*Hanes Cymru*, Pennod 7), am hanes y genedl, ei bod
'fel petai'n newid gêr, ac er i'r Cymry gael profiadau mwy ysgytwol fyth, yn
arbennig yn y ganrif hon [sef, yr ugeinfed], gellir ystyried y profiadau hynny fel
parhad o'r profiadau a gafwyd yn y blynyddoedd 1770-1850.' Yma yn rhannol
dan y lach y mae parodrwydd tenantiaid (a'r Cybydd ei hun, wrth gwrs, yn un
ohonynt) i 'gystadlu' yn erbyn ei gilydd (ll.487-8 – *Pan fo dyddyn ar sâl, wyddoch
hynny fydd/Yn ymdynnu bob dydd amdano*) am dir o dan y tirfeddianwyr ar ôl
i'r rheini ychwanegu darn at ddarn o ysbail y cytiroedd i greu stadau mawrion
iddynt eu hunain. Yr oedd William Williams, Llandygái, yn gyfoeswr agos i
Twm o'r Nant – fe'i ganwyd flwyddyn o'i flaen a bu farw saith mlynedd ar
ei ôl, ac fe'i cawn ym 1808 mewn llythyr at Wallter Mechain yn hiraethu
am yr hen drefn gymdeithasol yn y wlad cyn dechrau amgáu tiroedd comin
y plwyfi (ac ef ei hun wedi bod yn dirfesurwr i'r pwrpas!). Yn yr un cywair
lleisia Williams ei farn ynghylch y drwg a wnaed i'r drefn dra dymunol honno
trwy grynhoi'r budd a ildid o weithio mwyngloddiau neu chwareli i ddwylo

perchnogion y tir a'i gorchuddiai yn unig, yn hytrach na'i wasgaru dan yr hen drefn ar draws y boblogaeth, bawb â'i gyfran. (Dafydd Glyn Jones, *Un o Wŷr y Medra*, tt.174, 195-6, 198.)

469-70 'U gyrru nhw i ysgolion Caer neu'r Amlwythig/I ddysgu yswagro a byw'n fonheddig. Gwelir yma adlewyrchiad ar y diffyg ysgolion yng Nghymru, a phobl gefnog, nid o anghenraid rhai cyfoethog, yn anfon eu plant i Loegr am 'gwrs' o addysg. Yr oedd Croesoswallt hefyd yn gyrchfan o'r fath. Mae Twm yn gweld hyn fel cyfrwng i newid arferion gwlad er drwg, ond eto fe anfonodd un o'i ferched ei hun i ysgol yng Nghaer. Gw. y nodyn uchod a'i gyfeiriad.

473-4 Roedd'u tade a'u teidie'n byw'n dra dedwydd/Ag arian yn llog a phob tym'reiddrwydd. Gw. y nodyn uchod ar ll.459-92. *Tymh'reiddrwydd* a geir yn yr arg. gwr. Mae'n debyg iawn fod yr anadliad caled yn ei amlygu ei hun yn llafar naturiol yr oes wrth gwtogi'r gair o un sillaf.

482 Fod yn codi ar eu tiroedd mwy taerach 'u natur: sef, mwy [o rai] taerach 'u natur.

491-2 'Ran rhaid inni wneuthur ym mhob man/Rymustra o ran ein meistred. Gwŷr heb air da iddynt gan y bobl oedd y stiwardiaid, a chan Twm o'r Nant yn sicr. Y rhain a wnâi waith gormesu'r tirfeddianwyr drostynt – y boneddigion bondigrybwyll – ac fe ymddengys eu bod yn cael blas y bwli ar y gwaith hwnnw, yn ogystal ag ar 'wlyb' yr iro dwylo, neu sych y *sbul*. Fel 'cythreuliaid a elwir Ystiwardiaid' y cyfeirir atynt mewn llinell o BB.

495 Huw a'ch cato'ch. Enghraifft yw hon o elfen a geir yn yr anterliwtiau yn dra aml, sef osgoi ar bob cyfrif gablu neu gymryd enw'r Arglwydd yn ofer. Ceir *rhad Huw* yn aml. Am enghraifft o felltithio yn 'enw' Duw heb ei enwi, gw. Morris Letters II, t.326 : (am bedleriaid o'r Alban) 'Melltith Huw yn eu pacciau yn ddwbl ac yn drebl.' Cf. 'osgoadau', diweddarach efallai, a gollodd bob ystyr bellach fel *diawch, duwadd (annwl), iesgob m/fawr, 'rargian fawr, 'r/argol fawr*, &c. – gellir adnabod yr elfennau *Duw, Iesu* ac *Arglwydd* ynddynt o hyd. Edrych *iesgob* fel cyfuniad o *Iesu* ac *esgob*. Ychwanegwyd at yr amwysedd trwy ddrysu cenedl enw. Am enghraifft berthnasol o'r iaith yn cadw ar lafar naturiol etifeddiaeth Babyddol y genedl mewn ebychiadau er gwaethaf ymdrechion offeiriad Eglwys Loegr, gw. nodyn 360.

520 Mi ges seithbunt am 'r heffer sythben. Dyry GPC d.g *sythder* '(b): pensyfrdandod, rhyfeddod'. Y darlun yw heffer a phendro arni.

522 Dyma atoch chwi. Mae hwn yn llwnc-destun a geir drwodd a thro yn y cydyfed rhwng y Ffŵl a'r Cybydd. Mae'n union yr un geiriad â'r Saesneg '*Here's to you!*' wrth gwrs.

526 'n ôl ein cefne – yn ein cefnau.

540 Ond y golled yn tŷ ac allan. Gw. nodyn 1188, CaTh. *Yn tŷ* : dyma'r gystrawen naturiol Gymraeg. Cf. hefyd *yn tân* a'r warant ysgrythurol iddi : 'a deflir yn tân' – Mathew 7: 19.

550 Mi af at ŵr o gyfraith, mi wna' iddo fo gwafrio. Cyfeiriad mae'n debyg at ysgrifen flodeuog neu blufaidd cyfreithwyr, ond gellir deall hefyd fod y Cybydd am beri i'r Cariwr grynu (o ddychryn, wrth gwrs). Cofnododd D.Thomas y gair *cwafars* yn ei gyfres 'Geiriau Llafar Dwyrain Maldwyn', *Cymru* LI, t.150 (neu G-EM, t.28) : 'neud cwafars rownd y llythrenne, neud rhiw gwafars efo carreg wen ar garreg y drws ar ol ei golchi'.

554 Rydw i fy hun yn ŵr o gyfreth. Mae'r Ffŵl, bob cynnig, yn dipyn o Siôn-bob-swydd, a bellach yn ychwanegu cyfreithiwr at ei CV neu'i *résumé*! Mae'n peri meddwl am anogiadau gwleidyddion yn y blynyddoedd diweddar hyn ar i bob gweithiwr fod yn barod i 'arallgyfeirio.'

560 Rhyw ridwll o gariwr ydi-o. Ceir yn WVBD (t.462) : 'yn wyllt ridwll = yn wyllt waedwyllt'. '*In a towering rage*' yw cyfieithiad y casglwr iaith. Dwg hyn i gof y sôn am y 'cariwrs gwylltion'. Fe gofir fod Twm ei hun wedi bod yn gariwr ac wedi dioddef o'r herwydd. Gw. yr *Hunangofiant*. Am ddisgrifiad byw o'r 'gwylltineb' hwn, gw. 'Furious driving on the old post road', TCHSG 20 (1959), tt.103-4.

563-4 Mi yrraf i ato fo ddau o wŷr/I'w waetio fo'n bur y bore. Beilïaid yw'r rhain wrth gwrs. 'Waetio', aros i'w ddal, neu (pur debyg) o'r Saesneg *wait upon*, sef ei gwrdd yn furfiol i gyflwyno bil neu writ iddo.

571-2 Mae arno fo un ddôl ar Gwr y Gro/O biwr coetie i raenio catal. Ffurf ar luosog *coed-gae*/*coetgae*, sef darn maes wedi'i gau â choed byw, yw *coetie*. Sylwer nad oes byth dreiglad ar ôl *piwr*, mwy nag ar ôl *purion*. (Gadawyd llonydd i briflythrennau'r arg. gwr. er mai disgrifiad yn unig o leoliad y ddôl a geir yma, mae'n debyg.)

586 Sylwer ar 'yn fy ynnill' (nid *ar*); cf. 'sefyll yn dy air', ll.1344.

593 Mae'r Cybydd yma yn dechrau canu'n ymffrostgar ar *Lucy Hoe* neu *Falltod Dolgellau*. Dealler 'maeliwr' fel 'gorbroffidiwr' yn amlach na pheidio. Gw. hefyd WVBD, Appendix (t. 627) am ystyr fyw i'r gair yn Arfon yn negawdau cynnar yr ugeinfed ganrif: 'Meulwyr (*This was the form given, not the usual plural* -wrs), '*middlemen*', *used especially of people who buy butter at farms to sell at market. ... My Tregarth informant, however, had the forms* meulwrs, meiliwr, *pl.* meiliwrs.'

603 Mae yndda i ddichell, wellwell wllys. Darllener *yndda* (= ynof i), ac nid 'yn dda' argraffiad Huxley. Cf. CaTh. ll.1839: *mae yndda i ryw iase.*

611-2 Mi fedraf loetran a herio f'arian,/Nhw 'nghoelian i ar fy ngair. Mae *herio* fel pe bai'n golygu *addo talu* (heb fwriad cyflawni neu gywiro), *pryfocio* pobl â'i arian efallai.

613 Wrth fedru cogio a thwyllo'r deillion. Fe gofir bod Mr. Twyll a Mr. Cogio yn cael eu henwi gan RhN yn geraint iddo yn ei achau. Gw. nodyn 382.

620-2 Pwy ae i geisio ymgoethi'n gweithio/A fedre gogio a chasglu eiddo?/Hyn sy'n arwyddo ar ôl. Mae colled ar y sawl a geisio gyfoeth (ac *ymgoethi* yma yn golygu *ymgyfoethogi*) trwy weithio'n onest, yn ôl y Cybydd. Yr oedd Cybydd yr anterliwtiau yn gyfalafwr, yn bentyrrwr arian o lafur chwys talcen eraill, cyn dyfeisio'r enw parchus hwnnw i'r cyfryw. Nid ydyw yn gwarafun gwario, neu fuddsoddi, er mwyn ymelwa. Fe gofir mor barod yw i wario ar gwrw i'r Ffŵl tra bo hwnnw'n addo pethau mawrion iddo. Mae'r Cybydd traddodiadol yn bechadur mawr am ei fod yn pentyrru arian iddo'i hun gan atal y lles a ellid ohonynt i eraill pe'u hiawn ddefnyddid, neu'u cadw *ar dreigl.*

623-6   Wel, rhywyr imi gychwyn adre
                   I rwymo llawer o gege lloue,
                   Fel caffo'r gwartheg amser ffri,
                   Mae parsel eisie llenwi pyrse.

Cf. *pennor* , sef coler bigog i rwystro'r lloi rhag sugno fel y gellid cadw'r llaeth at wneud ymenyn neu gaws (a rôi, wrth gwrs, fwy o arian).

628 Mi ddoisym. Cf. *roisym* yn ll.541. Mae'r rhain yn hen ffurfiau yn mynd yn ôl mewn print i Destament Newydd Salesbury. I Corinthiaid 13: 11: 'Pan oeddwn yn bachgen, mal bachgen yr ymddiddanwn, mal bachgen y dyallwn, mal bachgen y meddyliwn: ond pam [*sic*] aethym yn wr, mi roisym heibio bachgeneiddrwydd.' Ynghylch y ffurfiau, gw. GCC, t. 104.

641   Rhof blant y byd o hyd i'w harch, – sef eu dymuniad neu eu gofyniad.

691-2 Rwy'n ail i Herod aeth trwy serch/I rwydau merch Herodias. Salome oedd merch Herodias, a swynodd hi Herod â'i dawns nes yr ildiodd ef i'w dymuniad am gael pen Ioan Fedyddiwr mewn dysgl ger ei bron. Fe geir yr hanes yn Mathew 14: 1-12.

705   Mae Lord yma yn dechrau canu ar *New Rising Sun* gan edmygu symudiadau ygafndroed cynnil boddhad ei galon wrth iddi 'hithau', fel Salome gynt, fwrw ei chyfaredd ar ŵr.

707-8 Mae'n addfwyn gynheddfe mawr wynie mor enwog/Anrhydedd ardderchog, sy'n serchog ei swyn. H.y. *y mae cyneddfau mawr wyniau mor enwog Anrhydedd ardderchog yn addwyn*, neu *addwyn yw cyneddfau* ....

712 Sy'n ddigon o ddygiad camsyniad i sant. Cf. *digon i wylltio sant*, sydd ar lafar cwbl naturiol o hyd.

716 Ma[wr] gymeriaeth yw. 'Mae' sydd yn yr arg. gwr. Dyry'r diwygiad well synnwyr i'r llinellau canlynol.

729   A gwynfyd yw ganfod awdurdod ei dewrder. Ceir 'iw' yn aml am *yw* yn yr arg. gwr., a dyna sydd yma. Mae'r awdur yn meddalu llythyren flaen y berfenw ar ôl *yw* er mwyn y gynghanedd. Cf. ll.1531.

757 Os yw hi mwynaidd, rwy'n dymuno. Hepgorir yma yr *yn* traethiadol yn fwriadol o flaen *mwynaidd* a'r treiglo a'i dilynai - unwaith eto er mwyn y gynghanedd.

763 Yn Nhref Gwallgofrwydd yn Sir Mawrddrwg. Tybed na fwriadodd Twm i'r argraffydd dreiglo'r *M* yma, yn ôl yr hen arfer o dreiglo cytsain gyntaf enw swydd ar ôl y gair *Sir*, er mwyn lled-gynghanedd? Ceid wedyn y cyffyrddiadau *f-r-dd, f-r-dd*.

815-16 Babilon Frenin. Belsasar, gw. Daniel 5.

817-18 Mae'n fwy ei delw a'i helw ar hynt/Na Diana'r hen Effesiaid gynt. Gw. Actau 19.

850 Gellir hefyd '**Rwy'n ei deimlo**'.

901-2 Ow! Rhyfyg Natur ffraethbur ffri,/Hap lwyra tymer, ple'r wyt ti. Cf. cwpled cyntaf cân yr Esgob yn PCG : 'Clyw, Eglwys Loeger ffraethber ffri,/Hap lwyra 'stad, pa le'r eist ti.'

935 Hwy gawsant eu baetio a'u llywio mewn llid,/Tan erlid a merthyrdod. Ceir yr ystyr o 'curo' i *llywio* yn ogystal â'r rhai mwyaf hysbys. Mae'n debyg mai dyna a feddylir, ond gellir ystyried y posibilrwydd mai *lliwio* (gw. yr Eirfa d.g. *lliwied*) a fwriedid.

950 Babilon Fawr, Mam Butain y Ddaear. Datguddiad 17: 5. Cf. *Pleser a Gofid*:

> Ond yr hen Eglwys Loegr druan,
> Yw Mam-butain yr holl gyfan;
> Ei bastardiaid hi'n aml yma wnawd,
> Heno â'i chnawd ei hunan.

963-4 Bydd lawer oferddyn cynffon wen/Yn dduwiol uwchben ei ddiod. Yr oedd y gair *cynffon* yn cael ei arfer yn ffigurol mewn sawl ystyr, a'i gysylltu'n amlwg iawn â gwarth a thwyll. *Cadw* cynffon oedd y nod, neu o leiaf ei chadw'n lân. Sôn am dwyll neu ragrith sydd yma – un yn cymryd arno fod yn lân (o bechod), fod ei *gynffon* yn *wen*, er mai *oferddyn* ydyw, yn *wagedd i gyd*, yn llawn o ragrith. Gellir deall *britho cynffon* fel pechu neu godi cywilydd ar yr hunan yn ogystal ag ymwychu. Gw. nodyn 628, CaTh.

970 Y Rowndiaid (*Roundheads*) oedd gwŷr Cromwell, sef y Piwritaniaid, a Cariadog(s) yn coffáu enw Walter Cradock, arloeswr y maes i'r pregethwyr Anghydffurfiol cynnar.

1007–8 Yn ôl y Deg Gorchymyn sydd,/Ar oglyd ffydd yr Eglwys. Mae Rhyfyg Natur yma yn dechrau canu rhyddid rhag crefydd ymyrrol ar *Young Watkin's March*. Gan gofio'r thema ganolog a geir yn yr anterliwt hon o *ddenu* a *hudo*, gellir cymharu 'crefydd esmwyth' *Seducus* yn *Theomemphus* Pantycelyn wrth iddo geisio arwain Theomemphus ar gyfeiliorn:

> Cyfreithlon ydyw caru, cyfreithlon yw casáu,
> Cyfreithlon ennill arian, cyfreithlon codi tai;
> Mae chwerthin yn gyfreithlon, a dawnsio ambell bryd,
> Ac weithiau taflyd cerrig, a'u casglu weithiau 'nghyd.

1019 nid oes mo'r hid. Cf. *does mo'r help*.

1020 Oni bydd rhai mewn llid o'th lledol. Cf. ll.36: *Gan edrych rhag llid o'u lledol*.

1025–6 Rwy'n teimlo'r grefydd hon yn burion,/Ac esmwyth iawn wrth fodd fy nghalon. Plesiwyd Lord Anima gan ddchongliad rhydd a rhwydd Rhyfyg Natur o grefydd a'r Deg Gorchymyn. Gw. nodyn 1007–8 uchod.

1036 Fo sefith iti gost wrth gychwyn. *Safio*, ac nid *sefyll*, fel yn yr uchod, yw'r ferf a redir yma.

1039–40 Nis gwn i rŵan, o ran f'ysgafned,/Ar draed pwy yr ydw i'n cerdded. O ddedwyddwch a olygir: mae Rhyfyg Natur yma wedi llwyddo i leddfu pryderon Lord Anima am yr ail dro ac mae bellach yn ŵr hapus unwaith eto.

1055–6 Edr'wch acw ar y merched yn fy ngwâdd i'r tŷ,/Mor lliwgar maent yn camu eu llygid. Wrth y dorf y dywed Rhyfyg y cwpled hwn, wrth gwrs, a dyna sy'n cyfrif am y newid ym mherson y ferf.

**1061–82 Argraffwyd y gân hon braidd yn aflêr yn yr arg. gwr., nes colli rhai o'r odlau. Tacluswyd ychydig arni, ond ni ellir gwarantu ei bod yn gywir. Gwelir enw 'The Bird' ar fesur hollol wahanol, CTN, t. 231.

1062 Mor llawn o wellhad na thyn anghariad yn fy nghyrredd. Ar *cyrraedd*, gw. nodyn 382.

1065 Mae 'nghalon wedi ymgloi. Dweud yn ddrwg amdano'i hun y mae Lord yma – er ei hapused am y tro, gŵyr ei euogrwydd. Arferir *ymagor* mewn ystyr groes i *ymgloi*, gw. nodyn 1465-6.

1085 bod ag un. Gw. nodyn ar CaTh, ll. 3.

1094 Yn gydymaith na thâl mo'r dime. Aberthu cenedl gair er mwyn ystwythder cyseinedd neu gynghanedd a geir yma.

1099-1100 Ond yn Rhydychen, rwy'n lled achwyn,/Y cododd yn fyrbwyll ryw chwech yn f'erbyn. Mae'n debyg iawn mai cyfeiriad sydd yma at gychwyniad 'Holy Club' y Methodistiaid cyntaf yn Rhydychen. Ymunodd John Wesley â'i frawd Charles a dau arall, Morgan a Kirkham, a oedd eisoes wedi eu sefydlu eu hunain yn *gymdeithas*, yn y flwyddyn 1729 a mynd yn *'curator'* arni. Detholwyd dau neu dri o rai eraill o fysg ei ddisgyblion disgleiriaf i gael mynd atynt maes o law. Gwnâi'r rhain waith ymarferol dros y tlodion, yn eu dilladu, eu porthi a thalu am lety iddynt, yn ogystal â gweddïo, dehongli'r Ysgrythurau a datblygu diwinyddiaeth newydd wedyn iddynt eu hunain ar sail y dehongliad hwnnw. Roedd hyn ddeng mlynedd cyn geni Twm o'r Nant, ond naturiol fuasai i'r hanes fod yn wybyddus yn Nghymru ar adeg ysgrifennu'r anterliwt hon. I'r hunanol Rhyfyg Natur, rhyw lol wirion feddal a âi'n groes i honno, sef ei ddysgeidiaeth ddidrugaredd, bawb-drosto'i-hunan ef ac Anrhydedd y Byd hithau, oedd syniadau Cristnogol y 'rhyw chwech'. O ran geiriad, cf. ll.944, CaTh : *A phawb yn fyrbwyll godi yn f'erbyn.*

1115 Rwy'n rhoddi'n rhwyddion fy nghynghorion. Mae'r llinell hon ar goll o'r arg. gwr, ond rhoddir hi mewn cywiriad ar ddiwedd y gyfrol, dan y pennawd 'Gwybydded y Darllenydd'.

1120-49 Darn-gollwyd llawer o lythrennau cyntaf y llinellau hyn, ond mae'r synnwyr yn eithaf sicr.

1192 Na 'dewch i ryw chwilod dynnu blew'ch aelie. Cf. *tynnu blew(yn) o drwyn.*

1193 Danghoswch eich hunen yn stowt bob tro. Arhosodd yr anadliad caled yn llafar llawer siaradwr da yn rhediad y ferf *dangos* er gwaetha'r collfarnu fu arno ers dros ganrif bellach.

1199–203   **Dyna'r ffordd, dilynwch hi o'r mwyna,**
            Ac os digwydd damwen i rai'n y byd yma,
            Nid ânt ond i Lanelwy'n dyn,
            Neu Ruthun, dyna'r eitha.

Mae'n bosibl mai sôn am gael gwared o 'ddamwain' yn y groth sydd yma gan fod sôn o'r natur yna eisoes wedi bod: 'Rhyw siawns anfynych i ambell feinir/ Yw prifio, er profi'r pranc' – ll.1153-4 . Mynd i ryw dref neu bentref gweddol boblog at ryw hen wreigan galed a wnâi'r gwaith, ond mae'n debycach mai mynd i'r eglwys yn un o'r ddau le a olygir, a dyna faddeuant parod yn ôl dehongliad Rhyfyg Natur o ofynion Cristnogaeth Eglwys Loegr.

1206   **Ddigonedd o gymheiried cynnes**: sef digon o *gwmpeini* a awgyma'r cyd-destun, ond mae'n eithaf posibl mai'r gair *cymaried* (cymeriad) sydd i sefyll.

1208   **Ni chefais i eto ddim gwastadrwydd**: sef *'settlement'* mewn ystyr gyfreithiol.

1219–22   **Fy holl ddigrifwch yn fy nghalon**
               Ydyw gweled baetio pobl dlodion;
               Pe'r ymlidid hwy i gyd o wlad a thre,
               Heb eiriach, fe fydde burion.

O ran ymlid pobl dlodion, ceir darn mewn stori ddychan gan William Williams, Llandygái, *Hanes Pedwar o Gymmydogion*, sy'n bortread o hynny'n union gan sgweiryn hunangyfiawn dideimlad o'r enw Syr Morgan Tudur. Gw. *Llên Cymru* 19, tt.79-84: 'Digwyddodd iddo'n ddiweddar gyfarfod ar y ffordd fawr a rhyw gartdottyn tinllwm, a gwraig iddo yn ei ganlyn, pa ûn a fu mor annedwydd a gofyn elusen iddo er mwyn Duw; efe a alwodd ar nifer ag oedd yn y cae nesaf yn cribinio gwair i gymmeryd gafael ynddo, ac a'i cauodd mewn ystabl, ac a ymgynghorodd a dau neu dri o ŵyr [sic] boneddigion trugarog eraill; a hwy a farnasant mai ûn or rhai a elwir *Vagabond*, a *Sturdy Beggar* oedd y dŷn hwn; hwy gan hynny a orchmynasant ei chwipio drwy'r pentref nesaf; ac a'i gyrrasant o gwnstabl i gwnstabl iw blwyf ei hûn. A chwylio am waith yr oedd y truan, gan nad oedd dim gorchwyl iw gael yn ei gymmydogaeth ef; ac nid oedd ef yn chwennych ei fwrw ei hûn ar bwys y plwyf; ond wedi'r ddamwain yma, bu raid iddo ei daflu ei hûn felly neu lewygu o newyn.'

1226   **Lle caffo ddyn gwan ei gynnwys**: sef cael lle, cael croeso, cael swcwr.

1243-6 **O, colledion mawr anaele**
Fydd y cariwrs yn ei gael o'u cyrre
Wrth yrru a llwytho yn ddiwellhad
Yn eu ffoledd i wneud brad ceffyle.

Ceir yr un danodiad i borthmyn (yn hytrach nag i gludwyr) mewn anterliwt arall gan Twm o'r Nant, PG:

> Os ceir botas a sbardune, a cheffyl dano,
> A chôb, a het, a bwcwl, dyna'r porthmon yn picio;
> Ac yn cletsian ei chwip i fyny ac i lawr,
> Fe wneiff ystŵr mawr nes torro.

1252 Ar ôl ysgorio a stripio stripied. Mae'n debyg mai 'torri rhicyn', er mwyn nodi'r ddyled yn y dafarn, yw *ysgorio*. Tebyg mai enw ydyw *stripied*. Ai diharneisio'r ceffylau er mwyn cael eu gweld yn rhedeg?

1260 Yn difa yn o ryfedd rhwng y dafarn a'r efel: sef gwario eu harian yn lli o ran pleser yn y dafarn a'r un modd o ran rhaid yn yr efail o achos eu blerwch a'u difaterwch yn trin eu pethau. Cf. PG: 'Wel, wfft iti, Gofid, ond wyt ym mhob gafel,/ Yn dyfod yn o ryfedd, nod y dafarn a'r efel.'

1265-6 Wele, oes ryfedd, mewn sylwedd syn,/I ffylied fel hyn er ffaelio. Cf. ll. 1374: 'Doedd ryfedd i'r wraig er crïo a rhegi.'

1274 Yn cymeryd mwy o slafri, h.y., yn gorfod goddef cael eu gormesu gan eraill. Gw. y pennill nesaf.

1281 Goganu'r bwyd a'i fwyta'n llawn. Cymhwyso dihareb a geir yma, fel mewn mannau eraill. *Goganu bwyd a'i fwyta wedyn* (ceir *dwrdio* weithiau am *goganu*) yw dilorni peth a gynigir, eithr ei dderbyn a bod yn falch o'i gael serch hynny − peth anniolchgar a rhagrithiol i'w wneud.

1286 Os byddai arna i fyrdra am f'ardreth, h.y. petawn yn brin o arian at dalu'r dreth.

1297 'Ran o flewyn i flewyn 'r eiff y pen yn foel. Ceir y ddihareb hon yn *Oll Synnwyr Pen,* William Salesbury.

1305 Dyna ben. Penderfynwyd, trawyd bargen, setlwyd.

1321-2 Wel, canlyn arni hi'n bur glós,/A phaid ag aros llawer. Gair dros ysgwydd megis yw hwn i'r Cariwr i'w ganlyn oddi ar y llwyfan.

1323 Wel, bobl, mi ddalia' am bibell. *Dal am*, wrth gwrs, yw betio'r peth a'r peth.

1335 Fy sgil i wrth gogio rhywun. Y deunydd priodol o *sgil* a geir yma, sef *cyfrwystra* neu *cast*, ac nid *medr*. Cf. y darn rhigwm a erys ar led lafar â'r ffurf lawn fel y'i ceir yn WVBD, d.g. *sgil*: 'sgil i neud sgam, sgam i neud mwngci, ag amcan i roid Siôn yn 'i wely'.

1343 ryw daflied. Cf. *cast* o'r Saesneg '*cast* '.

1345 o'm hôl: yn ôl fy nghefn, neu yn fy nghefn (gw. nodyn ll.526).

1388 Yn bedair onid coron. Pris y ceffyl oedd tair punt a phymtheg swllt, sef £3.75 yn arian heddiw (ond nid yn gyfwerth wrth reswm).
1401 nad elwy fyth i'r Hob. Yr Hob (S. Hope) yn Sir y Fflint. Cf. PCG: '*Fe basiodd rhyngom tu yma i'r Hob*'.

1404 Ac a werthwn bob peth i'w grogi. Gorffen neu ddiwedd dyn yw ei grogi a hawdd gweld sut y gellid yr ystyr wedyn o ddiweddu â *pheth* hefyd *i'w grogi*. Ystyr y llinell yw 'gwerthwn bob peth i gael gwared â'r cwbl (am arian, wrth reswm)'.

1412 myn Elian. Yr oedd Ffynnon Elian yn Llandrillo-yn-Rhos, Sir Ddinbych. Un o olion yr hen ffydd baganaidd oedd tyngu i ffynhonnau. Nid rhinwedd yn unig a berthynai i Ffynnon Elian, sef y gallu daionus i wellhau pobl o glwyfau a heintiau, ond yr oedd hefyd yn *ffynnon reibio*. Yn ôl T. Glwysfryn Hughes, wrth ysgrifennu yn y flwyddyn 1895 ('Ffynhonnau Cymru', *Cymru* VIII, t.159-64), yr oedd y gallu niweidiol hwn yn dal yn arswyd fawr i'r bobl drigain o flynyddoedd ynghynt. Gw. Eirlys a Ken Lloyd Gruffydd, *Ffynhonnau Cymru* (Llanrwst, 1999), tt. 55-6.

1423-4 Gwell un aderyn dygyn diwegi/Mewn llaw'n llonydd na dau hyd y llwyni. Dyma enghraifft arall o gymhwyso dihareb at ddibenion y chwarae. Yn ogystal â'r ystyr amlwg i *diwegi*, fe'i defnyddid hefyd i olygu *difrifol, sobor*, &c. Hynny yw, mae'r aderyn yn ddiogel mewn llaw.

1445 Mae'r Cybydd am weld prisiau gwartheg yn codi. Yn y pennill nesaf mae Rhyfyg Natur yn porthi'i wanc wrth grybwyll sôn a glywsai am ryfel ar fin torri allan a hynny'n golygu cyfle i rai â'u bryd ar elwa'n ariannol ymgyfoethogi ar dywallt gwaed – fel sy'n digwydd, ysywaeth, ym mhob oes.

1455-8   Fe fu bobl Dinbych, drwy danbaid gyfeddach,
                Ers talwm yn Wstar, ni bydd odid rai gonestach;
                Hwy adawson lawer ynghylch yr un oed
                O'u hole, ni bu erioed rai haelach.

Plant siawns a olygir wrth gwrs wrth 'lawer ynghylch yr un oed'. Roedd Milisia Sir Ddinbych, mae'n amlwg, wedi bod yn 'Wstar' (Caerwrangon) 'ar ymarferion'. Defnyddir y gair *tanbaid* am bobl Dinbych yn niwedd CaTh, ll.1788: *A gwŷr Dinbych yn o danbed.*

1461 Ond rhoi cost ar y wlad a chynnwys rhai i ddiogi. *Coleddu*, *swcro* neu *roi lle* yw ystyr *cynnwys* yma.

1462-3 A'u harwain yn y moddion i hwrio a meddwi.//Wel, cynt y llysg yr odyn na'r ysgubor. Dihareb yw'r llinell olaf. Nid ar y milisia yr oedd y bai am ddysgu'r pethau hyn i 'bobl Dinbych', yn ôl barn y Ffŵl, gan fod y tueddiadau hynny eisoes ynddynt.

1465-6 Mae 'nghalon inne, yn hyn o le,/Megis yn dechre ymagor. Mae'n dechrau 'dad-galedu', neu liniaru, cf. *ymgloi* am y gwrthwyneb, ll.1065.

1476 Ydech chi yn chwennych dawnsio a chanu. 'Ydech i yn chwenych dawnsio na chanu' sydd yn yr arg. gwr. *Chwi*, yn hytrach na *chi* a ysgrifenna Twm o'r Nant y rhan amlaf o ddigon, ond dengys ambell enghraifft fel hon mai *chi* yr oedd yn ei glywed.

1491 Hyf ati. O'r Saesneg *heave to*, o bosibl. Peri i long *sefyll* yn y dŵr wrth bwys glanfa yw ystyr y gorchymyn llongwriaethol hwn. Ond mae'r cyd-destun fel pe bai'n awgrymu mai annog y Cybydd i daflyd ei heglau o gwmpas y mae'r Ffŵl yn hytrach na'i gael i ymlonyddu a stopio. 'Mynd ati'n hy', efallai?

1503-4 Mi fûm a ddawnsiwn â'r gore yng Nghymru,/Oddieithr Peter Graig Lwyd, neu rywun felly. Amlwg fod un a adwaenid wrth yr enw hwn yn cael clod mawr fel dawnsiwr. Actor y Cybydd sy'n llefaru yma wrth gwrs, sef yr actor sy'n chwarae 'yn erbyn' Twm fel y Ffŵl, neu'n ail iddo. Ceir cyfeiriad diddorol yn *Protestant a Neilltuwr* (AHJL, t.204) o enau Ffalster y Ffŵl at un neu ddau a fu'n 'calyn' gyda Twm — *ffidleriaid* y mae'r cyfeiriad yn awgrymu, ond nid o reidrwydd:

> Fe aeth Twm o'r Nant trwy Gymru,
> Ac Owen Cae Cwna fu yn neidio ac yn canu,
> Ac wrth yr un arfer syber syn
> Roedd Siôn o'r Glyn yn glynu.

1515-16 Ni ches gymaint â hyn o fod yn llawen/Er neithor Gaenor ach Iemwnt Owen. Rhaid bod y wledd briodas hon wedi gadael cryn argraff yn y cymdogaethau.

1517-8 Dyna lle roedd pobl na welais i â'm clustie/Erioed mo'r fath ddynion am ganu efo thanne. Cf. y ddihareb, 'Gweld â'i glust a'i lygad'. Gall, wrth gwrs, yr un mor debygol, fod yn dipyn o ddoniolwch parod, a dim mwy.

1531 A gwynfyd yw ganfod fy mraint a'm hawdurdod. Cf. ll.729.

1556 Mi dawaf i â chanu, os peidiwch â chwyno. Gŵyr Rhyfyg Natur fod ei ganu yn dra dymunol gan y Cybydd a bod yn gas ganddo ei weld yn dod i ben!

1557-8 Mae fy mhen inne, ers meitin byd,/Yn o saledd, mae hi'n bryd noswylio. Gw. ll.1624.

1566 Ymgroeswch rhag syrthio. Aeth y gair hwn yn gyfystyr â *gofalu rhag*, *gwylio*.

1571 Llaweroedd ym mhob cyfylrhi. Mae blas a sŵn *cymhelri* i'r gair hwn, ac y mae GPC yn nodi *cyfylri* fel amrywiad arno (heb yr anadliad caled, sylwer) ac ymysg y ffynonellau dyry ddefnydd o'r ffurf yn Nhestament Newydd Salesbury. Gall wrth gwrs mai *cyfyl+rhi(f)* sydd yma. Bûm ar un adeg yn ystyried y posibilrwydd mai camlythreniad ffurf luosog anghyffredin ar *cyflwr* a geir yma, sef *cyflyri*, ond fe fyddai'r anadliad caled yn yr achos hwn yn anodd rhoi cyfrif amdano. Serch hynny y mae'n werth nodi bod camlythrennu yn nodwedd gyffredin gynt ar yr iaith — heb beri dim anhawster gan fod 'safon' iddo. 'Llawer gwell fel bardd nag fel gramadegwr': dyna farn T. Gwynn

Jones am Hugh Hughes (Tegai). Ond eto, y mae rhannau o ramadeg Tegai yn gofnod gonest, defnyddiol iawn bellach, ac yn dyst o'r herwydd i lawer o deithi'r iaith a gollwyd ohoni ac a aeth erbyn hyn mor ddieithr ag iaith rhyw bobl arall – perthnasau pell megis i Gymry heddiw – gan gynnwys nodwedd y camlythrennu safonol hwn (er mai cofnodi gwallau ei mwyn eu gwella, yn ôl ei dyb ef, y mae'r awdur). Gw. 'Y gwallau mwyaf cyffredin mewn seiniad geiriau', tt.166-170, *Gramadeg Cymraeg*.

1587-8 A nhwthe 'rhen wragedd, oedd gynt yn rhwygo,/Â dillad da amdanynt heb falchder yn 'u dwyno. Yn ddiddorol, *dwyno*, ac nid *rhwygo*, sydd yn golygu rhwygo a difetha neu faeddu dillad yma, a *rhwygo* yn golygu ymddwyn yn benrhydd, yn benchwiban neu'n wyllt.

1589-90 Go ffiaidd ganthynt edrych tan y rhod/Ar ffithlenod hynod heno. Ceir *ffithlen* gan Dafydd ap Gwilym wrth gyfarch yr eos: 'Da ffithlen mewn diffeithlwyn' (GDG, 25, ll.34). Yn ôl GPC, d.g. *ffithlen/ffifflen*, 'ffrwyth camddeall' ar gorn y llinell uchod o eiddo Dafydd ap Gwilym a barodd dybio yn ddiweddarach mai enw ar eos oedd *ffithlen,* a'r un modd ar gorn llinell Wiliam Llŷn – 'ffithlen fain a phoethlawn fo' – ei fod yn un ar neidr hefyd. Cymerir mai o enw Saesneg Canol ar offeryn cerdd, sef '*fithele*', y daeth y gair i'r Gymraeg a gellir deall sut y deuai'r defnydd trosiadol i bennau'r beirdd o ganlyniad, ac ymhen amser sut y deuai hefyd yn air am 'eneth benchwiban'; ond nac anghofier mai brithion yw'r ddau greadur, fel y merched ifainc y mae Rhyfyg yma yn eu 'hamddiffyn' rhag rhagrith yr hen wragedd a fu'n 'frithion' eu hunain yn eu dydd.

1593 Ac yn dawnsio am y fodrwy. Tybed ai dawns a ddawnsid mewn cylch oedd hon – a oeddid yn rhoi modrwy ar lawr ac yn dawnsio *am* honno wedyn, o'i hamgylch? Mae'n debycach mai merched yn dawnsio i ddenu dynion i'w priodi sydd i'w ddeall yma.

1613-4 Ac am hynny rydw i'n glaf,/Nis gwn i yn wir pa beth a wnaf. Sylwer ar yr ailadrodd a geir ar y cwpled hwn yn y pennill nesaf.

1624 Ni fûm erioed cyn saled, rwy agos â 'swylio. *Noswylio* yw'r gair olaf, hynny yw, 'mynd i'r gwely', a thrwy estyniad, 'rhoi'r gorau iddi'. Fe'i ceir yn y ffurf lawn yn yr anterliwt hon yn ll.1557-8 : 'Mae fy mhen inne, ers meitin byd,/Yn o saledd, mae hi'n bryd noswylio'. Cadwyd *noswylio* a '*swylio* ar lafar, yn yr ystyr o 'swperu' anifeiliaid a chau arnynt am y noson.

1625 Fo'm trawodd y cramp fi yn nhrybydd 'y nhin. 'Asgwrn tynnu', '*wishbone*' y corff dynol yw trybydd y din.

1673 Mi af ar fy rhedeg i Wylmabsant Llanrhydd. Gall *Llanrhydd* fod yn enw gwneud, a'r rheswm am yr elfen *rhydd* ynddo yn y cyd-destun yn ddigon amlwg, ond y mae plwyf a phlasty Llan-rhudd ger Rhuthun.

1738 Cyn mynd o'm gwlad i gledi. Cyn marw a mynd i galedi uffern a feddylir wrth gwrs.

1751-4   A chan fod pawb sy'n edrych arna
I'm gweld fel drych o'r cyflwr yma,
I roi ichwi siampal deg ar dwyn,
Mewn dirfawr gŵyn mi gana'.

Gwelir yn y pennill hwn grynhoi'n effeithiol ochr ddifrifol yr anterliwt, sef gwylio gan y dorf gynrychiolaeth *teip* o ddyn, neu *ddrych* o gyflwr dyn. *Anima* yw yma, a enwir felly, mae'n debyg, ar ôl un o'r 'ysbrydoedd anifeilig' ('*animal spirits*'), sef 'anifail' ei hun, y tybid ei fod yn rheoli gwyniau neu nwydau dyn o'i gartref yn yr ymennydd. Mae'r cysylltiadau â chrefydd, ac â phechod, yn enwedig y pechod gwreiddiol, yn amlwg. Gan fod pobl yn deall hynny wrth wylio yr oedd eu meddyliau yn agored i dderbyn rhybudd ar ffurf siampl fel hyn oddi ar y llwyfan. Sylwer yn enwedig ar y llinell olaf – buasai pob gwrandawr yn sicr o wneud: mewn *cŵyn* y mae'n canu. Mor wahanol fu hi ar y dechrau wrth iddo fynd mor awyddus i ddwylo Anrhydedd Byd a Rhyfyg Natur – ll.84 : 'A'r Lord mewn *gwŷn* a gana'.

1755 Cenir yma ar *King's Farewell* gan Lord, sy'n ei deimlo ei hun yn mynd yn drymach drymach ei edifeirwch. 'Kings and Ffarwel' sydd yn yr arg. gw.

1758 Cas yw 'nghodwm, ces fy nghado. Ceir anadliad caled yng ngair olaf y llinell yn yr arg. gw. er mwyn cynghanedd.

1767-8 Fy ynfyd fodd fel clwy a'm clodd,/Fo'm nesodd yn isel. Cf. 'nesu draw'. Mae'r llinell ei hun yn gyfystyr â'r Saesneg, *laid me low*. Mae'r defnydd o'r term *clodd* (trydydd gorffennol *cloi*, wrth gwrs) yma yn ategu cyfystyr â'r Saesneg '*incapacitated*', pe dymunid ei gyfieithu i'r Saesneg. Mewn geiriau Cymraeg eraill, rhywbeth fel *clwy a'm hanalluogodd, a'm diffrwythodd*.

1787-90   **Wel, mi allaf inne fentro ymlaen,**
                 Mi welaf dy raen di'n waelach;
                 Os ces fy nhaflu draw am dro,
                 Daw 'nhafod eto'n hyfach.

Cydwybod sydd yn *mentro ymlaen*. Gwelir yma newid diddorol ym mesur y penillion llafar. Fe sylwir bod cydodli yn niwedd yr ail a'r bedwaredd linell a bod y gyntaf a'r drydedd yn cyrchu odl o'r llinell ganlynol. Ceir yr un mesur ym mhenillion 1795-8, 1799-1802, 1807-10, 1811-4 a 1815-8.

1792 Yn awr dan ofid aeth anafus. 'Aeath' a geir yn yr arg. gwr. Tebyg mai'r enw 'aeth', yn golygu 'poen', 'dioddefaint'. Mae 'caeth' yn bosibilrwydd hefyd.

1835-8   **Dos fel Naaman, t'wysog Syria,**
                At ŵr Duw a thaer weddïa;
                Mae'n digwydd weithie i rai'r un wawr
                Gael ateb yn 'r awr gleta.

Ceir hanes Naaman yn II Brenhinoedd 5: 1-27. *Tywysog llu* brenin Syria ydoedd, ac yr oedd, er ei gadarned, yn wahanglwyfus. Fe'n hysbysir fod merch fechan wedi'i chaethgludo o wlad Israel i Syria a'i bod wedi'i rhoi i wasanaethu gwraig Naaman. Dywedodd hon wrth ei meistres fod un o'r enw Eliseus a allai wella Naaman o'i glwyf yn trigo yn Samaria. Aeth Naaman ato ac ymolchi saith waith yn yr Iorddenen yn ôl ei gyfarwyddyd ef ac fe'i hiachawyd. Ystyr *gwedd* neu *gyflwr* sydd i *gwawr* yma.

1844 Roi imi nerth a gole 'nghalon. Mae'r gair *golau* hefyd yn ferf er gwaethaf camsyniadau a godwyd yn ei gylch, fel ynghylch llawer gair arall, gan syniadau cyfeiliornus ynghylch 'Cymraeg da' yn ystod yr ugeinfed ganrif. Aed i gamdybio *golau tân*, *golau sigarét*, &c. yn Gymraeg gwael a'u bwrw o'r iaith (gymeradwyedig) i roi lle i waelach iaith. Mae'n bosibl, fodd bynnag, mai enw ydyw yma, sef (rhoi) *gole* [yn fy] *nghalon*.

1867 Mi glywais rai'n brolio ac yn honio'n hynod. Ffurf ar *honni* sydd gan yr awdur yma, ac mae'n enghraifft o'r ystwytho didrafferth a geir yn yr anterliwtiau ar ffurfiau berfol a therfyniadau lluosog enwau i 'sutio' i fesur ac odl.

1871-4   Nis gwelais i'r cwmni gwiwlan,
          Hyd yn hyn o'm hoedran,
          Peth bynnag fydde i'w drin mewn gwlad neu dre,
          Gwneid popeth o'r gore ag arian.

Mae'r pennill hwn yn enghraifft o gystrawen drawsgyfeiriadol neu ôl-gyrchol.
Dealler ef fel hyn: Ni welais i'r cwmni gwiwlan,/Hyd yn hyn o'm hoedran,/
Peth bynnag fydde i'w drin mewn gwlad na thre,/Nas gwneid (popeth) o'r
gore ag arian.

1891-6   CARIWR:
          O, hen ffalswr digydwybod!
          BLYS:
          Ydi, mae hi'n rhyw hin go hynod.

          CARIWR:
          Mi glywn ar fy nghalon dy ladd di'n rhwydd
          Oherwydd dy ddihirwch.
          BLYS:
          Os eiff hi'n law mi wrantaf i
          Y bydd digon o weiddi am degwch.

Troi clust fyddar i ymbil y Cariwr am gyfiawnder y mae'r Cybydd yma, wrth
gwrs, neu gymryd arno yn hytrach gamglywed ei eiriau. Mae'r ddwy linell
gyntaf o'r chwech uchod yn ymddangos yn yr arg. gwr. fel pe baent i'w deall
fel cwpled ar wahân – peth na chofiaf ei weld o'r blaen mewn anterliwt o'r
cyfnod. A derbyn bod dwy linell yngholl, gwnaed y gorau yn y golygiad hwn
o'r hyn a erys.

1916   mae'r sioe drosodd. Seisnigaidd yn ôl rhai dysgawdwyr, ddwy ganrif
yn ddiweddarach.

1920   Ni choelia' i, ar f'engoch, yr a' i byth mor fangaw. Awgryma'r
cyd-destun mai ystyr fel *gwirion, ffôl, hurt, diofal,* sydd i *fangaw* yma. Ystyr
bangaw fel rheol yn y cywyddau yw *huawdl, ffraeth, soniarus.* Ond mae Geiriadur
Walters (1772) yn ei roi dan '*a glib tongue*'. A yw'r Cybydd yn golygu, 'rhy frac
fy nhafod', h.y. 'rhy barod i gytuno'?

1928-9 'Ran nid wrth daflu f'eiddo tros Garreg y Sarn/Y cesglais i yn gadarn gode. Cyfeiriad at ansadrwydd, simsanrwydd, carreg sarn sydd yma, o bosibl. Y syniad felly fuasai mai peth anturus, peryglus, a ffôl hefyd, i'w wneud yw troedio carreg sarn. Nid heb fod yn dra gofalus y casglodd y Cybydd ei arian. Cf., o 'Cerdd i Berson Paris', CTN, t. 215:

> Ond 'ffeiriad Mon a minnau sy'n poeni'n pennau poeth,
> Yn ateb yr ynfydrwydd mewn anynadrwydd noeth;
> Bydd 'ffeiriad Aber, debyg, yn ddig na chawsai ddarn,
> Ni thalai hwn mo'i ateb, cysondeb careg sarn.

Ar y llaw arall, efallai mai unig ystyr 'taflu f'eiddo dros garreg y sarn' yw ei golli hyd y ffordd fawr. Ar y llaw arall eto, mae'r priflythrennau yn awgrymu enw lle.

1940   I ddechre cau o gwmpas: sef codi ffensys y dyffrynnoedd a'r gwastatiroedd yn hytrach na chloddiau terfyn yr ucheldiroedd. Gw. ll.1955: 'A gwaith iti i gau ag erwydd a pholion.'

1954 beth cwilyddus. Cf. *peth mwdral, peth hylltod*, &c. (*peth uffern, peth diawl* hefyd wrth gwrs mewn iaith lai gweddus).

1960 groes gwestiwne. Cf. *traws gwestiwn* yn llinell gyntaf yr anterliwt hon.

1979-80 Â rhoi dy fennydd di am ben dy draed,/A'th curo oni bo'th waed hyd y cerrig. Dyma gwpled sydd yn gomig-gartwnaidd i'r feddylfryd ysgafn ddifater a feithrinwyd dros y cenedlaethau diweddaf, ond sydd, mewn gwirionedd, yn un arswydus o gigyddlyd ac yn awgrymu'r fath olygfeydd neu brofiadau a fuasai'n ddigon cyfarwydd i gyfoeswyr Twm o'r Nant. Roedd gweld, neu ddioddef, llarpio corfforol a marwolaeth ddiseremoni dyn (fel anifail) yn wirioneddau beunyddiol i bobl ddigefnog yr oes.

1987-8 Mi fydda' yn d'erbyn di eto'n dost/Pan fych d'ar farw, yn wael dy fost. 'Foch'd ar farw' sydd yn yr arg. gwr., ond mae'n amlwg fod gofyn y diwygiad. Y rhagenw ôl ail berson *di* sydd o flaen *ar*, wrth reswm, a'r hen ffurf hon ar y ferf *bod* (a geir mor fynych yn y Beibl) yw tarddiad y ffurf lafar gyfoes *chdi*. Ceir *gwelych d'fi* ('gwelych'd fi' yn yr arg. gwr.) ymhen dwy linell yn ll.1990.

2007 huchen glós. Pilen neu groenyn tenau yw *huchen*. Mae'r 'llenni' yn dechrau dod i lawr neu ddisgyn o flaen llygaid y Cybydd – fe'i rhybuddiwyd yn ddigon plaen.

2010 Ti ddeudi gelwydd yn dy ddannedd. Cf. *celwydd yn dy ên, ar draws dy ddannedd*, &c.

2012 Os ca' i apothecári i'm cyrredd. Cael gafael ar un, bod un ar gael imi, a feddylir; 'yn fy nghyrraedd' yw ystyr 'i'm cyrredd'.

2014 Cipied un ohonoch chi geffyl dano. Gwych o ddeunydd iaith ar ei mwyaf ystwyth i ogleisio'r meddwl. Nid neidio *ar gefn* ceffyl i gyrchu'r meddyg mo'r siars i un o'r gweision, ond ei *gipio dano*!

2037-8 Os rhaid imi adel fy holl lawndra,/A gado 'mhwrs melyn o'm hôl mor smala. Cf., PCG: 'Roedd ei gŵr hi'n porthmoneth draw ac yma,/A llafn o bwrs melyn, ac yn walch pur ysmala'. Nid oedd ei bwrs yn y diwedd yn un help iddo. Ystyrier testun cywydd Siôn Cent, 'Fy mhwrs, gormersi am hyn', IGE, t. 259.

2048 Ar ôl imi eu prynu f'eiff eu pyrse'n lliprynnod. Gw. y nodyn ar ddechrau CaTh ynglŷn â defnyddio lluosog ansoddair fel enw, er bod *llipryn* hefyd yn enw ynddo'i hun wrth gwrs.

2059-60 *Yes*, byddwch siŵr o gadw deied./Mi wna' fel peroch chwi ym mhob darparied. 'Deiet' a 'darpariad' yw dau air olaf y ddwy linell yn yr arg. gwr. Fe'u diwygiwyd er mwyn yr odl. Clywir 'mynd ar ddeied' o hyd gan y Cymro.

2065-6 Mae rhyw iase'n 'y ngherdded – roedd diawl fy nghorddi/Pan wnawn i ar gynnydd gymaint o ddrygioni. Yr oedd hepgor *yn* o'r gystrawen yn digwydd weithiau. O'r diwedd y mae'r Cybydd yn edifarhau, ond yn rhy hwyr; gŵyr ef hynny, ac wrth y dorf y llefara'r penillion a ganlyn. Rhaid iddynt hwythau beidio â'i gadael hi'n rhy hwyr.

2077 O'r cerdded a'r swlian y byddwn i'r Sulie! Mae'n debyg bod y cynnig yn GPC yn gywir mai camargraffiad am *swlian*, a hwnnw, o bosibl, yn ffurf ar *swnian* (ac nid *swliau* yr arg. gwr.) a fwriedid yma, ac ystyrier hefyd batrwm ac ystyr ll.1416 – 'Yn lolian ac yn dwlian cae fo amser i dalu'.

2091-2 Nid yw hyn ond rhyw gyfflybiaeth fer,/Gwelwch 'i bod yn amser gwylio. Gyda'r geiriau hyn yn rhybudd yng nglust y dorf, ymedy'r Cybydd am y tro olaf.

2093-4 Wel, bobl annwyl Babel cnwog,/Dyma Mr. Blys y Cwbl, oedd gynt yn ŵr cobog. Y gystrawen Gymraeg *wel dyma* (sydd yn frith trwy'r anterliwtiau wrth gwrs fel cymeriad dechreuol penillion) sydd yma, gyda thrychiad rhwng dwy ran yr ymadrodd, ac nid y S. *well* > C. *wel.* Gw. nodyn 1225, CaTh. Geiriau cyntaf y Ffŵl ydyw'r rhain ar ei ymddangosiad olaf ef (sef Twm) ger bron i ategu rhybudd y Cybydd, ac mae'n 'ddiwnïad' bellach rhwng y ddau, fel y bu ar y dechrau. Cwblhawyd y cylch, megis.

2110 Droi talcen ar fy stori. Cf. *cau pen y mwdwl,* &c.

2121-22 Pan glywo ambell un ryw eirie pigog,/Fo'u cynhwysiff ynte nhw i'w gymydog. Os nad oes yma gamargraffu, ystyr *cynhwysiff* yma yw 'eu hannog ar ei gymydog'. Awgrymwyd imi mai camargraffu am *cymhwysiff* yw, a gellid ystyr dda o hynny hefyd.

2123-4 Gan farnu ar arall y beiau a'r wŷn/Y bo fo'i hun yn euog. Gw. nodyn 567, CaTh.

2129-32
        Gwych gan y balchddyn llidiog
        Anadwys a lladd ar y diog,
        A gwych gan y diog swrth tylawd,
        Gael lladd ar ei frawd cyfoethog.

Os mai berf yw *anadwys,* gan gofio *-wys* fel terfyniad berfol, fel yn *arllwys, gorffwys,* &c., yna ystyr debyg i *lladd ar* a ddisgwylid. Rhydd GPC y ferf *anaddwyno,* gyda'r ystyr gyfreithiol *profi'n anghymwys, anghymhwyso,* a'r ystyr gyffredin *anffurfio, difwyno.* Tybed ai rhyw gamargraffiad o'r ffurf hon?

2139 y bwystfil a'i nod. Datguddiad 13:18.

2146 Mae ymyl y ddalen wedi'i thorri ond gellir gweld rhan o goes dde llythyren A fawr yn rhedeg gyda'r toriad. Nid *Na fernwch ...* (Mathew 7: 1), ond *A bernwch.* Cf. o PCG: *Holed pawb ei hun/Mae barn, rhag barn, yn dda i bob un.*

2154 Sylwer ar **mwy llawenach** o ran dyblu gradd gymharol ansoddair, ac at hynny sylwer hefyd fod y pennill y mae'n digwydd ynddo yn dyst i bwysigrwydd yr anterliwt fel cyfrwng i esmwytho rhyw ychydig ar fyd caled y bobl a'r mawr ddisgwyl ymlaen at 'un newydd y flwyddyn'.

2161 Er bod ambell un mor donnog. O ymchwydd ton môr y cymerwyd yr ansoddair hwn, – mor frochus. Un o hoff eiriau'r anterliwtwyr ydoedd, fel y byddent yn hoffi'n gyffredinol eiriau'n mynegi teimladau angerddol.

Llyfryddiaeth

I. ANTERLIWTIAU THOMAS EDWARDS (TWM O'R NANT)

(a) Yr argraffiadau gwreiddiol:

Y Ddau Ben Ymdrechgar: Cyfoeth a Thlodi (Caerlleon, [1767]).
Tri Chydymaith Dyn (Caerlleon, [1769]).
Y Farddonaeg Fabilonaidd (Caerlleon, d.d.).
Pedair Colofn Gwladwriaeth (Aberhonddu, 1786).
Pleser a Gofid (Caerlleon, 1787).
Tri Chryfion Byd (d.a., d.d.).
Bannau y Byd, neu Greglais o Groglofft (d.a., d.d.).
Cybydd-dod ac Oferedd (Lerpwl, Foulkes, 1874).

(b) Golygiadau:

G.M. Ashton, *Anterliwtiau Twm o'r Nant [:] Pedair Colofn Gwladwriaeth a Cybydd-dod ac Oferedd* (Caerdydd, 1964).
Dienw, *Y Llwyn Celyn* neu Bigion o Bigog Bethau Twm o'r Nant ac eraill (Bangor, 1850).
O.M. Edwards, *Gwaith Twm o'r Nant* I, II (Cyfres y Fil) (Llanuwchllyn, 1909, 1910).
Isaac Foulkes, *Gwaith Thomas Edwards (Twm o'r Nant)* (Lerpwl, 1874, 1889).
Norah Isaac, *Tri Chryfion Byd* (Llandysul, 1975).
Emyr Ll. Jones, *Tri Chryfion Byd, sef Cariad, Tylodi ac Angau [:] anterliwt gan Twm o r Nant* (Doc Penfro, 1962).
Catrin Lyall, *Golygiad o 'Y Farddoneg Fabilonaidd', anterliwt gan Twm o'r Nant.* M.A. Cymru (Bangor), 2005 (anghyhoeddedig).
Adrian C. Roberts, *Cyfoeth a Thlodi a Tri Chydymaith Dyn (Twm o'r Nant).* M.Phil Cymru (Bangor), 2003 (sail y gyfrol hon).
Nia Tudur, *Pleser a Gofid Twm o'r Nant* (Bangor, 2001).

II. RHAI ANTERLIWTIAU ERAILL

(a) Argraffiadau gwreiddiol:

Siôn Cadwaladr a Huw Jones, *Y Brenin Dafydd* (Caerlleon, d.d.).
Ellis Roberts, *Gras a Natur* (Warrington, 1769).

idem, Y Ddau Gyfamod (Trefriw, 1777).

idem, Cristion a Drygddyn (Trefriw, 1788).

Edward Thomas, *Cwymp Dyn* (Caerlleon, d.d.).

(b) Golygiadau modern:

Emyr Wyn Jones, gol., *Yr Anterliwt Goll [:] Barn ar Egwyddorion y Llywodraeth* ... (Aberystwyth, 1984).

Ffion Mair Jones, gol., *Huw Morys [:] Y Rhyfel Cartrefol* (Bangor, 2008)

Cynfael Lake, gol., *William Roberts [:] Ffrewyll y Methodistiaid (Caerdydd,* 1996).

idem, gol. *Anterliwtiau Huw Jones o Langwm (Barddas, 2000).*

III. TRAFODAETHAU AR YR ANTERLIWT

G.G. Evans, 'Yr Anterliwt Gymraeg', *Llên Cymru* I (1950), t. 83, II (1953), t. 224.

idem, 'Er Mwyniant i'r Cwmpeini Mwynion', *Taliesin* 51 (Ebrill 1985), t. 31.

idem, 'Henaint a Thranc yr Anterliwt', *Taliesin* 54 (Nadolig 1985), t. 14.

Rhiannon Ifans, *'Cân Di Bennill?': Themâu Anterliwtiau Twm o'r Nant* (Aberystwyth, 1997).

A.Watkin Jones, 'The Interludes of Wales in the Eighteenth Century', BBCS IV, t. 103.

Dafydd Glyn Jones, 'The Interludes', *A Guide to Welsh Literature c.1700-1800,* gol. Branwen Jarvis (Caerdydd, 2000), t. 210.

idem, 'Thomas Williams yr Anterliwtiwr', *Agoriad yr Oes* (Tal-y-bont, 2001), t. 111.

E. Wyn Jones *(sic,* = James), 'Rhai Methodistiaid a'r Anterliwt', *Taliesin* 57 (Hydref 1986), t. 8.

Ffion Mair Jones, 'Cerddoriaeth yr Anterliwtiau: golwg ar le'r caneuon mewn pedair anterliwt enghreifftiol', *Llên Cymru* 26 (2003), t. 63.

eadem, '[M]ae'r Stori yn Wir i'w Gweled/yng Nghronicle y Brutanied': dramateiddiadau Cymraeg o'r ffug-hanes Brutanaidd (Aberystwyth, 2008).

eadem, 'Pedair Anterliwt Hanes', Ph.D. Cymru (Bangor), 1999 (anghyhoeddedig).

T.H. Rhys Jones, 'Yr Anterliwtiau', *Gwŷr Llên y Ddeunawfed Ganrif,* gol. Dyfnallt Morgan (Llandybie, 1966), t. 147.

Cynfael Lake, 'Cipdrem ar Anterliwtiau Twm o'r Nant', *Llên Cymru* 21 (1998), t. 50.

IV. CERDDI TWM O'R NANT

Thomas Edwards, *Gardd o Gerddi,* neu Gasgliad o Ganiadau: sef, carolau, marwnadau, cerddi, awdlau, englynion, cywyddau, &c. gwedi eu cyfansoddi ar amrywiol destunau a mesurau (Trefeca, 1790). Argraffiadau pellach: Rhuthun (1826), Merthyr (1826), Merthyr (1846) (gydag ychwanegiadau).

Foulkes, *Gwaith Thomas Edwards* (uchod).

Dafydd Glyn Jones, gol., *Canu Twm o'r Nant* (Bangor, 2010).

V. TWM O'R NANT, Y DYN A'R BARDD

G.M. Ashton, *Hunangofiant a Llythyrau Twm o'r Nant* (Caerdydd, 1948).

Dienw, sef John Peter (Ioan Pedr), 'Y Bardd o'r Nant a'i Waith', *Y Traethodydd* XXIX (1875), t. 212.

idem, 'Y Bardd o'r Nant a'r Cerddi Bedydd', *Y Traethodydd* XXX (1876), t. 169.

Dienw, sef William Williams (Caledfryn), 'Athrylith a Gweithion Thomas Edwards o'r Nant', *Y Traethodydd* VIII (1852), t. 133.

G.G. Evans, 'Sut Un oedd Twm o'r Nant?', *Taliesin* 74 (Haf 1991), t. 76.

Wyn Griffith, *Twm o'r Nant (Thomas Edwards) 1739-1810* (dwyieithog) (Caerdydd, 1953).

Rhiannon Ifans, 'Celfyddyd y Cantor o'r Nant', *Ysgrifau Beirniadol* XXI, gol. J.E. Caerwyn Williams (Dinbych, 1996), t. 120.

Bobi Jones, Twm o'r Nant', *I'r Arch [:] dau o bob rhyw* (Llandybie, 1959), t. 47.

Dafydd Glyn Jones, 'Bardd y Nant', *Canu Gwerin (Folk Song)* 22 (1999), t. 11.

Emyr Wyn Jones, 'Twm o'r Nant a Siôn Dafydd Berson', *Ymgiprys am y Goron ac Ysgrifau Eraill* (Dinbych, 1992), t. 171.

Saunders Lewis, 'Twm o'r Nant', *Meistri'r Canrifoedd* (Caerdydd, 1973), t. 280.

Kate Roberts, 'Thomas Edwards (Twm o'r Nant)', *Gwŷr Llên y Ddeunawfed Ganrif,* gol. Dyfnallt Morgan (Llandybie, 1966), t. 156.

D.D. Williams, *Twm o'r Nant* (Bangor, 1911).

Eurgain Fflur Williams, *Cyfeillion Barddol Twm o'r Nant ym Mro Aled [:] gwaith Siôn Powel, Dafydd Jones, Robert Thomas, Twm Tai'n Rhos ac Edward Parry.* M.A. Cymru (Bangor), 2001 (anghyhoeddedig).

VI. CYFFREDINOL

J.H. Davies, *A Bibliography of Welsh Ballads printed in the 18th century* (Llundain, 1908-11).

John Davies, *Hanes Cymru* (Llundain, 1990).

G.G. Evans, *Elis y Cowper* (Llên y Llenor) (Caernarfon, 1995).

Hugh Evans, *Cwm Eithin* (Lerpwl, 1931).

O.H. Fynes-Clinton, *The Welsh Vocabulary of the Bangor District* (Rhydychen, 1913).

Bruce Griffiths, gol., *Gwerin-Eiriau Maldwyn* (Bangor, 1981).

R.T. Jenkins, *Hanes Cymru yn y Ddeunawfed Ganrif* (Caerdydd, 1931).

Dewi Jones, *Cynghanedd, Cân a Thelyn yn Arfon* (Llanrwst, 1998).

Frank Price Jones, *Crwydro Dwyrain Dinbych* (Llandybie, 1961), *Crwydro Gorllewin Dinbych* (Llandybie, 1969).

H. Parry Jones, 'The Conwy and Elwy Valleys - Some Literary Men of the 18th Century', *TCHSDd* 3 (1954), t. 51.

Huw Jones, *Cydymaith Byd Amaeth* 1-4 (Llanrwst, 1999-2001).

John Jones (Myrddin Fardd), *Gwerin-Eiriau Sir Gaernarfon* (Pwllheli, 1907), adarg. gyda nodiadau gan Bruce Griffiths (Bangor, 1979).

R.W. Jones (Erfyl Fychan), *Bywyd Cymdeithasol Cymru yn y Ddeunawfed Ganrif* (Llundain, 1931).

A. Cynfael Lake, *Huw Jones o Langwm* (Llên y Llenor) (Caernarfon, 2009).

idem, 'Llenyddiaeth Boblogaidd y Ddeunawfed Ganrif, *Cof Cenedl* XIII, gol. Geraint H. Jenkins, t, 69.

E.G. Millward, 'Gwerineiddio Llenyddiaeth Gymraeg', *Bardos,* gol. R.Geraint Gruffydd (Caerdydd, 1982), t. 95.

Thomas Parry, *Baledi'r Ddeunawfed Ganrif* (Caerdydd, 1935).

idem, Hanes Llenyddiaeth Gymraeg hyd 1900 (Caerdydd, 1945).

G.J. Williams, Traddodiad Llenyddol Dyffryn Clwyd a'r Cyffiniau', *TCHSDd* 3 (1954), t.20.

VII.

SAIN

'Twm o'r Nant, Tri Chryfion Byd.' Record hir, cynhyrchiad gan John Gwilym Jones, 1958, mewn cyfres dan nawdd Cyfadran Addysg Coleg y Brifysgol, Bangor. (Ba. 16442 yn Archifau Prifysgol Bangor.)

Geirfa

Allwedd

a.	ansoddair	*ebych.*	ebychiad
adf.	adferf	*e.g.*	enw gwrywaidd
ardd.	arddodiad	*e.ll.*	enw lluosog
amr.	amrywiad	*e.t.*	enw torfol
b.	berf	*ffig.*	ffigurol
cys.	cysylltair	*rhag.*	rhagenw
e.b.	enw benywaidd	*S.*	Saesneg
e.bg.	enw benywaidd neu		
	wrywaidd		

Fe wêl y darllenydd yn syth fod ystyron eraill i rai o'r geiriau hyn. Rhoddir yma yn unig yr ystyron sy'n berthnasol i'r testun.

achles *e.b.* nodded, lloches

adlodd *e.g.* ail gnwd, yr hyn sy'n aros ar ôl medi

aeth *e.b.* poen, enbydrwydd

amheuthun *e.g.* tamaid blasus

(?) **anadwys** *?b.* gw. nod. TChD 2130

amur *a.* amhur

anaele *a.* enbyd, ofnadwy

anian *a. ac fel adf.* gwir, gwirioneddol; **yn anian**, yn iawn, yn arw

annethe *a.* lletchwith, carbwl

ansuful *a.* 1. cwrs, anfoesgar. 2. annheilwng, amhriodol

ar dwyn, *adf.* yn amlwg

arenne *e.ll.* ceilliau

arloesi *b.* paratoi ffordd, clirio ffordd

baetio *b.* poenydio, camdrin (*S. bait*)

bancar *e.g.* banciwr, ariannwr

bangaw *a.* (?) ffôl, diofal, gorbarod; gw. nod. TChD 1920

bâr 1. *e.g.* dicter, llid; barusrwydd, trachwant. 2. *a.* dig, llidiog; barus, trachwantus

bariaeth *e.b.* trachwant, rhaib, barusrwydd

bedlemod *e.ll.* crwydriaid llwm, begeriaid

bisi *a.* gw. misi

brac *a.* llac, rhwydd, gorbarod, gorawyddus

braclan *a.* rhwydd, llac, anllad

branaru *b.* troi tir a'i adael dros gyfnod heb ei hau

breg *e.g.* colled, bai, gwall; crac, hollt, tolc

breiniol *a.* brenhinol, breintiedig, dethol, ffodus, o fri

breulan *a.* caredig, hael, hynaws, parod

brigman, brigmon *e.g.* masnachwr, trafaeliwr

brithyd *e.g.* ŷd cymysg

brwchan *e.g.* llymru, bwyd llwy gwael, potes tenau

brysg *a.* sydyn, disymwth, buan

budr *fel adf.* dioglyd, difater

bugad 1. *e.bg.* brefiad, beichiad, peuad; twrw, swn. 2. *b.* cadw swn

burgyn *e.g.* corff marw drewllyd, celain; *ffig.* adyn, cnaf

bwbach *e.g.* bwgan, drychiolaeth

bylan *e.bg.* pelen, lwmpyn

cabarddulio *b.* brygowthan, siarad lol

cadw'r âl *b.* + *e.b.* gwarchod, aros gartref; gw. nod. CaTh 1207

cagle *e.ll.* llaid neu faw ar gynffon neu ar odre gwisg

carpes *e.b.* gwraig dlawd, garpiog

catal *e.ll.* gwartheg

catffwl, *e.g.* ffŵl, twpsyn, penbwl

cê *e.g.* cywair

ceglom *a.b.* gwag ei cheg, llwglyd

Celi *e.pr.* Duw; gw. nod. CaTh 1610

ceriach *e.t.* taclau, sothach, celfi diwerth, pobl neu bethau gwael

certh *a.* brawychus, ofnadwy

ceryn *e.g.* teclyn, celficyn (unigol o cêr, gêr)

ceulo *b.* caledu, gwaelodi

clafaidd *a.* megis yn glaf neu'n nychlyd

cloferu *b.* hau a thrin clofer at fwydo gwartheg

cnecs *e.ll.* cecraeth, ymrafael

cnotyn *e.g.* cwlwm; cnepyn

cob *e.g.* cybydd

cobog *a.* ariannog, cefnog

codlo *b.* cyboli, siarad lol

coegwn *e.ll.* gwatwarwyr

coelio *b.* 1. credu. 2. rhoi coel/credyd

coetie *e.ll.* coedgaeau, caeau wedi'u cau â choed byw

coethi *b.* 1. cyfarth. 2. siarad yn llithrig

cogail *e.bg.* ffon i ddal llin neu wlân i'w nyddu

conffwrdd *e.g.* cysur, esmwythdra

costwm *e.g.* arferiad

coten, *e.b.* anner, heffer

craff *e.bg.* gafael, crap

crair *e.bg.* trysor, anwylbeth

crecian *b.* clecian, gwichian (S. *creak*)

cregin *e.ll.* **yn gregin,** yn ddarnau mân

crugo *b.* gwylltio

crwytgwn *e.ll. ffig.* crwydriaid

crych, *a.* gw. nod. TChD 1136

cusars *e.ll.* wynebau (S. *kissers*), gw. nod. CaTh 21

cwafrio *b.* ysgrifennu'n gwafriog, gw. nod. TChD 550

cwcwaldio *b.* cwcwalltu, 'rhedeg' gŵr, twyllo gŵr o'i wraig

cwirc *e.g.* addurn, brodwaith (S. *quirk*); **hosane cwircie,** hosanau ag addurn

cwit *a.* sydyn, buan, disymwth

cwlas *e.bg. amr. ar* cowlas, tas, un rhan o ysgubor neu das

cwlltwr *e.g.* blaen aradr

cwrier *e.e.* barcer, gwneuthurwr lledr

cwsnio *b.* gwystno, crebachu, crino

crychneitio *b.* cyffroi, dychlamu, sboncio

cydafael *e.g.* hurtyn, gw. nod. CaTh 639

cyfle *e.g.* lle neu fan addas

cyfraid *e.g.* angen, anghenraid, peth y bo raid wrtho

cyfraint *e.bg.* braint neu rodd addas

cyfylrhi e.g. gw. nod. TChD 1571

cyfyrgoll a. colledig; **ar gyfyrgoll**, ar goll

cymen a. 1. ysgafn, gwamal. 2. destlus, dillyn, twt

cymeriad, cymeriaeth e.g. derbyniad, croeso, bri, parch, anrhydedd; gw. nod. CaTh 234

cymyrraeth e.bg. rhwysg, rhyfyg

cynhaig a. **hwch gynhaig**, hwch yn gofyn baedd

cynichio b. cnuchio, ymgyplu

cynnorth e.g. cymorth, cynhorthwy

cynnu b. (?) amr. ar cynnau; gw. nod. CaTh 1029

cywaeth e.g. cyfoeth

cyweithas e.bg. cymwynas

chware pwt b. + e.g. gw. nod. CaTh 39-40

chwidir a. hy, eofn; ysgafn, gwamal

chwilenna b. chwilota, prowla, chwilio a chwalu

chwilgwn e.ll. pobl fusneslyd, ymyrwyr; taclau, cnafon

dallgeibio b. methu'r pwynt, camddyfalu, bustachu

dialedd e.g. + a. llawer, lliaws

diannoeth a. doeth, call, deallus

dible e.ll. (un. dibl) godre neu ymylon gwisg

diddeunydd a. anfuddiol, di-fudd, ofer, diffaith

difregedd a. **peth difregedd**, llawer, lliaws

difyn e.g. mymryn, ychydig

di-lyth a. di-feth, di-ffael

dincod e.g. ias trwy'r danedd

diomedd a. dirwgnach, diwarafun,

parod, hael

di-order a. di-drefn, direol

di-rôl a. direol

diruso a. dibetrus, diofn, hyderus

di-serth a. braf, esmwyth, didrafferth

disgwrs e.bg. sgwrs, ymgom, trafodaeth (S. discourse)

di-swrth a. egnïol, parod, diwarafun

diwael a. da, gwych

dobio b. rhoddi'n dew, plastro, cymhwyso'n ddibrin (S. daub)

dondio b. tafodi; gw. nod. CaTh 50

dragwm e.g. arwr, gwron; gw. nod. CaTh 778

dulio b. curo, pwnio

Duwsul e.g. dydd Sul

dwlian b. siarad lol neu ymddwyn yn wirion

dwndro b. cadw sŵn

dwned e.g. sôn, siarad, gair ar led

dy'dawch cyfarchiad dydd da i chwi

dygyd b. dwyn, lladrata

dyludo b. ymlid, canlyn

dyri e.b. cân, baled

egrwch e.g. caledi, gerwinder

eiddig a. awchus, gwancus, cenfigennus

eiliw e.g. math, cyfryw

eiriach b. grwgnach, gwarafun

eisinog a. llawn eisin neu us

encyd a. ennyd, adeg; **yr holl encyd**, bob amser

enllyn e.g. blasusfwyd gyda bara

erwydd e.ll. (un.b. erwydden) estyll, dellt

eurych e.g. 1. tincer. 2. ysbaddwr moch

ffiolaid e.bg. mesur o wair neu ŷd

ffithlen *e.b.* hoeden; gw. nod. TChD
1590
ffroensur *a.* trwynsur, cuchiog
ffrolig *a.* chwaraegar, ysgafala
ffwlach *e.g.* peth gwirion
ffrwgwd *e.bg.* ffrae, gwrthdaro,
ymryson
ffull *e.g.* ffwdan, brys, ffrwst
'ffylyn *e.g.* ceffyl

gaflach *e.bg.* gafl, ffwrch
gardio *b.* trin neu gribo gwlân
geran *b.* gerain, llefain, swnian
goglyd *e.bg.* ymddiried, ffydd, hyder;
bryd, golygon
goror *e.bg.* ardal, bro, cymdogaeth
graenio *b.* magu graen ar anifail, ei
bwyntio
growndwal *e.bg.* sail, sylfaen
grydwst *e.bg.* + *b.* gridwst, griddfan,
murmur.
gwacsaw *a.* gwamal, ysgafala,
disylwedd, tila
gwantanrwydd *e.g.* anniweirdeb,
anlladrwydd (*S. wantonness*)
gwawr *e.b.* gwedd, golwg; cyflwr,
stad
gwehilion *e.ll.* us, manyd.
gweitio *b.* gw. **waetio**
gwerthyd *e.b.* ffon i dderbyn yr
edafedd wrth nyddu
gwialenffust *e.b.* pen ffust, gw.nod.
CaTh 198
gwisgi *a.* sionc, chwim
gwn'dogion *e.ll.* gweision a
morynion
gwrêng *e.g.* gwerinwr, dyn cyffredin
gwybeta *b.* picio yma ac acw fel
gwybed; crwydro'n ddiffaith
gwybodol *a.* hysbys, adnabyddus

gwŷdd *e.g.* gwehydd
gwŷn *e.bg.* 1. nwyd, awydd, chwant.
2. drwg-awydd, trachwant,
anlladrwydd. 3. dicter, llid
haden *e.b.* hedyn; **hidio'r un
haden**, hidio dim
hafne *e.b.* slebog, merch fudr
haro *ebych.* yr annwyl, yr argian
hefiad *e.g.* gwth (*S. heave*)
heles *?a.* diofal, di-hid (*? S. heedless*)
helion *e.ll.* lloffion, manion, sbwriel
herio *b.* mentro neu ddal arian; gw.
nod. TChD 611
hobaid, hobed *e.g.* mesur o ŷd
hoenus *a.* sionc, heini, bywiog,
hoyw; braf, hyfryd
honio *b. amr. ar* honni
hwylio *b.* 1. bwrw iddi, paratoi.
2. teithio, mynd, ymdreiglo. 3.
cyfeirio, cyfarwyddo

i ffordd *adf.* i ffwrdd
iredd *a.* bywiog, sionc
iwin *a.* gwyllt, gorffwyll

jobie *e.ll.* setiau, lotiau

laenio *b.* taro, curo
leb *? e.bg.* **cadw leb,** cwynfan,
grwgnach, cadw sŵn
lefen *e.g.* lefain, burum
lwfio *b.* caniatáu (*S. allow*)
lysti *a.* cryf, cyhyrog, corffol,
cydnerth, llond eich croen

llibin *a.* meddal, llesg, gwan; diog;
blêr
lliwied, lliwio *b.* edliw, dannod
llunio *b.* dyfeisio celwyddau
llwrf *a.* (*lluos.* llyrfion) *amr. ar* llwfr;

meddal, llesg

llyswyra *b.* 1. gwag siarad, siarad oferedd. 2. segura, gwagswmera, crwydro'n ddiamcan

mael *e.b.* ennill, elw, proffid, lles
maeliwr *e.g.* masnachwr, dyn canol; gw. nod. TChD 593
mant *e.b.* gwefus, min
misi *a.* dicra, cysetlyd, ffyslyd; diawydd, diafael
mowrnio *b.* galaru, swnian
mowntio *b.* gwasgu ar, trechu, meistroli
myswynog *e.b.* buwch heb lo

noes *e.bg* swn (*S. noise*)
noswylio *b.* cadw noswyl, gorffen gwaith am y dydd, mynd i'r gwely
nwy(f) *e.g.* 1. nwyfiant, angerdd, egni. 2. chwant

o ran *ardd.* oherwydd
onor *e.bg.* braint, anrhydedd, bri (*S. honour*)

parsel *e.g.* haid, casgliad
picio *b.* dannod, edliw, lluchio, ebychu, gweiddi ar
pig *e.b.* trwyn; **gwneuthur pig,** gwneud trwyn sur
plag *e.g.* poendod, trafferth
pricied *e.g.* gwayw, brath, pigyn
procsi *e.bg.* peth yn lle peth arall, esgus; gw. nod. TChD 17
prygowthen *e.b.* lol, truth, baldordd, gwag siarad (hefyd fel *b.*)
puredig, *a.* diwair, rhinweddol; gw. nod. TChD 38
pŵer *e.g.* cyfoeth

pwtog *e.b.* pwten, merch fechan
pwyntmant *e.g.* (*lluos.* pwyntmanne) oed, trefniant
pwyth *e.g.* pwynt, pwnc, testun; tro, twrn
py *cys. amr. ar* pe

'ran *ardd.* gw. **o ran**
reiol *a.* iawn, gwirioneddol

rhemwth *e.g.* llabwst, peth mawr afrosgo, boliog neu farus
rhidwll *a.* Gw. nod. TChD 560
rhiolti *e.g.* gwychder, rhwysg, cyfoeth, llawndra
rhoden *e.b.* hoeden
rhuso *b.* ofni, petruso, nogio
rhwyfo *b.* 1. hwylio, paratoi. 2. codi, cyffroi
rhychor *e.g.* yr ych sy'n cerdded yn y rhych; gw. nod. CaTh 805
rhyserth *a.* rhy enbyd

saffrwydd *e.g.* sicrwydd
sai *b. cywasgiad o* safai
sâl *e.b.* arwerthiant, gwerthiant, ocsiwn, ffair (*S. sale*)
sawrio *b.* (at rywbeth) clywed oglau rhywbeth
sblîn *e.bg.* dicter, casineb, cenfigen (*S. spleen*)
sbul, *e.bg.* cildwrn, iriad llaw (*S. spill*); gw. nod. TChD 405, 407
seinio *b.* arwyddo, dangos
siabas *e.t.* taclau, sothach, ceriach
siag *a.* blewog, cedennog; **het siag,** gw. nod. CaTh 631
silori *e.g.* sothach, nonsens; gw. nod. CaTh 481
sipog *e.b.* côt fawr

smwt *e.g.* ? trwyn; gw. nod. CaTh 40
stripio *b.* tynnu ymaith; gw. nod. TChD 1252
styntie *e.ll.* (*un.* stwnt) casgenni, barilau, potiau
stwrdio *b.* ceryddu, cystwyo, poeni, blino
sucan, *e.b.* 1. math o fwyd llwy. 2. cwrw tenau gwael
sutiol, *a.* addas, pwrpasol, i bwrpas
swagar *a.* rhwysgfawr, ymffrostgar
swbach *e.g.* llipryn, creadur gwantgan/llegach
swlian *b.* lolian; gw. nod. TChD 2077
'swylio *b.* gw. noswylio
syffro *b.* dioddef
sythben *a.* ? syfrdan, hurt; gw. nod. TChD 520

tandwyro *b.* twymo, cynhesu; gw. nod. TChD 291
tegan *e.g.* ergyd, curfa
tegwch *e.g.* tywydd teg
tinglergi *e.g.* creadur truenus, crwydryn tlawd
toncio *b.* cnuchio
tonnog *a.* cas, dig, oriog, anghyfeillgar
tordyn *a.* 1. boliog, torrog, tew (hefyd fel *e.g.*). 2. talog, torsyth
torrog *a.* gw. uchod
tra *e.g.* traha
traenio *b.* dysgu, hyfforddi
trafel, *e.bg.* hanes, hynt, ymdaith
treinsiwr *e.g.* plât neu ddysgl bren
tresio *b.* curo
trwch *a.* 1. drygionus. 2. ffôl, ynfyd
trwyed *a.* trwyadl, llwyr
trybaeddwr *e.g.* un sydd yng

nghanol baw
trystian *b.* gwneud trwst
twrner *e.g.* turniwr coed
turs *e.g.* ceg gam, wyneb blin
twrddan *b.* cadw stŵr
twymyn *fel a.* twym, poeth
tyfiad *e.g.* tuedd, tueddiad; **ar dyfiad**, yn gynyddol, fwy a mwy
tyniad *e.g.* atyniad, tynfa, tuedd, gogwydd
tym'reiddrwydd *e.g.* cymedrolder, gweddeiddrwydd, sobrwydd

ulwyn *e.g.* ulw, lludw

waetio *b.* **waetio ar** rywun, aros i'w ddal, ei gornelu (*S. lie in wait for*); mynd i'w gwrdd er mwyn cyflwyno cŵyn neu wŷs iddo (*S. wait upon*)
wariach *e.t.* taclau (*S. ware*)
wrsted *e.* + *a.* gwlân (*S. worsted*)

ymbyncio *b.* ymddadlau, trafod, siarad trwy'i gilydd
ymcwest *e.g.* ymholiad
ymdrawiaeth *e.b.* sefylla, cyflwr, sut mae rhywun yn ymdaro
ymdynnu *b.* cael eich denu; (at rywbeth) mynd ar ôl, canlyn
ymddigwd *b.* ymryson
ymelyd *b.* ymafael
ymgampio *b.* prancio, gwneud campau
ymgrugo *b.* gwylltio wrthych eich hun
ympirio *b.* ymddangos (*S. appear*)
ymreibio *b.* melltithio
ymsitrach *b.* ? meddalhau; gw. nod. CaTh 403

ymwenwyno *b.* cenfigennu, magu cenfigen

ym'stwyro *b.* stretsio, ymestyn; ymnyddu

ynnill *b.* ennill

ysgorio *b.* torri rhicyn, cofnodi dyled (*S. score*)

yslâfs *e.ll.* caethweision

ystreifio *b.* ymdrechu, ymlafnio, straenio (*S. strive*)

ystretsio *b.* ymestyn (*S. stretch*)

ystuno *b.* 1. blino, pocni. 2. gyrru, hel

ystwrdio *b.* gw. stwrdio

CYFROLAU CENEDL

Yn awr ar gael yn y gyfres hon:

1. *Canu Twm o'r Nant.* Gol. Dafydd Glyn Jones. ISBN 978-0-9566516-0-0. Pris £15. Y casgliad safonol cyntaf oddi ar 1889 o waith 'pen bardd Cymru' (chwedl ei gyfaill Y Meddyg Du).

2. *Twm o'r Nant: Dwy Anterliwt. Cyfoeth a Thlodi a Tri Chydymaith Dyn.* Gol. Adrian C. Roberts. ISBN 978-0-9566516-2-4. Pris £15. Dwy o ddramâu'r athrylith o'r Nant, y naill heb ei chyhoeddi oddi ar 1889, a'r llall oddi ar yr argraffiad cyntaf, 1769!

3. *William Williams: Prydnawngwaith y Cymry.* Gol. Dafydd Glyn Jones. ISBN 978-0-9566516-3-1. Pris £10. Y llyfr Cymraeg printiedig cyntaf (1822) ar Oes y Tywysogion, ynghyd â detholiad o ysgrifau a cherddi'r gŵr amryddawn o Landygái.

4. *Emrys ap Iwan: Breuddwyd Pabydd wrth ei Ewyllys.* Gol. Dafydd Glyn Jones. ISBN 978-0-9566516-4-8. Pris £8. Gweledigaeth ddychanol y cenedlaetholwr mawr ym 1890 ar Gymru 2012.

DALEN NEWYDD

Dyma a ddywedwyd am gyfrol gyntaf y gyfres,

CANU TWM O'R NANT:

'Bellach dyma ddetholiad o ganeuon, areithiau ac ambell ddeialog o'r anterliwtiau a phrif waith barddonol Twm o'r Nant yn cael ei gyflwyno i ganrif newydd, gyda nodiadau manwl, geirfa a rhagymadrodd gwerthfawr.' – *Llafar Gwlad.*

'Mae Dafydd Glyn Jones wedi dethol yn ofalus o waith Twm o'r Nant – ei gerddi a'i anterliwtiau, ac mae'n ffynhonnell hollbwysig i unrhyw un yn astudio hanes neu lenyddiaeth Cymru.' – *Y Faner Newydd.*

'Dyma ddetholiad diddorol a chytbwys, wedi ei osod yn drefnus gymen. ... Cyflwynwyd rhagymadrodd eglur, hawdd ei dreulio, wedi ei rannu'n adrannau hylaw, ac sy'n trafod gwahanol agweddau ar y bardd a'i gyfnod. At hynny, cyflwynwyd nodiadau byr a pherthnasol ar ambell bwynt o dywyllwch yn y cerddi, a geirfa dra defnyddiol sy'n esbonio ystyr ambell air diarffordd. Nid oes esgus dros ddiystyru cerddi'r Bardd o'r Nant ragor.' – *Gwales.com*

'Cyfrol sy'n werth ei chael ac sy'n rhoi golwg o'r newydd ar weithiau ffraeth un o gymeriadau mawr ein cenedl.' – *Fferm a Thyddyn.*

'Dyma fenter, i'w chanmol yn fawr, gan ysgolhaig ar ei liwt ei hun. Ni fu casgliad mawr o waith yr hen Dwm ar gael ers 1889. Detholiad yw hwn o ryw bedwar ugain cerdd, o'r pum cant a adawodd, a cheir arolwg, geirfa a nodiadau tra gwerthfawr. Addewir y bydd y gyfres yn dwyn i olau dydd weithiau clasurol na buont ar gael ers hydoedd.' – *Y Casglwr.*

'[Y] mae dewis cyflwyno gwaith baledwr ac anterliwtiwr fel hyn yn awgrymu y bydd y gyfres yn herio ein rhagdybiaethau ac yn ein gorfodi i ailgloriannu statws a chyfraniad rhai o feirdd ac awduron y gorffennol.' – *Llên Cymru.*

CYFROLAU CENEDL

'Arwydd o genedl sy'n falch o'i thraddodiad llenyddol yw ei pharodrwydd i gadw testunau a fu'n gerrig milltir pwysig yn y traddodiad hwnnw mewn print. Cyfres sy'n amcanu i wneud hynny yw Cyfrolau Cenedl o wasg Dalen Newydd. ... Bydd hon yn gyfres bwysig.' – *Llafar Gwlad*.

I ddilyn yn y gyfres hon:

Beirniadaeth John Morris-Jones. Detholiad o feirniadaethau ac ysgrifau'r beirniad Cymraeg mwyaf ei ddylanwad erioed.

Rhywbeth yn Trwblo. Casgliad o straeon ysbryd gan ein prif awduron.

Cerddi Goronwy Owen. Y casgliad cyflawn cyntaf oddi ar 1911!

Llythyrau Goronwy Owen. Y golygiad cyntaf oddi ar gasgliad J.H. Davies, 1924, sydd bellach yn llyfr eithriadol brin.

O Lwyfan yr Anterliwt. Golygfeydd o waith diddanwyr poblogaidd y 17-18 ganrif – Huw Morys, Huw Jones, Elis y Cowper, Siôn Cadwaladr, John Thomas ac eraill. Defnydd na bu ei fath, gan fechgyn ar y naw!

Drych y Prif Oesoedd. Golygiad newydd – y cyntaf oddi ar 1902! – o argraffiad 1740 yn gyfan.

Daniel Owen: Y Dreflan. Pob beirniad yn ei thrafod, ond neb yn ei gweld!

Daniel Owen: Gweithiau Byrion. Detholiad newydd o weithiau llai y gŵr o'r Wyddgrug.

Samuel Roberts: Cynhyrfwch! Cynhyrfwch! Casgliad newydd o weithiau'r radical mawr o Lanbrynmair.

Taith y Pererin. Mawr ei fri a'i ddylanwad yn ei ddydd. Gadewch inni ei weld!

Brut y Tywysogion. Diweddariad yn iaith heddiw o brif ffynhonnell Gymraeg hanes Cymru'r Oesau Canol.

Sieffre o Fynwy: Brut y Brenhinedd. Yr hen glasur celwyddog, camarweiniol mewn Cymraeg modern.

Gildas: Coll Prydain. Trosiad newydd o 'lyfr blin' ein hanesydd cyntaf!

Nennius: Hanes y Brytaniaid. Ffynhonnell cymaint o hanes a chwedl. Trosiad Cymraeg newydd.

... A rhagor – yn cynnwys ambell syndod!

OS BYW AC IACH!

ac *OS CEIR CEFNOGAETH!!*

DALEN NEWYDD